동남아시아
도자기 연구

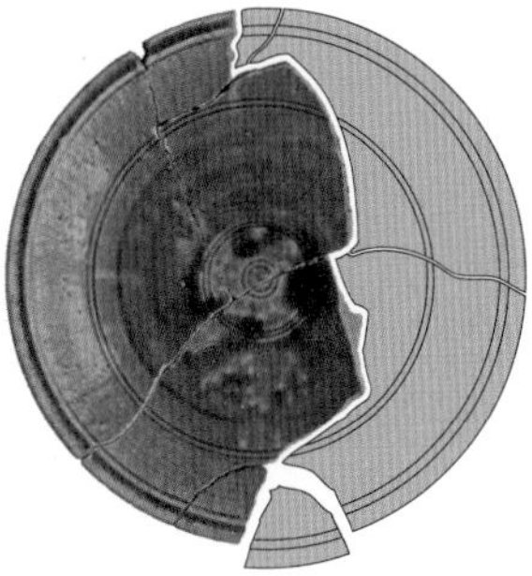

동남아시아
도자기 연구

초판인쇄 2012년 5월 10일
초판발행 2012년 5월 10일

지은이 김인규
펴낸이 김재광
펴낸곳 솔과학

출판등록 제 10-140호 1997년 2월 22일
주소 서울시 마포구 염리동 164-4 삼부골든타워 302호
대표전화 02)714-8655
팩스 02)711-4656
⊙ 이 저서는 2009년 정부 교육과학기술부의 재원으로 한국연구재단의 지원을
받아 수행된 결과임.(NRF-2009-362-B00016)

ISBN 978-89-92988-72-8

동남아시아 도자기 연구

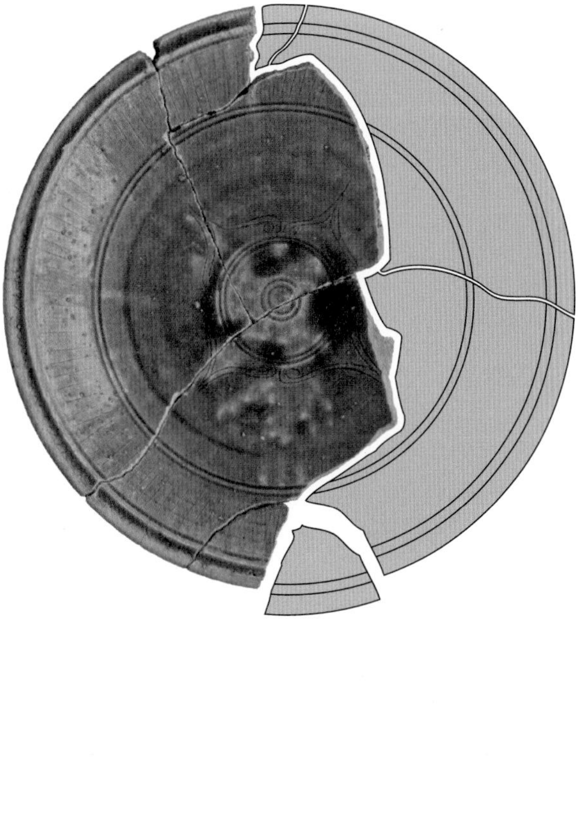

솔과학
SOLGWAHAK

| 차 례 |

동남아시아 도자기 연구

2003년 본인이 일본에서 유학을 마치고 한국으로 귀국할 때 박사논문의 심사위원이었던 하세베 가꾸지 선생으로부터 선생이 정성드려 쓴 동남아시아 도자기의 책을 받은 적이 있다. 책 앞장에는 선생의 조용하신 인품과 마찬가지로 선생이 정성드려 쓴 필자의 이름이 있었고 나중에 알게 된 일이지만 책의 내용 중 틀린 글자도 빨간색으로 꼼꼼하게 이미 고쳐 놓으신 상태였다.

나는 이 책을 받고 일본의 선생들이 중국 도자기를 공부하고 그것을 토대로 동남아시아 도자기를 연구했던 것처럼 내가 동남아시아 도자기를 공부할 기회가 있을까라고 자문한 바 있다.

세상의 일을 알 수 없듯이 필자 스스로 자문했던 일이 2010년 가을 부산 외국어대학교 동남아 지역원으로 연구 장소를 옮기면서 현실의 일이 되었다.

일본 이데미츠 미술관에 연구원으로 있으면서 많은 동남아시아 도자기를 실견하고 동남아시아 각국의 도자기의 특징을 파악한 상태여서 부산에서의 연구는 그리 어렵지 않게 진행되었다.

그리고 한국연구재단의 후원을 받고 있는 부산외국어대학교 동남아 지역원에서 제공하는 베트남, 필리핀, 미얀마 현지조사는 동남아시아 도자기의 이해의 폭을 넓히는데 도움이 되었다. 베트남 현지조사는 10여일 간 호치민에서 하노이를 거쳐 북부의 꽁떠이(Cong Tay), 꽁돔(Cong Dome) 섬까지 조사가 이어져 베트남의 다양한 도자기를 접할 수 있었다.

필리핀 조사에는 마닐라 국립박물관 소장고에서 수 많은 도자기를 실견할 수 있었고 샌디에고(San Diego) 침몰선에서 출토된 중국 도자기에 대한 조사는 필자기 알고 있던 중국 도자기의 상식을 깨는 일이 많아 다양한 시점에서 무역도자기로서 중국 도자기를 조사해야 될 필요성을 깨닫게 되었다.

미얀마의 조사는 청자요지인 뚠떼(Tuntay, 현 Twante)에서 집중적으로 이루어졌고 미얀마 청자의 생산과 유통과정을 이해하는 토대를 갖게 되었다. 미얀마 현지조사에는 카나자와 대학 명예교수인 사사키 다츠오 선생과 미얀마 양곤 대학 고고학과 선생인 산쉐(San Shwe)와 미얀마 역사조사과의 산윈(San Win) 선생의 협조가 있었다.

동남아시아 현지조사와 더불어 일본에서의 실물 조사 덕택으로 몇 편의 동남아시아 도자기의 논문이 쓰여져 이 책의 바탕이 되었다. 이 책에서는 동남아시아 도자기 및 조형문화에 보이는 중국적인 요소를 파악하는 데 주력했고 부가적으로 베트남, 필리핀, 미얀마 등에서 출토된 중국 도자기 및 무역도자기를 다루었다.

이 책을 세상에 내보내는 일이 너무나 부담스러운 일이지만 앞으로 해야 될 멀고 먼 동남아시아 도자기와 조형문화의 연구에 박차를 가하기 위한 채찍으로 삼고자 한다. 이 책을 만드는데 일일이 밝힐 수 없지만 부산외국어대학교 동남아 지역원 박장식 원장을 비롯하여 베트남 하노이 역사박물관 응웬 딘 쩬(Nguyen Dinh Chien), 필리핀 국립박물관 알프레도 오로고(Alfredo. B. Orogo) 등 수 많은 사람들의 도움으로 가능했다.

이 자리를 빌어 감사의 말을 전하고 싶다. 그리고 필자의 버팀목이 되어주신 정양모 선생님과 안휘준 선생님, 변함없이 뒤에서 도움을 주고 있는 서울대학교 김영나, 이주형, 장진성 선생께도 감사의 말을 전하고 싶다.

2012년 5월 김 인 규

I 동남아시아 도자기

01 동남아시아

02 동남아시아 도자기

03 동남아시아 요지

동남아시아는 종교적으로 도교, 유교, 불교, 이슬람교, 기독교 등 다양성을 보인다. 동양의 종교 중에서 가장 오랜 역사를 가진 도교는 불로장생이라든지 수(壽), 복(福) 등 현실구복을 원하는 민족종교라고 할 수 있다.

도교가 동남아시아의 조형문화에서 어떤 영향을 미쳤는지에 대한 연구 · 조사는 아직 이루어지지 않고 있지만, 17세기 이후 도교의 장생불사를 반영한 수자문(壽字文)이나 수노인(壽老人) 등이 베트남 도자기와 칠기 등에 보이고, 18-19세기 베트남 중부 후에(Hue) 지역의 왕릉에 보이는 개천(開天) 명문과 도자기 및 나전칠기에 보이는 음양(陰陽)과 팔괘(八卦)의 문양은 도교가 베트남 및 동남아시아 조형문화에 많은 영향을 미쳤다는 것을 알려주는 데 충분하다.

1. 동남아시아

동남아시아는 중국과 인도사이에 놓여있는 베트남, 캄보디아, 타이, 미얀마, 필리핀, 인도네시아 및 말레이시아 등의 지역을 가르키는 용어로 1839년 미국인 목사 하워드 말콤(Howard Malcolm)이 자신의 여행기(Travels in South Eastern Asia)에서 이 지역을 지칭하는 용어로서 동남아시아를 사용했고 이후 1940년대 전반에 정식으로 학문적인 용어로 정립된다.

동남아시아는 지정학적으로 대륙부와 도서부로 나누어진다. 대륙부에는 베트남, 라오스, 캄보디아, 타이, 미얀마 등의 국가가 있고 도서부는 필리핀, 인도네시아, 말레이시아, 브루나이 등으로 구성된다.

동남아시아는 기원 전, 후부터 중국, 인도 및 유럽 지역과 교류가 이루어졌다. 이러한 사실은 베트남 남부 옥에오 유적에서 출토된 로마 안토니누스 피우스(Antoninus Pius 86~163, 재위기간 138~161)의 동전을 통해 알 수 있다.〈그림 1〉

〈그림 1〉 안토니누스 피우스의 동전

그리고 베트남 중부지역에는 기원전부터 인도의 영향을 받아 미썬(My son) 유적 등이 남아있고 베트남 북부지역 동썬(Dong Son)지역에서는 중국의 영향을 받은 청동기 및 도자기가 집중적으로 제작된다.

동남아시아는 종교적으로 도교, 유교, 불교, 이슬람교, 기독교 등 다양성을 보인다. 동양의 종교 중에서 가장 오랜 역사를 가진 도교는 불로장생이라든지 수(壽), 복(福) 등 현실구복을 원하는 민족종교라고 할 수 있다.

도교가 동남아시아의 조형문화에서 어떤 영향을 미쳤는지에 대한 연구·조사는 아직 구체적으로 밝혀져 있지 않지만 17세기 이후 도교의 장생불사를 반영한 수자문(壽字文)이나 수노인(壽老人) 등이 베트남 도자기와 칠기 등에 보이고, 18~19세기 베트남 중부 후에(Hue) 지역의 왕릉에 보이는 개천(開天)의 명문과 도자기 및 나전칠기에 보이는 음양(陰陽)과 팔괘(八卦) 문양은 도교가 베트남 및 동남아시아 조형문화에 많은 영향을 미쳤다는 것을 알려주는 데 충분하다.

음양의 태극과 8괘를 기본이념으로 하는 현실구복의 도교사상은 21세기 베트남의 일반인들에게 널리 통용되고 오늘날에도 베트남 해안에서는 선원들의 무사 귀항을 염원하여 중앙에 태극이 그려지고 주위에 학 문양을 새긴 도교적 색채가 진하게 반영된 청화백자향로 등이 배의 앞부분에 놓여있다.

동남아시아에서 유교의 전통은 베트남 지역에서 오랫동안 유지된다. 베트남의 유교는 기원전 3세기 자오찌(交趾)의 태수였던 사섭(士燮, Si Nghiep) 때 전해졌고 1380년 호꾸이 리가 정권을 잡으면서 유교는 도교와 불교의 영향력을 넘게 된다. 그리고 15세기 전반 레 러이 왕조시기에 유교는 국가의 이데올로기로 채용되었고 1470년 레타이 똥 연간에는 유학이 국가의 이데올로기로 확립

되어 연호인 흥득을 사용한다.[1)]

동남아시아의 불교는 기록과 유물로 알려진 역사적인 불교와 현재 사람들이 믿고 있는 현대적인 불교로 나눌 수 있다. 동남아시아 대륙부에는 1세기경 푸난(扶南)에 불교가 전해졌고 6세기 쩐라(眞臘)의 비문에서는 대승불교가 융성했던 것을 알 수 있다. 9세기 초에 성립한 앙코르제국에서는 힌두교와 함께 대승불교가 전해지고 베이온사원 등 유명한 불교유적을 남겼다. 미얀마에서는 3세기부터 9세기까지 번영했던 쀼(Pyu, 驃族)에서 소승불교와 대승불교가 성행하게 된다.

현대불교는 미얀마, 타이, 라오스, 캄보디아, 베트남 남부에서 보이는 스리랑카 계통의 상좌부불교와 베트남, 싱가폴, 동남아시아 각지에 사는 화교에 의해 신봉되고 있는 중국계의 대승불교가 있다.

동남아시아 지역에서 이슬람의 전통은 인도네시아, 말레이시아, 필리핀 남부 민다나오 등에서 남아있고 필리핀은 포르투갈이나 스페인으로부터 기독교를 받아들여 동남아시아 지역에서 최대 기독교의 국가로 성장한다.

이와 같이 동남아시아의 다양한 종교는 동남아시아의 조형문화에서 실생활과 밀접한 관계를 맺고 있는 공예문화 및 도자기의 형태와 문양에 많은 영향을 미치게 된다. 예를 들어 크메르 토기주전자는 인도에서 기원하며 이후 베트남이나 중국 남부지방의 도자기의 기형에 영향을 주는 등 아시아의 전역의 조형문화에 상당한 파급을 미친다.

동남아시아 지역은 경제적으로 1차 상품을 주로 수출하였고 유럽과 중국을 상대로 향신료와 귀금속의 무역을 통해 경제적 이득을 취하였다. 이러한 무역

1) 유인선, 「유교가 베트남에서 국가이념으로 성립되는 과정」, 『수완나부미』, 제3권 제 1호, 2011

품은 몬순의 계절풍(여름철:남서풍, 겨울:북동풍)을 이용한 범선에 의해 운반되어 중국 및 인도상인에 의해 유럽과 중국 등지로 팔려나갔다.

무역품의 주요루트는 말레이시아 반도 서측의 주요 항구에 일단 도착한 후 무역품을 소나 코끼리로 말레이 반도의 최단거리를 횡단하여 싸얌(Siam) 만(灣) 항에서 다시 배에 실어 캄보디아를 거쳐 베트남, 중국에 도착하는 것이었다.

또 다른 루트는 말라카지역을 중심으로 이루어졌다. 이 루트는 중국와 인도상인에 의해 사용된 것으로 양국의 상인들이 자국의 배를 이용하여 말라카 해협을 도착하여 다른 지역에서 온 상인들과 교역활동을 한 후 자국으로 돌아가는 방식으로 14세기 이후 주로 사용된 루트이다.

16세기 이후 포르투갈, 스페인, 영국 등 유럽의 열강은 후자의 무역루트를 이용하여 동남아시아에 진출하여 19세기에 이르기까지 향신료, 농산물, 광물을 직접 수입하여 유럽에 고가로 되팔아 막대한 이익을 거두어 이후 산업혁명의 토대를 마련하게 된다.

이와 같이 동남아시아 지역은 무역이 활성화되는 9세기 이후부터 중국과 유럽지역에 향신료를 비롯한 농산물 등 1차 산업물을 수출하는 역할을 맡아 온 것으로 평가할 수 있고 유럽 및 중국의 상인들은 향신료 등 동남아시아 지역의 특산품을 자국으로 가지고 돌아가 많은 이익을 남기고 이 과정에서 생긴 잉여자본이 특히 서양의 근대 자본주의의 토대를 마련하는 계기를 제공하기에 이른다.

2. 동남아시아 도자기

동남아시아는 지리적으로 중국 및 인도와 근접하여 기원전부터 이 지역으로부터 종교와 그로 인해 파생된 문화를 받아들이게 된다. 나아가 이 지역은 9세기 이후 무역이 본격적으로 이루어지면서 이 지역은 중계무역지로서 부상하고 이후 중국이 명대, 청대에 해금정책(海禁政策)을 실시하여 중국 특산품인 도자기가 해외로 반입되지 못하는 상황이 전개되면 동남아시아 지역에서 생산된 도자기가 중국 도자기를 대신하여 동아시아의 일본이나 서아시아의 이란, 이라크, 아랍에미레이트 지역으로 수출되기에 이른다.

동남아시아 도자기는 대륙부를 중심으로 베트남, 캄보디아, 타이 북부 등에서 제작되고 1930년 이후 인도네시아, 필리핀 유적에서 베트남 및 태국 도자기가 대량 출토되면서 동남아시아 도자기의 연구는 활성화를 띄게 되지만 2차 세계대전 이후 정치적 불안으로 동남아시아의 도자기의 연구는 소강상태에 이른다.

그러나 최근 동남아시아의 정세가 안정되면서 동남아시아 도자기의 연구는 요지를 비롯하여 주요 유적에서 출토된 도자기에 대한 조사가 재개되고 동남아시아 도자기에 대한 새로운 자료가 증가되면서 동남아시아 각국에서 제작된 도자기에 대한 정체가 서서히 드러나고 있는 상태라고 할 수 있다.

동남아시아 도자기의 연구는 19세기 후반 유럽의 학자들에 시작되고 20세기 전반 베트남. 인도네시아, 필리핀 등 소비 유적지가 발굴되고 나아가 도자기를 생산했던 요지의 조사가 진행되면서 도자기의 생산과 유통과정 및 도자기의 제작 연대를 추정할 수 있는 근거를 마련하게 되었다.

동남아시아 도자기의 연구는 2차 세계대전 이전과 이후로 구분할 수 있다. 2차 세계대전 이전에는 유럽의 학자들이 동남아시아 도자기의 연구를 주도했다. 대표적인 학자로 홉슨(R.L. Hobson)이 있다. 그는 터키 톱카피 박물관에 소장된 대화팔년(大和八年, 1450)의 연대가 명확한 청화백자호를 발견하여 베트남 도자기 및 동남아시아 도자기의 역할과 위상을 높이는 데 결정적인 역할을 하였다.

2차 세계대전 이후 동남아시아 도자기의 연구는 록산나 브라운(Brown. R. M.)의 연구로 주도된다. 그녀는 동남아시아 일부 지역에 국한하지 않고 동남아시아 전 지역을 아우르는 연구성과를 발표하여 동남아시아 도자기의 연구에 초석을 마련하게 된다.[2)]

이후 동남아시아 도자기의 연구는 이전의 성과를 토대로 동남아시아 각 지역별로 이루어지게 된다. 1970년 이후 베트남 도자기에 대한 연구는 영국 도자사학자인 존 가이(John Guy)를 시작으로 일본 도자사학자인 하세베 가꾸지(長谷部樂爾), 모리모토 아사코(森本朝子) 등의 연구가 있다.[3)]

그리고 1980년 이후 베트남 도자기에 대한 연구는 베트남 고고학 연구소가 주최가 되어 요지 등을 조사하고 일본 죠치(上智)대학 아시아 연구소와 쇼와여자대학교(昭和女子大學校) 국제문화연구소 등 일본의 연구기관이 베트남 각 지역의 요지와 소비유적를 발굴하여 많은 성과를 내게 된다.

일본 죠치대학 아시아연구소는 1991~93년에 걸쳐 베트남 북부 및 중부의 도자기에 대한 조사를 실시하여 많은 성과를 내게 된다.[4)] 일본 쇼와여자대학교

---

2) Brown. R. M., The Ceramics of South East Asia: Their Dating and Identification, Oxford University Press, 1988

3) 森本朝子,『日本出土のベトナムの陶磁とその産地』, 東洋陶磁 1995
長谷部樂爾,『インドジナ半島の陶磁』瑠璃書房, 1990

4) 山本信夫, 長谷部樂爾, 青柳洋治, 小川英文,「ベトナム陶磁の編年的研究とチャンパ古窯と貿易港 Van Donをたずねて」,『東南考古會報 12』, 1992

국제문화연구소는 베트남과 공동으로 베트남 중부지역인 호이안을 중심으로 각 유적을 발굴하여 많은 성과를 내고 있다.[5)]

캄보디아 도자기의 연구는 아이모니에 에띠엔느(Aymonier, Etienne)가 프논클랜 퇴적을 조사하는 것으로 시작되고, 이후 그로리지에 베흐나흐(Grolisier, Bernard P.)가 앙코르 유적 일대를 조사하여 출토된 크메르 도자기를 기술하고 있다.[6)]

그러나 캄보디아 도자기의 연구는 1970~80년대 내전으로 답보상태를 보이다가 2005년 일본의 죠치대학과 나라문화재 연구소가 주최가 되어 앙코르 유적의 동쪽에 위치한 타니 유적에서 요지를 발굴하는 것을 계기로 본 궤도에 이르게 된다.[7)]

태국 도자기의 연구는 1980년 이후 북부지방을 중심으로 이루어졌다. 존 쇼는 타이 북부지방의 요지와 요지에서 제작된 도자기로 많은 성과을 이루었다.[8)] 1980년대 태국과 오스트레일리아가 공동으로 진행한 T. C. A. P.(Thai Ceramics Archaeological Project)는 태국 수출도자기의 중심이라고 할 수 있는 태국 중부의 씨싸차날라이 요지를 체계적으로 조사, 연구하는 계기를 마련하였다.[9)]

---

5) 菊地誠一, 「ベトナムの日本町 ―ホイアンの考古学調査」, 『昭和女子大学國際文化研究所紀要』 Vol 4 , 1997

6) Aymonier, Etienne., "Les Provinces Siamoises", Le Cambodge, vol.2, Paris: Ernest Leroux, 1901
Groslier, Bernard P., Introduction to the Ceramic Wares of Angkor, In Diana Stock Khmer Ceramics: 9th~14th Century, pp.9~39, Singapore: Oriental Ceramics Society, 1981

7) 獨立行政法人文化財研究所 奈良文化財研究所, 『タニ窯跡群６号窯發掘調査報告 －アンコル文化遺産保護共同 研究報告書－』, 2005. 青柳洋治, 佐々木達夫, 『タニ窯跡の研究』, 聯合出版, 2007

8) Shaw, J.C., Northern Thai Ceramics, Kuala Lumpur, 1981

9) Don Hein, Peter Burns, Dick Richards., An Alternative view on the origins of ceramic production at Si Satchanalai and Sukhothai, Central Northern Thailand, SPAFA Digest Vol. VII. No.1, 1986

이 조사에서는 반 코노이지역의 요지에서 반지하식 요지에서 지상식 요지로 이행하는 과정이 밝혀졌고 최하층에서는 싸완카록 도자기에 선행하는 타이 북부의 회유도기인 몬도기(백화장을 하여 회유를 바른 것)의 존재가 발견되어 씨싸차날라이 요지의 초기 과정에서 몬도기의 역할이 상세하게 세상에 알려지게 되었다.

1980년 이후에는 타이를 중심으로 활동하고 있는 루니에 의해 크메르의 도자기 연구는 진일보하고 있다. 그는 크메르 도자기의 기형이 가진 의미를 체계적으로 분석하고 이러한 기형이 중국 송대의 도자기에서 기원하고 있다는 것을 밝히고 있다.[10)]

그리고 타이 예술국을 중심으로 이루어지고 있는 타이 인근 해역에서 침몰한 무역선과 무역도자기에 대한 연구는 중국 도자기에 대한 편년이 정확하지 않은 한계를 보이고 있지만 태국 도자기의 편년에 결정적인 기준이 되고 있어 타이 및 동남아시아의 도자기의 연구에서 매우 중요한 의미를 지니고 있다.

미얀마의 도자기에 대한 연구는 1990년 이후 요지의 발굴 등이 이루어져 도자기 연구의 출발이 시작되었다고 할 수 있지만, 현재까지 요지 및 요지에서 제작된 도자기에 대한 연구는 거의 전무하다고 할 수 있고 토기를 시작으로 시유 도자기인 청자와 흑유자 등이 만들어지게 되는 과정 역시 거의 밝혀지지 않고 있다.

미얀마의 도자기는 동인도회사의 회계장부 및 유럽과 서아시아의 여행기에 등장하는 마르타반 항아리을 시작으로 유럽과 동남아시아 인근 등에서

---

10) D. F. Roony., "Use of Khmer Ceramics", Khmer Ceramics 9th~14th Century, Singapore, 1981
D. F. Roony., Khmer Ceramics, Singapore, 1984

널리 알려졌다. 특히 흑유를 발라 만든 마르타반 항아리는 당시 무역선에서 거의 필수품으로 물을 저장하는 용기로서 14세기부터 17세기까지 오랜 세월 동안 대호평을 받게 된다.

그리고 미얀마 뚠떼지역에서 제작된 청자는 14세기 후반 명이 해금정책을 실시하면서 중국의 무역도자기가 해외로 반출되지 못할 때 중국 도자기를 대신하여 서아시아 지역으로 상당량이 수출된 것으로 알려져 무역도자기로서 미얀마의 청자의 역할과 위상을 짐작하게 해준다.[11]

3. 동남아시아 요지

요지는 생활에 필요한 그릇과 건축에 필요한 자재를 생산했던 곳으로 고대인의 생활을 연구하는데 매우 중요한 의미를 지니고 있다. 아시아에서 요지는 중국을 중심으로 한국과 일본의 동아시아 지역, 이라크, 이집트 등 서아시아 지역, 중국과 인도의 영향을 받으면서 자체적으로 기술의 발전을 보인 동남아시아의 요지로 구분할 수 있다.

동아시아 중국의 요지는 청동기와 유사한 기형과 문양을 가진 도자기가 확인되어 동양의 요지는 동양문양이 탄생된 은대(殷代)부터 존재했던 것을 알 수 있다. 중국의 요지 및 요장(窯場)은 도자기의 재료인 양질의 흙이 풍부한 절강성, 복건성, 광동성을 중심으로 하는 남부지역이 중심적인 역할을 수행하였고 송대

---

11) Myo Thant Tyn., The Ancient Glazed kiln sites in Myanmar, a paper presented at the conference of Glazed Ceramics of Southeast Asia –their history, technology and Traditions at the National Museum of Bagan, Myanmar 20~22 Sep 1999
佐々木達夫, 「アラビア半島にひろがるミャンマー青磁の發見」, 『金澤大學考古學紀要』 26, 2002, pp.1~7

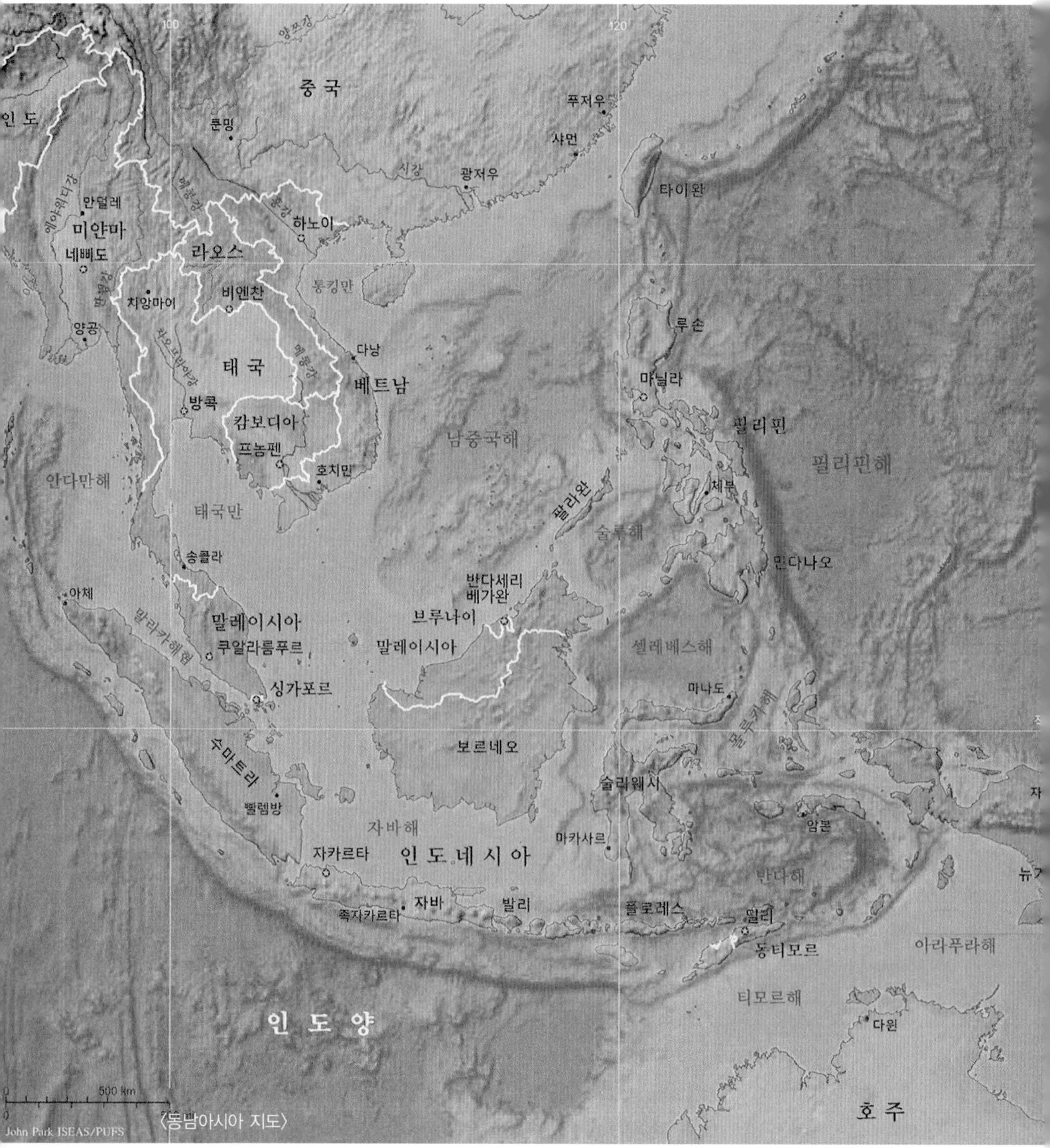
중국
인도
쿤밍
푸저우
샤먼
시강
광저우
타이완
만덜레
에야워디강
미얀마
네삐도
홍강
하노이
메콩강
라오스
통킹만
치앙마이
비엔찬
양곤
루손
다낭
짜오프라야강
태국
베트남
마닐라
방콕
캄보디아
필리핀
남중국해
프놈펜
필리핀해
안다만해
호치민
팔라완
체부
태국만
술루해
송클라
민다나오
아체
반다세리
베가완
말라카해협
말레이시아
브루나이
쿠알라룸푸르
말레이시아
셀레베스해
싱가포르
마나도
몰루카해
수마트라
보르네오
술라웨시
빨렘방
암본
자바해
마카사르
자카르타
인도네시아
반다해
족자카르타
자바
발리
플로레스
딜리
동티모르
아라푸라해
티모르해
인도양
다윈
호주
500 km
John Park ISEAS/PUFS
〈동남아시아 지도〉

YUNNAN
CHINA
Kunming
Yuxi
Chao phraya River
Red River
Shwebo
GUANGXI
Mandalay
Ava
Bat Trang
Ma River
Bagan
Hanoi
Van Don
Irrawaddy River
BURMA
Haiphong
Phan
LAOS
Nam Sach
Haikang
Ping River
Payao
Dong-san
GULF OF TONKIN
Kalong
San Sai
HAINAN DAO
Chiangmai
Vientiane
Thanh Hoa
Sankampaeng
Lamphun
Omkoi
Sawankhalok
Bago
Rangoon
Sukhothai
Martaban
Tak
Pitsanulok
VIETNAM
Twante
Mekong River
Moulmein
Lop Buri
GULF OF MARTABAN
Singaburi
Phimai
Mun River
Suphanburi
Ayudhya
Buriram
Surin
THAILAND
Bangkok
Angkor
Ban Kruat
Phnom Kulen
Go Sanh
ANDAMAN SEA
CAMBODIA
Phnom Penh
GULF OF THAILAND
Ho Chi Minh City
Kiln Site

〈동남아시아 요지〉

이후 수도와 그 주변을 중심으로 요지가 집중적으로 분포된다.

당대(唐代, 618~907)에는 중국의 요지는 전국적인 규모의 분포를 보인다. 송대에는 북송과 남송시대에 수도 가까이에 도자기를 구웠던 요지가 보인다. 원, 명, 청대에는 강서성 경덕진에서 관용 및 무역도자기가 집중적으로 생산되고 16세기 후반 도자기무역이 활성화되면서 광동성과 복건성에 무역품을 생산하기 위한 민간요지가 증가된다.

동남아시아의 요지는 지역적으로 베트남 북부지역과 캄보디아 남부지역, 타이 중부와 북부, 미얀마 남부 뜬떼, 중부 버강지역에 집중한다. 베트남 북부지역은 기원 전, 후 한대의 영향을 받았던 요지를 시작으로 10세기 이후에는 다양한 요지가 베트남 전 지역에서 조성된다. 14세기 후반 이후에는 베트남 북부 하이증 추다오(Hai Duong, Chu Dao) 요지를 중심으로 동남아시아의 무역도자기 역사에서 중요한 위치를 차지한 청화백자요지가 형성된다.

캄보디아에서는 19세기 말과 20세기 초 프랑스 고고학자와 1990년 이후 일본의 고고학자에 의하여 타니(Tani) 요지 등이 발굴되었다. 미얀마에서 요지에 대한 본격적인 발굴은 오스트레일리아 학자인 돈하인(Don Hein) 등에 의해 1999년 이후 본격적으로 이루어져 뜬떼를 비롯하여 여러 지방의 요지 발굴에 참여하고 많은 성과를 내었다.

요지에 대한 연구는 기본적으로 고고학적인 영역에 가까운 것으로 요지의 구조와 기능을 파악하는 것은 도자기 제작기술의 이입과 전파 과정을 파악하는데 매우 중요하고 나아가 문화의 이동 경로 등을 밝히는데 매우 유용한 자료로 이용된다.

동남아시아 각 지역의 요지는 지리적으로 긴밀하게 연결되어 지역권 및 문화권을 중심으로 요지의 구조와 기술을 파악하기 어려운 부분이 있지만 동남아시아 각 지역에서 요지가 오랫동안 지속되고 있다는 일반적인 사실을 감안하면 동남아시아 지역의 요지에 대한 조사와 비교는 이 지역의 문화의 기원과 형성 과정을 밝히는 데 중요한 실마리를 제공할 것으로 여겨진다.

이번 장은 동남아시아 각 지역에 보이는 요지의 구조와 변화를 추적하여 동남아시아에서 중국 요지의 수용과 변천과정을 추적할 수 있는 근거를 제공하여 한국 및 일본 등 중국의 문화권에 속해 있는 동아시아의 요지의 구조와 변천과정을 연구하는계기를 마련한다.

1) 동남아시아 각 국의 요지

동남아시아 요지는 기본적으로 아궁이, 소성실, 굴뚝의 구조로 이루어졌고 요지의 구조는 아궁이와 소성실이 지하에 또는 지상에 노출되었는가에 따라 지하식 요지, 반지하식 요지, 지상식 요지로 나눌 수 있다.

지하식 요지는 가장 이른 시기의 형태로 동남아시아 전역에 널리 분포한다. 이 요지는 기본적으로 땅을 파서 만든 요지로 아궁이, 소성실, 굴뚝이 연결된 구조로 열의 손실이 적다고 할 수 있지만 여름철에 습기로 작업을 할 수 없고 소성실에 충분한 도자기를 넣을 수 없는 공간이 협소한 것이 단점이 있다.

지하식 요지는 소성실에 넓은 공간을 확보하고 요지가 파손되었을 때 보수하여 다시 사용하기 위하여 소성실 부분이 지상으로 노출되는 반지하식 요지로 변한다. 반지하식 요지의 아궁이는 지하식 요지의 것과 유사한 형태와 기능을 가지고 있고 소성실은 지하식 요지보다 길고 넓고 소성실의 벽은 진흙(벽돌)이

나 구운 벽돌로 제작된다. 〈그림 2〉

이와 같이 반지하식 요지에서 소성실이 외부에 설치되는 것은 ① 요지 안의 온도를 일정하게 유지하기 어렵고, ② 요지의 온도를 높이기 어렵고 요지가 식는 과정에서 온도의 차이로 인해 생기는 요벽의 균열 등이 발생하는 단점이 있는데 이러한 점을 보완하기 위하여 요지의 벽을 흙으로 덧칠하는 등의 방법이 강구된다. 〈그림 3〉

지상식 요지는 아궁이, 소성실, 굴뚝 등이 전부 지상에 노출된다. 이 요지는 비탈진 산의 경사나 평평한 땅을 다져 약간 경사지게 만든 곳에 놓이게 된다. 지상식 요지는 소성실의 공간이 넓어져 많은 양을 동시에 구울 수 있다는 장점이 있지만 지상에 노출되어 열손실이 크다는 단점이 있다. 〈그림 4〉

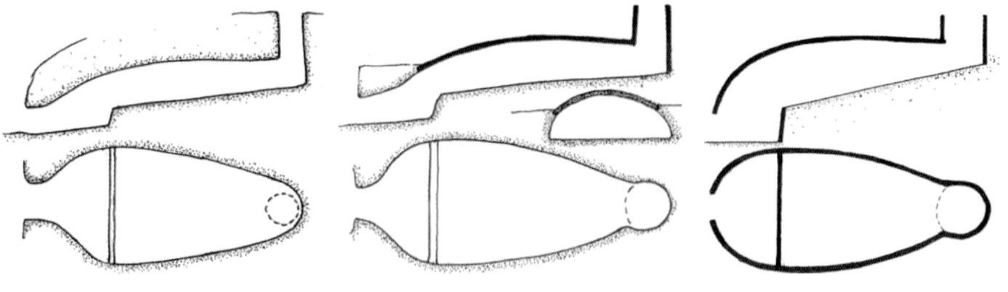

〈그림 2〉 지하식 요지 〈그림 3〉 반지하식 요지 〈그림 4〉 지상식 요지

동남아시아의 요지는 요지 안의 불꽃의 흐름에 따라 불꽃이 곧 바로 올라가는 직염식(直炎式) 요지와 옆으로 이동하는 횡염식(橫炎式) 요지로 나눌 수 있다. 직염식 요지는 지하식 요지에서 주로 보이고 횡염식 요지는 반지하식, 지상식 요지에서 주로 확인된다.

직염식 요지는 기원전 섬서성(陝西省) 반파(半坡) 유적에서 발견되고 럭비공의 형태를 유지하고 아궁이보다 약간 높은 곳에 소성실과 돔 형태의 지붕을 지

니고 있고 요지의 측면에서 접근할 수 있는 문이 마련되어 있다.[12)]

횡염식 요지는 요벽이 이른 시기의 요지에서 보이는 울퉁불퉁한 형태가 아닌 곧고 높은 형태로 불길이 요지의 전체(의 넓이)에 근접하도록 과학적으로 만들어져 요지의 온도와 공기의 흐름이 잘 이루어지도록 고안되었다. 횡염식 요지는 맨 앞에 아궁이를 두고 맨 마지막에 굴뚝을 마련하는 것은 기본적으로 직염식 요지와 유사하지만 따로 만들어진 굴뚝과 그 구조가 약간 다르다.

횡염식 요지는 아궁이의 형태와 구조에 따라 2가지 형태로 나눌 수 있다. 첫 번째 형태는 아궁이가 소성실 및 굴뚝과 거의 일직선으로 이어져 있는 형태로 초기 형태의 횡염식 요지에서 보이고 있다.

두 번째 형태는 아궁이가 소성실보다 아래에 설치된 것으로 아궁이에서 만들어진 불길이 거의 소성실의 바닥에 닿게 되어 소성실에 보다 많은 열이 전해져 소성실의 바닥과 천정의 온도의 차가 줄어들고 배기가 원활하게 되는 장점이 있고 연소를 위한 많은 공간이 주어져 높고 균일한 온도를 만들어 내는 데 도움이 된다.

동남아시아 요지는 천정의 돔을 만드는 방법은 지하식, 반지하식, 지상식 요지에 따라 다르다. 지하식 요지의 돔은 요지의 모래나 침전물을 사용하였고 돔을 만드는 방법은 격자로 된 대나무로 틀을 만든 후에 진흙으로 채우거나 모래나 침점물로 돔의 윤곽을 만든 다음 그 위를 진흙으로 메우게 된다.

반지하식 요지는 돔의 아랫부분이 요지의 토대가 되는 요지의 아랫부분인 저부와 만나도록 고안되었다. 지상식 요지의 돔(벽)은 주로 벽돌로 만들어져 서로 지탱해 주는 힘이 있어 기본적으로 요지의 지지 기반이 필요없다.[13)]

---

12) Don Hein., Ceramic Kiln Lineages in Mainland Southeast Asia, Ceramics in mainland Southeast Asia: Collections in the Freer Gallery of Art and Arthur M. Sackler Gallery, p.4

13) Don Hein., Ceramic Kiln Lineages in Mainland Southeast Asia, Ceramics in maimland Southeast Asia: Collections in the Freer Gallery of Art and Arthur M. Sackler Gallery, pp.5~6

나아가 소성실에 도자기를 쌓기 위하여 설치되는 옆문은 중국 남부에서 보이는 등요에 자주 보이고 베트남 중부의 지상식 요지에서 확인할 수 있어 중국 남부지방의 요지의 형태와 구조가 베트남 중부지역의 요지에 많은 영향을 준 것으로 여겨진다.

(1) 베트남

베트남의 요지는 북부와 중부지역에 분포되어 있다. 북부지역의 요지로 이른 시기의 것은 북부 따잉 호아(Thanh Hoa) 성의 땀또(Tam Tho) 와 박닌 엔퐁(Bac Ninh Yen Phong) 주엉싸(Duong Xa) 유적 등에서 확인할 수 있다. 따잉 호아성의 땀또 마을의 요지는 흙으로 요벽이 만들어졌고 아궁이와 소성실이 분리되어 있다. 아궁이는 입구가 두 개이고 굴뚝은 낮고 넓다. 얀세(Olov Janse)는 이곳에서 제작된 도자기로 요지의 제작시기를 2~6세기로 간주하고 있다.[14] 〈그림 5〉, 〈그림 6〉

중부지역 참(Cham)족의 도자기는 11세기부터 만들어진 것으로 추정되고 빈딘(Binh Dinh) 성의 고산(Go Sanh), 고호이(Go Hoi), 고께(Go Ke) 등에서 요지가 발견되었다. 고산요지는 15~16세기의 회유도기를 구웠던 곳으로 1990년 중반 일본 학자들에 의하여 발굴이 이루어져 베트남 중부지역 요지의 구조와 생산방식을 추적할 수 있는 실마리를 제공하고 있다.

고산 요지는 기본적으로 아궁이, 소성실, 굴뚝으로 구성되었고 전체 요지의 길이는 14m 정도로 아궁이가 작고 소성실과 굴뚝으로 진행되면서 점점 넓어지는 구조를 가지고 있다.

고산 요지의 벽은 흙으로 만들어졌고 벽의 일부는 흙과 짚을 섞어 만들었다. 돔 부분은 거의 남아있지 않아 알 수 없다. 아궁이는 6개의 기둥이 세워졌고 아

14) Olov Janse., Archaeological Research in Indo-China. Vol.2 Cambridge: Harvard University Press 1951, p.245

〈그림 6〉 따잉호아 땀또요지 실측도

〈그림 5〉 따잉호아 땀또 요지

궁이의 천정을 떠받쳤던 것으로 생각된다.

소성실은 연소실보다 약 50cm 정도 높게 마련되었고 각도는 약 15도이다. 그리고 소성실의 오른쪽 측면에 드나들 수 있도록 출입구가 마련되어 있고 요지의 오른쪽 중간 부분에 출입구를 만드는 것이 당대(唐代) 이후 중국 남부 요지의 특징이라는 사실을 고려하면 베트남 중부 고산 요지에 보이는 출입구를 만드는 것은 중국의 남부 요지의 영향으로 판단된다.〈그림 7〉

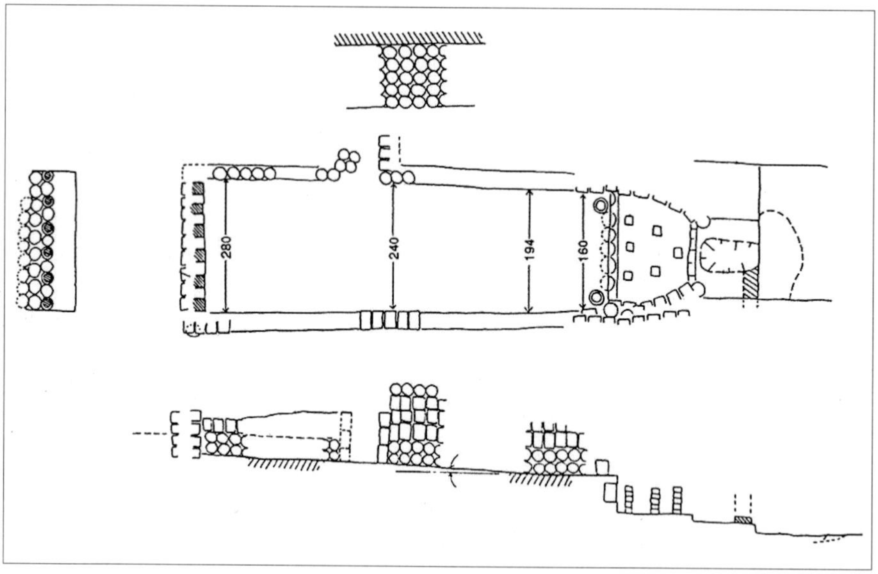

〈그림 7〉 베트남 중부 고산 요지 구조

굴뚝은 갑발로 6개의 기둥을 세워 만든 5개의 흡입 통로를 통하여 연기가 빠져 나가도록 고안되었다. 이러한 배기 방식 역시 중국 남부에서 자주 보인다.[15)]

15) 山本信夫, 長谷部樂爾, 青柳洋治, 小川英文, 「ベトナム陶磁の編年的研究とチャンパ古窯の発掘調査 – ゴーサイン古窯の発掘調査– 」, 『上智アジア学』 11号, 1993, p.171

(2) 캄보디아

캄보디아에는 19세기 후반에 발견된 프놈쿨렌(Phnom Kulen) 및 타니(Tani) 요지가 매우 중요한 의미를 지니고 있다. 이중 타니 요지는 캄보디아 앙코르 지역에 있는 크메르 왕조의 도자기 생산지로써 2005년 본격적인 발굴이 이루어졌다.[16]

이 요지는 낮은 언덕을 이용하여 만들어졌고 아궁이, 소성실, 굴뚝의 기본적인 구조를 보이고 소성실에는 천정을 바친 기둥의 흔적이 뚜렷하게 남아있고 소성실을 사이에 두고 아궁이와 굴뚝이 놓여있다.〈그림 8〉

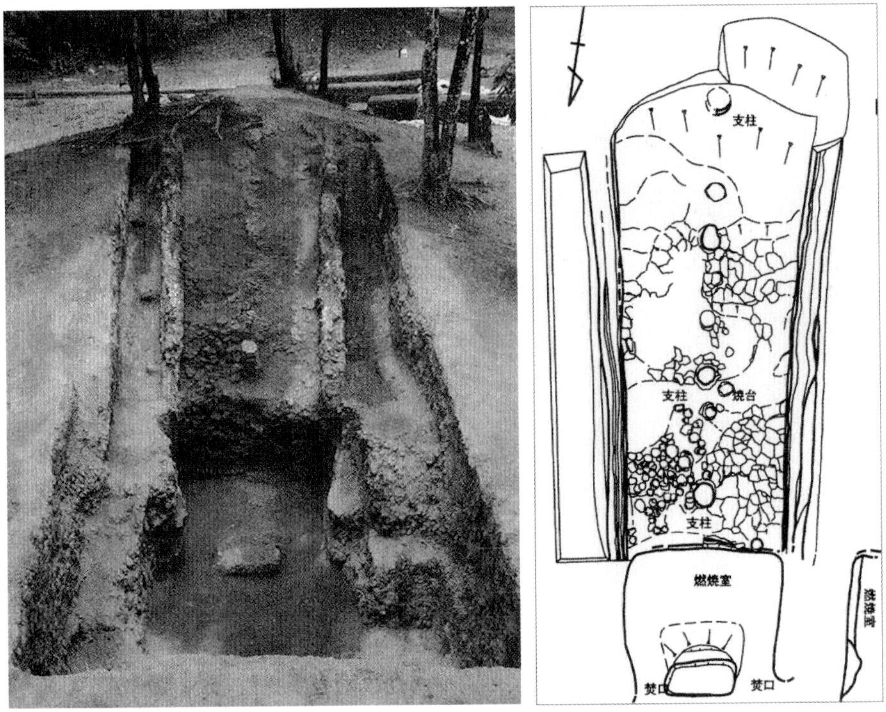

〈그림 8〉 타니 요지와 실측도

16) 青柳洋治 · 佐々木達夫, 『タニ窯跡の研究』, 連合出版, 2007

(3) 타이

동남아시아의 요지에 대해 오랫동안 연구를 했던 돈하인(Don Hein)은 그의 논문에서 싸완카록(Sawankhalok)의 요지의 구조와 변천에 대하여 논하고 있다. 그는 초기의 싸완카록 요지를 지하식 요지로 규정하고 아궁이, 소성실, 굴뚝으로 구성되었다고 밝히고 있다.[17)]

타이의 지하식 요지 역시 반지하식 요지로 전환한다. 반지하식 요지는 요지의 앞부분은 기존의 지하요지와 같고 요지의 윗(뒷)부분은 진흙을 말린 벽돌이나 구운 벽돌로 만들고 요지가 손상되었을 때 보수하여 다시 사용할 수 있다.

반지하식 요지의 윗부분이 벽돌로 만들어지는 것은 싸완카록 요지의 특징으로 베트남, 캄보디아 등에서 요지의 상부를 여러 겹의 흙으로 만드는 것보다 발전된 것으로 요지의 계통이 약간 다르다.

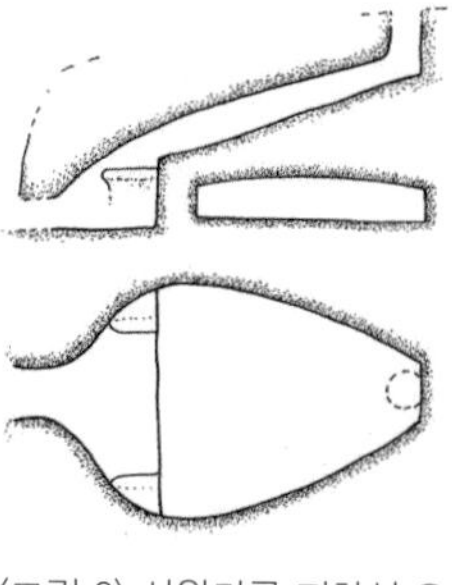
〈그림 9〉 사완카록 지하식 요지

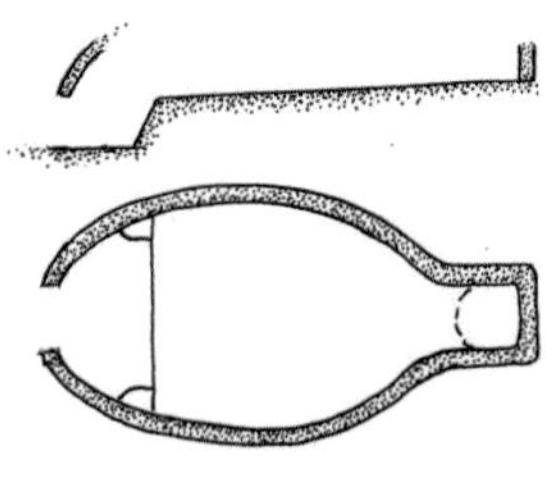
〈그림 10〉 사완카록 반지하식 요지

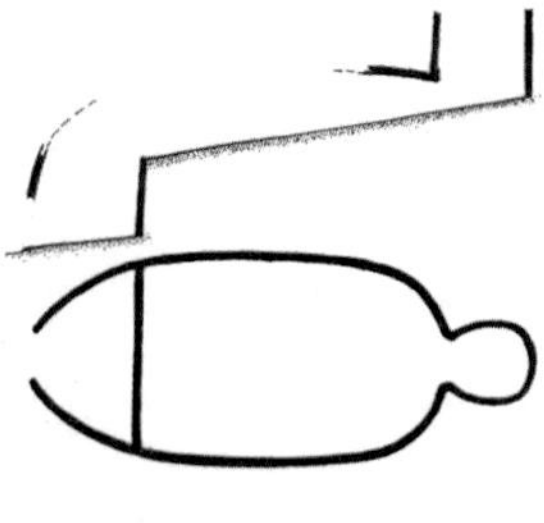
〈그림 11〉 사완카록 지상식 요지

이와 같이 싸완카록 벽돌요지는 당대 이후 중국 절강성 일대의 청자요지가 대부분이 벽돌요지라는 점을 감안하면 중국 남부 요지의 구조를 수용했을 가능성이 높다. 그리고 이러한 사실은 타이의 국왕이 중국으로부터 도공을 데려왔

17) Don Hein., Ceramic Kiln Lineages in Mainland Southeast Asia, Ceramics in maimland Southeast Asia: Collections in the Freer Gallery of Art and Arthur M. Sackler Gallery, pp.26~29

다는 주장과 싸완카록 요지에서 만든 도자기에서 중국 철회백자의 요소가 많이 보인다는 점에서 어느 정도 인정할 수 있다.〈그림 9〉, 〈그림 10〉, 〈그림 11〉

(4) 미얀마

미얀마에서 요지의 발굴은 1990년대 후반부터 이루어진다. 이 시기에 돈하인과 묘민쪼(Myo Min Kyaw)가 라군비(Lagunbyee), 뚠떼(Tuntay), 먀웅 미아(Myaung Mya)의 요지를 발굴한다. 그리고 도베비(Daw Baby)가 뚠떼의 요지를 발굴하여 간략한 보고서를 작성하고 2002년에는 뚠떼의 파야지(Phayagyi)의 요지를 도베비와 일본인 연구자 쯔다 타게노리(津田武德)가 발굴한다.[18]

이러한 일련의 발굴에도 불구하고 미얀마에서 요지의 발굴은 거의 초보상태에 불과하고 이미 발굴이 이루어졌을지라도 대부분 보고서가 간행되지 않아 미얀마 요지에 대한 상황은 거의 알려지지 않았다고 할 수 있다.

이런 상황에도 불구하고 미얀마 요지에 대한 부분적인 상황은 돈하인 등이 라군비(Lagunbyee), 뚠떼(Tuntay) 지역에서 했던 청자요지의 발굴을 통해 알려지고 있다. 라군비에서 발굴된 청자요지는 횡염식으로 현재 남아있는 요지의 길이는 11.7m 폭은 4.8m이다. 요지의 주변에서 청자가 발견되었고 일부의 파편에는 음각문양이 보인다. 요도구로 높은 원주형과 원반형의 받침이 있다.

뚠떼 파다 짜우 피아 산 깐지고(Parda Kyauk Phyar San Kangyigone) 지역의 경사지에 2개의 요지가 발견되었다. 이 요지는 횡염식 지상요로 1호 요지는 길이 12m 폭 5.4m 2호 요지는 길이 11.4m, 폭 5.7m이다.

---

18) Myo Thant Tyn., The Ancient Glazed kiln sites in Myanmar, a paper presented at the conference of Glazed Ceramics of Southeast Asia ~their history, technology and Traditions at the National Museum of Bagan, Myanmar 20~22 Sep 1999.

이 요지는 진흙 벽돌로 만들어졌고 아궁이, 소성실, 굴뚝으로 구성되어 있고 럭비공 형태의 지상요이다. 소성실은 굴뚝보다 80~90cm 정도 높게 만들어졌다. 소성실의 길이는 254cm이고 굴뚝을 포함한 소성실의 길이는 685cm이다. 그리고 소성실의 앞부분에는 천정을 바친 것으로 보이는 기둥의 흔적이 2개 보인다.〈그림 12〉

〈그림 12〉 미얀마 뜨떼 정자 요지

Ⅱ 동남아시아 도자기와 중국

01 동남아시아 도자기와 주요 요적

02 동남아시아 도자기에 보이는 중국 도자기의 영향

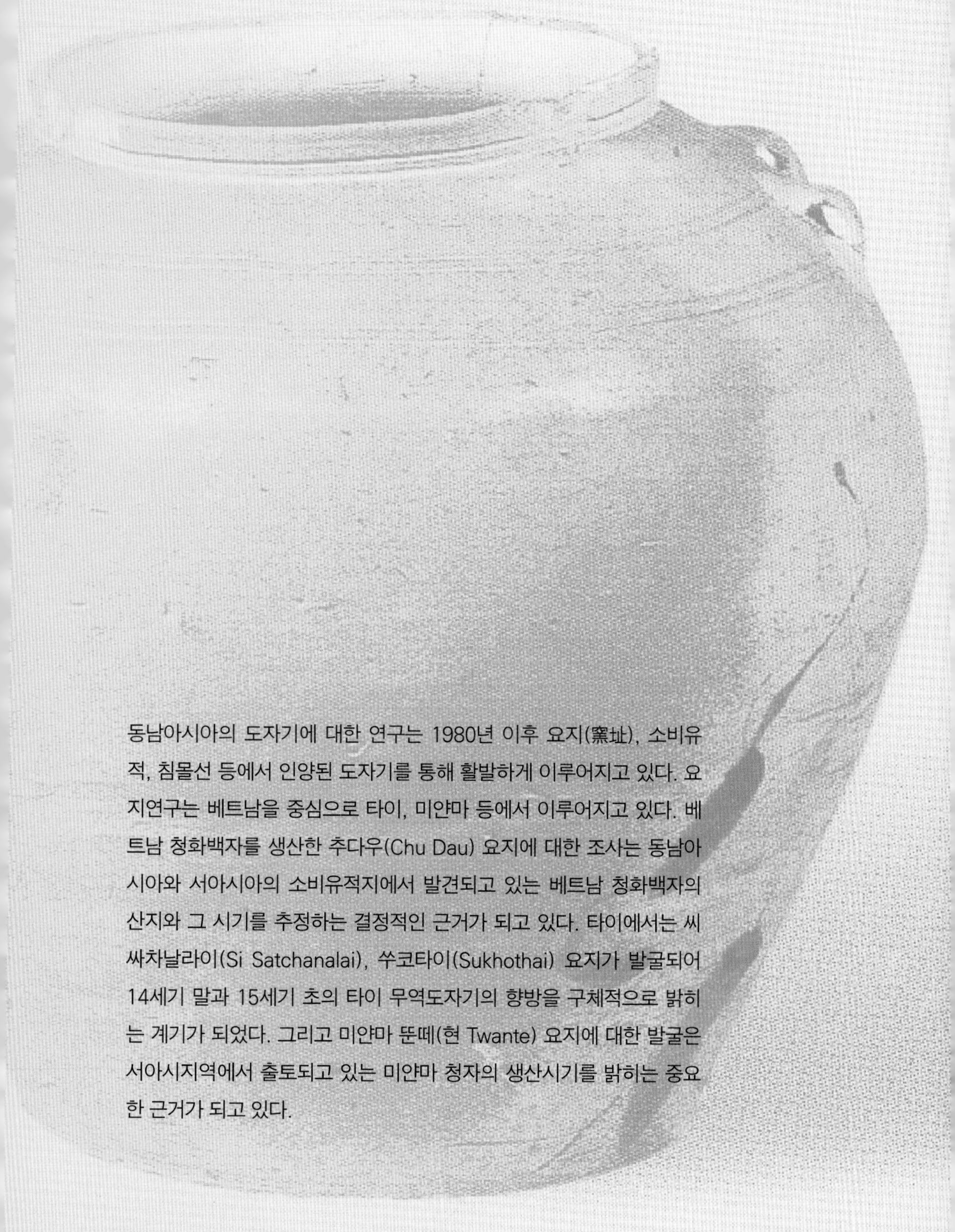

동남아시아의 도자기에 대한 연구는 1980년 이후 요지(窯址), 소비유적, 침몰선 등에서 인양된 도자기를 통해 활발하게 이루어지고 있다. 요지연구는 베트남을 중심으로 타이, 미얀마 등에서 이루어지고 있다. 베트남 청화백자를 생산한 추다우(Chu Dau) 요지에 대한 조사는 동남아시아와 서아시아의 소비유적지에서 발견되고 있는 베트남 청화백자의 산지와 그 시기를 추정하는 결정적인 근거가 되고 있다. 타이에서는 씨싸차날라이(Si Satchanalai), 쑤코타이(Sukhothai) 요지가 발굴되어 14세기 말과 15세기 초의 타이 무역도자기의 향방을 구체적으로 밝히는 계기가 되었다. 그리고 미얀마 뚠떼(현 Twante) 요지에 대한 발굴은 서아시지역에서 출토되고 있는 미얀마 청자의 생산시기를 밝히는 중요한 근거가 되고 있다.

동남아시아는 동아시아와 서아시아를 연결하는 중간지역으로 도자기무역이 본격적으로 이루어지는 9세기 이후 동아시아와 서아시아에서 생산된 도자기가 유통되는 동서도자 교류의 장이 된다. 이러한 사실은 인도네시아, 필리핀, 베트남을 비롯한 동남아시아 유적에서 동아시아와 서아시아의 도자기가 동시에 발굴되는 현상에서 확인할 수 있다.

동남아시아의 도자기에 대한 연구는 1980년 이후 요지(窯址), 소비유적, 침몰선 등에서 인양된 도자기를 통해 활발하게 이루어지고 있다. 요지연구는 베트남을 중심으로 타이, 미얀마 등에서 이루어지고 있다. 베트남 청화백자를 생산한 추다우(Chu Dau) 요지에 대한 조사는 동남아시아와 서아시아의 소비유적지에서 발견되고 있는 베트남 청화백자의 산지와 그 시기를 추정하는 결정적인 근거가 되고 있다. 태국에서는 씨싸차날라이(Si Satchanalai), 쑤코타이(Sukhothai) 요지가 발굴되어 14세기 말과 15세기 초의 태국 무역도자기의 향방을 구체적으로 밝히는 계기가 되었다. 그리고 미얀마 뜬떼(현 Twante) 요지에 대한 발굴은 서아시지역에서 출토되고 있는 미얀마 청자의 생산시기를 밝히는 중요한 근거가 되고 있다.

그리고 동남아시아의 도자기가 출토되는 대표적인 소비유적으로 일본 오키나와 슈리죠(首里城)가 있다. 이 유적에서는 대량의 중국 도자기와 함께 베트남, 태국 도자기가 출토되어 15세기 중엽을 하한으로 하는 동남아시아의 도자기의 편년에 주요 기준이 되고 있다.

나아가 서아시아 아랍 라스 알 카이마(Ras Al Khaimah) 쥴파(Julfar)유적의 15세기 층위에서 타이, 미얀마의 청자가 출토되고, 튜르(Tur)유적에서도 타이, 미얀마의 도자기가 대량으로 출토된 바 있다.[1)]

---

1) 佐々木達夫, 「アラビア灣の港灣都市遺跡」, 『金沢大学考古学紀要』 20, 1993, pp.1~44

1. 동남아시아 도자기와 주요 유적

동남아시아 도자기의 연구에서 요지 및 연대가 명확한 소비유적과 침몰선에서 출토된 유물은 중요한 의미를 차지하고 있다. 요지에 대한 발굴은 베트남, 타이, 미얀마 등에서 지속적으로 이루어져 베트남 추다우(Chu Dau) 요지의 청화백자를 비롯하여 타이 씨싸차날라이 요지의 청자, 쑤코타이 요지의 철화백자, 미얀마 뜬떼 요지의 청자의 발전과정을 살필 수 있었다.[2)]

그리고 동남아시아 도자기에 대한 연구는 최근 동남아시아 인근 및 아프리카 등지에서 침몰된 선박에서 인양된 유물을 통해 제작방법 및 편년 등 구체적인 작업이 이루어지고 있다. 동남아시아 도자기가 확인된 침몰선은 인도네시아 바까우(Bakau)와 투리앙(Turiang), 태국 꺼씨창(Ko Si Chang), 꺼 끄라닷(Ko Kradat), 라용(Rayong), 베트남 남부 푸꾸옥(Phu Quoc), 필리핀 루손 등지에서 발견되었다.

인도네시아 바카우(Bakau)섬 해역에서 발견된 침몰선에서는 중국, 베트남, 태국 도자기가 발견되었다.[3)] 투리앙(Turiang) 침몰선에서는 중국 베트남 도자기가 발굴되었고, 타이의 씨싸차날라이, 쑤코타이 도자기도

2) Hein, Donald, Burns, Peter, Richard, Dicks., An Alternative View of the Origins of Ceramic Production at Sisatchanalai and Shkhothai, Central-Northern Thailand, SEAMEO Project in Archaeology and Fine Arts(SPAFA), Digest, Vol. VII, No. 1, 1986.
Green, J. Harper, R., Wreck Site S: The Excavation of the Pattaya Wreck Site and Survey of three other Sites, Thailand 1982.
向井 互, 「沈沒船資料に基づくタイシシサチャナライ施釉陶磁器盤形の変遷」, 『貿易陶磁研究』, No.21, 2001
佐々木達夫, 「アラビア半島にひろがるミャンマ－青磁の発見」, 『金沢大学考古学紀要』 26, 2002

3) Michael Fleckerr., The Bakau Wreck and early example of Chinese shipping in Southeast Asia, The International Journal of Nautical Archaeology, 30(2), 2001

출토되었다.[4)]

타이 동부 꺼씨창(Ko Si Chang)에서 침몰된 선박에서는 쑤코타이, 씨싸차날라이에서 생산된 도자기와 더불어 영락통보(永樂通寶)와 동시기의 중국 도자기가 발견되어 배의 침몰시기와 발굴된 도자기가 15세기 전반으로 추정되어 15세기 전반의 타이의 무역도자기의 흐름을 파악할 수 있는 중요한 근거가 되고 있다.[5)] 그리고 타이만 꺼 끄라닷(Ko Kradat)섬 해역에서 발견된 씨싸차날라이 도자기는 중국 가정(嘉靖, 1522~66)년 간의 도자기와 동반되고 있어 씨싸차날라이 도자기의 종언시기를 설정하는 주요 근거가 되고 있다.[6)]

그리고 15세기 중엽의 태국 도자기가 타이 라영(Rayong) 해역과 홍콩 샤즈이(Sha Tsui) 해역, 베트남 남부 푸꾸옥(Phu Quoc) 섬에서 침몰된 선박에서 인양되어 15세기 중엽의 태국 도자기의 제작기법을 비롯한 제반상황을 알려주는 중요한 지침이 되고 있다.[7)]

또한 1600년 12월 스페인 샌디에고(San Diego) 배가 네덜란드 함선에 의해 필리핀 루손 포춘 해역에서 침몰되었다. 이 배에 대한 발굴은 필리핀 국립박물

---

4) Roxanna M. Brown and Sten Sjostand., Turiang: A fourteenth Century Shipwreck in Southeast Asian Waters, Pacific Asia Museum, 2000.

5) Green, J. Harper, R., Wreck Site S: The Excavation of the Pattaya Wreck Site and Survey of three other Sites, Thailand 1982,
Australian Institute for Maritime Archaeology Special Publication No. 1, Department of Maritime Archaeology, Western Australian Maritime Museum, Frematle, 1983
向井 亙, 「沈沒船資料に基づくタイ シシサチャナライ施釉陶磁器盤形の変遷」, 『貿易陶磁研究』 No.21, 2001

6) Howitz, P. C., Ceramics from the Sea, Evidence from the Koh Kradat Shipwreck excavated in 1979, Bangkok, Silpakorn University, 1979

7) 向井 亙, 「クラム島冲沈沒船」, 『季刊考古学』 75, 2001, p.65

관의 주도하에 이루어져 타이, 미얀마 등 동남아시아도자기와 함께 중국 경덕진에서 제작된 것으로 추정되는 청화백자와 광동지역에서 생산된 도자기 등이 발견되어 16세기 말과 17세기 초 동아시아와 동남아시아의 도자기의 흐름을 이해하는 표식유물로 간주된다.[8)]

나아가 아프리카 센트 헬레나 해역에서 침몰한 윗트 리우(Witte Leeuw)호(1613)는 네덜란드 동인도회사의 상선으로 이 배에서는 중국 도자기와 함께 미얀마 흑유대호, 태국 도자기 등이 발견되어 17세기 전반의 동남아시아의 무역도자기의 상황을 이해하는 중요한 자료로 여겨지고 있다.[9)]

2. 동남아시아 도자기에 보이는 중국 도자기의 영향

1) 베트남 도자기

베트남 도기는 기원 1세기 전후 북부지역에서 시작된 것으로 추정된다. 이 시기의 도자기는 회유도기가 중심으로 한대(漢代)의 청동기나 녹유, 칠기 등을 모델로 제작된 것이 많다. 이러한 베트남 회유도기중에서 이배(耳杯) 〈그림 1〉는 거의 동일한 형태가 중국 한대의 유적 및 북한 낙랑유적 〈그림 2〉 등에 보여 한대의 문화가 베트남지역까지 확장되어 베트남의 조형문화 및 도자기에 많은 영향을 미친 것으로 여겨진다.

---

8) Philippines National Museum, Saga of The San Diego, 1993
森村健一, 「15~17世紀における東南アジア陶磁器からみた陶磁の日本文化史」, 『国立歴史民俗博物館研究報告』 94, 2002, pp.258~259

9) 森村健一, 「15~17世紀における東南アジア陶磁器からみた陶磁の日本文化史」, 『国立歴史民俗博物館研究報告』 94, 2002, p.258

〈그림 1〉 베트남 회유도기 이배

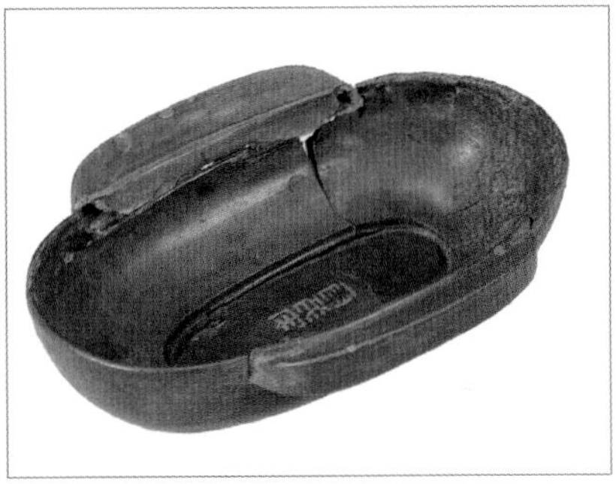

〈그림 2〉 한국 낙랑유적 출토 이배

이와 같이 한대의 전형적인 조형인 이배가 한국 낙랑유적인 평양 정백리 19호 무덤[10]과 베트남의 유적에서 발견되고 나아가 베트남에서는 한대의 것과 동일한 이배가 회유로 제작되어 베트남이 한대의 조형을 수용하는데 그치지 않고 자국의 조형문화에 한대의 조형을 적극적으로 활용할 수 있었던 문화적인 저력이 있었던 것을 알려주고 있다.

베트남의 도자기에서 중국의 영향은 4, 5세기의 회유도기에서도 확인할 수 있다. 이러한 사실은 중국 남방에서 3~4 세기에 제작된 계관호(鷄冠壺) 청자를 모방하여 베트남에서 4세기에 제작된 계관호 도기에서 살필 수 있다. 그리고 중국 남방 4~5세기의 청자사이호를 모방하여 제작된 5세기 베트남 회유사이호가 발굴되어 3~5세기 중국에서 제작된 청자가 베트남 회유도기의 조형에 많은 영향을 준 것으로 생각된다.[11]〈그림 3〉

10) 『목칠공예』, 솔, 2005, p.21

11) 10세기 이전의 베트남 회유도기는 경질로 태토가 백색이고 유약이 반질반질하다. 이 시기의 베트남 회유도기는 1930년대 얀세가 따인호아성 유적 등에서 발굴한 바 있다.(Janse, O.R., Archaeological Research in Indo-China, 3 vols, Harvard University, Boston, Catherine Press, 1958)

〈그림 3〉 베트남 사이호도기

그리고 당대(唐代, 618~907) 조형문화 및 도자기가 베트남에 많은 영향을 미치게 된다. 당(唐)은 679년에는 북베트남을 보호국(保護國)으로 선언하고, 9세기 말까지 베트남을 실제적으로 지배한다. 이러한 당에 의한 베트남의 정치적 지배는 베트남 조형문화 특히 도자기의 제작에 중국 도자기의 요소를 수용하는 결과를 낳은 것으로 보인다.[12)]

그러나 당이 멸망한 후 중국에서 지방세력이 대두되고, 968년 베트남 딘조(丁朝)가 등장하면서 베트남 도자기의 역사는 본격적으로 시작된다고 할 수 있다. 딘조(丁朝)의 도자기는 호아루유적의 출토품을 통하여 알 수 있다. 이 유적에서 출토된 도자기는 월주요 청자(越州窯青磁)와 광동(廣東) 청자 이외 베트남에서 제작된 청자도 발굴되어 베트남에서 청자의 생산은 늦어도 10세기 전후에 이루어진 것을 알 수 있다.

12) 당(唐)이 베트남의 정치 및 문화에 미친 영향은 강력했다. 이와 같은 사실은 베트남의 도자기 흐름에서도 확인되고 있다. 최근 베트남의 여러 유적 및 무덤 나아가 소비유적지에서 중국 당대의 청자 이외 베트남에서 제작된 청자가 발견되고 있다.

그리고 딘조의 뒤를 이어 리꽁우언(李公蘊)에 의한 탄생한 리조(李朝)는 안정된 정치의 기반에서 도자기의 제작이 활발히 이루어지게 된다. 이 시기의 베트남 도자기는 시유도기가 대량으로 생산된다. 이러한 시유도기의 양산은 1010년 수도 탕롱(昇龍)건설이 시작되면서 타일을 비롯한 건축자재가 도자기로 제작된 사실에서 그 연유를 찾을 수 있다.

리조의 도자기는 송대(宋代, 970~1268) 도자기의 영향을 많이 받게 된다. 11세기와 12세기 입체적인 연판문이 장식된 리조의 도자기는 10세기 후반 중국 월주요 청자와 정요(定窯) 백자에서 그 기원을 찾을 수 있고, 문양의 형태와 표현기법이 11세기 후반 여요(汝窯)청자 및 12세기 고려청자 등에서 보이는 것과 유사하다.

이와 같이 11세기와 12세기의 베트남 도자기에서 보이는 장식적이고 입체적인 연판문은 당시 성행한 불교를 반영하고 있어 베트남 청자 제작의 배경에는 불교의 성쇄의 흐름이 정확하게 적용되고 있다는 것을 알 수 있다.

13세기 초 리조(李朝)가 쩐국(陳國, 1225~1400)으로 바뀌면서 베트남에서는 청자의 생산은 소량에 그치고 백유도자나 황유도자가 활발하게 제작되고 14세기 쩐조(陳朝) 후반에는 국내 수용의 도자기 이외 수출용 도자기의 제작이 증가된다.

이러한 쩐조시대의 도자기는 다음의 4시기로 나누어진다. 제 1기 (14세기 중엽~15세기 전반), 제 2기 (15세기 중엽~16세기 전반), 제 3기 (16세기 중엽~17세기 중엽), 제 4기 (17세기 중엽~18세기 전반)로 나뉜다.[13)]

제 1기에는 원대 청화백자를 모델로 철화(鐵畵)백자 및 청자가 생산되어

13) 森本朝子,「ベトナム陶磁」,『東洋陶磁史』, 東洋陶磁学会, 2003, pp.284~291

동남아시아를 비롯하여 동아시아의 일본과 서아시아의 이집트 등에 수출되기에 이른다. 그리고 14세기 후반 이후, 중국 원명 교체 및 명대 홍무(洪武)시기의 해금(海禁)정책 등으로 중국에서 도자기의 제작이 원활하게 이루어지지 못하여 중국 도자기가 국, 내외의 수요를 충족시킬 수 없을 때, 베트남 도자기는 중국 도자기를 대신해서 동아시아의 일본과 서아시아의 이집트, 이란, 터키 등에 수출되기에 이른다.

이 시기의 도자기는 철화백자와 청화백자로 나눌 수 있다. 철화백자는 태토가 회색이기 때문에 백화장을 한 후 문양 이외의 부분을 긁어내어 투명유를 발라 만든 것이다.[14] 이러한 철화백자는 중국 광동 및 남부지역에서 생산된 철화백자와 연관성이 있고, 지원 3년(至元三年, 1337)의 연대가 분명한 광동성(廣東省) 뇌주(雷州)에서 출토된 철화백자호는 14세기 베트남 철화백자의 탄생과 흐름을 연구하는 데 중요한 의미를 지닌 것으로 파악된다.[15] 문양으로는 국화의 절지문이 많이 시문되고 그 형태가 원대의 청화백자의 것과 유사하여 베트남 철화백자에서 보이는 국화문의 기원이 원대 청화백자에서 연유한 것임을 알 수 있다.[16]

제 2기에는 청화백자가 주로 제작된다. 이 시기의 대표적인 예로 터키 톱카피 박물관(Turkey, Topkapi)에 소장된 청화백자병이 있다.〈그림 4〉 이 병은

---

14) 쩐조(陳朝)시기 베트남 도자기의 제작의 특징으로 완성된 도자기의 굽 안에 산화철의 안료를 발라 진한 갈색을 보이게 한 것을 예로 들 수 있다. 이와 같이 굽의 안쪽을 진한 갈색으로 바르는 것은 쩐조에 시작하여 이후의 도자기에도 지속적으로 보인다. 그리고 이 시기에는 도자기 안의 바닥에 고리 형태의 받침을 놓아 구웠던 흔적이 보여 도자기의 양산과 제작기술이 진일보한 것을 알 수 있다. 이러한 고리 형태를 받쳐 굽는 것은 중국 남방의 민요에서 주로 사용한 방법으로 중국의 제도(製陶) 기술 및 요도구의 영향을 볼 수 있다.

15) 長谷部樂爾,『インドシナ半島の陶磁』, 琉璃書房, 1990, p.213

16) 森本朝子,「ベトナムの貿易陶磁 −日本出土のベトナム陶磁を中心に− 」,『上智アジア学 11』, 1993, p.51

〈그림 4〉 터어키 톱카피 소장 베트남 청화백자, 1450

「大和八年匠人南策州裵氏戱筆」의 명문을 통하여 대화 8년(大和八年, 1450) 배씨(裵氏)가 남싸익(南策, NamSach)에서 제작한 것을 알 수 있다.

이 병의 형태는 둥근 원형에 가깝고 동체의 상부에는 위로 올라갈 수록 약간 좁아지는 원통형의 구연부를 지니고 있다. 이러한 원형이 조형의 중심이 된 병은 원이나 명의 청화백자에는 유사한 예가 보이지 않아 베트남 독특한 조형의식에서 파생했다고 할 수 있지만, 주문양으로 사용된 모란당초문의 형태는 명대 홍무, 영락시기의 것과 유사하다.

제 2기인 15세기 중엽과 16세기에는 청화백자를 토대로 화려하게 채색을 한 색회자기(코발트로 문양의 윤곽을 그린 다음 납이 함유된 녹색이나 빨간색의 안료를 사용하여 윤곽의 안을 메워 만든 화려한 도자기)가 만들어지게 된다.〈그림 5〉

베트남 색회자기는 명대 성화년간에 중국 경덕진에서 제작된 색회자기를 모방하여 만든 것으로 일부는 인도네시아 동쟈바 마쟈파히트(Majapahit) 왕궁 근처에서 채집된 바 있다.[17] 그리고 이 시기의 베트남 청화백자가 이란 호루무즈 해협이나 이집트 푸스타트(Egypt, Fustat) 유적에서 발견되어,[18] 15세기 중엽에는 베트남 청화백자와 색회자기가 무역도자기로서 대량 생산되어 인근 동남아시아를 비롯하여 동아시아의 일본, 서아시아의 이집트 등에 폭넓게 반입된 것을 확인할 수 있다.〈그림 6〉

---

17) 인도네시아 쟈바 동부(Jaba Timur)와 중부(Jawa Tengah)에 놓여있는 마쟈파히트 왕조는 1293년에 개시되어 4대 Hayam Wurk(1334~1389)년 간에 무역을 통해 얻은 부를 통해 문화의 최고조에 이른다. 마쟈파히트 왕궁터에서 나온 도자기 및 타일에 대한 연구로는 藺山康彦,「マジャパヒト王都址出土元代靑花磁片」,『元の染付展』, 大阪市立東洋陶磁美術館, 1985, pp.27~30, Guy, John., The Vietnamese Wall Tiles of Madjapahit, Transactions of the Oriental Ceramics Society 1988~89, 53, pp.27~46
마쟈파히트 궁터에서 나온 베트남 청화백자와 타일에 대한 사진은『世界陶磁全集』16, 南海, 小学館, 1984, p.222

18)『陶磁の東西交流』, 出光美術館, 1984, pp.66

〈그림 5〉 베트남 색회자기

〈그림 6〉 이란 호루무즈 해협출토의 베트남 청화백자

제 3기는 명조의 해금정책이 정점에 이르게 된 1550년 이후로 이 시기의 베트남 도자기는 중국 도자기의 대용으로 동아시아와 서아시아에 무역품으로 대량 반입된다. 이 시기를 대표하는 것으로 1590년 프로렌스공이 쟉센의 크리스찬 1세에 선물한 베트남의 청화백자호가 있다.[19)]

제 4기에는 중국의 가정년간(1522~66)의 밀무역의 성행과 융경원년(1567) 해금령이 철회되면서 무역도자기로써 베트남 도자기는 무역도자기의 본령인 중국 도자기의 위세에 눌려 제대로 그 힘을 발휘하지 못하게 된다. 그리고 17~19세기에 이르면 경덕진에서 생산된 중국 도자기가 베트남

19) John Guy, 「ベトナム陶磁」, 『世界陶磁全集』 16, 小学館, 1984, p.145 Fig 29

궁중 등에 다수 반입되기에 이른다.

2) 타이

타이족은 중국 서남부에 위치하고 크메르족과 몬(Mong)족 사이에 놓여 생활했다. 13세기 크메르의 지배가 약해지면서 1238년 쑤코타이왕국이 세워지고, 1296년 북부타이에는 치앙마이(Chiengmai)를 수도로 하는 타이족의 란나(Lan Na)왕국이 건립된다. 14세기에는 쑤코타이왕국이 약해지면서 야유타야(Ayutthaya)왕조가 성립된다. 그리고 아유타야와 란나타이는 대립과 병존하면서 16세기에 이르러 미얀마의 공격을 받아 란나왕국이 멸망하고 아유타야도 일시적으로 점령당한다.

타이의 도자기는 토기와 시유도기 및 자기로 크게 구분할 수 있다. 태국 도자기의 역사는 반치양(Ban Chieng)과 반카오(Bang Kao) 유적 등의 선사토기에서 출발하지만 연대나 형식변천에 대해서는 아직 정설이 없다.[20] 타이에서 초기의 철화도기 및 청자를 구운 요지는 점토판으로 쌓은 횡염식요로,[21] 이후 연와요가 출현하면서 코노이와 쑤코타이 요지 등이 대두되면서 수출용 도자가 제작된다.[22] 수출용 도자기를 생산한 것으로 유명한 곳은 씨싸차날라이(Si Satchanalai) 와 쑤코타이 요지다.

씨싸차날라이 도기의 요지는 씨싸차날라이 남부에 있다. 씨싸차날라이 도기의 존재는 최근의 발굴로 이전에 제작된 것으로 추정되는 몬도기의 존재가 확인되어

---

20) 태국의 도자기에 대한 연구로는 J.C. Shaw., Northern Thai Ceramics Oxford University Press, 1981가 있다.

21) 長谷部樂爾, 『インドシナ半島の陶磁』, 琉璃書房, 1990, p.223

22) 長谷部樂爾, 『インドシナ半島の陶磁』, 琉璃書房, 1990, p.230

씨싸차날라이 청자는 쑤코타이왕국이전에 이미 생산이 시작되었다고 추정된다.[23]

이러한 씨싸차날라이 요지에서는 청자, 철회청자, 백유, 갈유 등 다양한 도자기와 건축용 자재 등이 다양한 도자기로 제작되었고 대형의 청자반이 씨싸차날라이 요지의 대표적인 예라고 할 수 있다.

반의 구연은 능형이고 반의 내부에는 연당초가 시문되어 있다.〈그림 7〉 구연의 형태와 연당초의 문양이 원대 용천요 청자와 동일하여 씨싸차날라이 요지에서 생산된 청자는 원대와 명대의 용천요 청자를 모델로 제작된 것을 알 수 있다.〈그림 7-1〉 반의 외부 역시 중국 용천요에서 자주 사용되었던 상부에서 하부로 파낸 홈이 파혀져 있고 반의 굽의 안에는 링형의 도침을 받쳐 구웠던 흔적이 둥글게 남아있다.

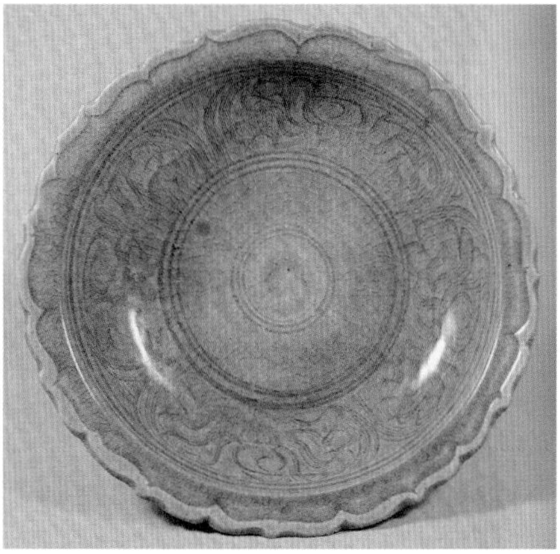

〈그림 7〉 타이 씨싸차날라이 청자

〈그림 7-1〉 전라남도 신안 출토의 용천요 청자(1323)

타이 씨싸차날라이 청자는 명의 해금정책이 이루어졌던 15세기에 중국 도

23) 長谷部樂爾,『インドシナ半島の陶磁』, 琉璃書房, 1990, p.245

자기를 대신하여 아시아 각 지역으로 반입된다. 그리고 씨싸차날라이 청자 파편이 이집트 푸스타트 유적에서 발견되고 있어 씨싸차날라이 청자가 동남아시아, 동아시아의 일본뿐만 아니라 서아시아 지역까지 반입된 것을 확인할 수 있다.〈그림 8〉

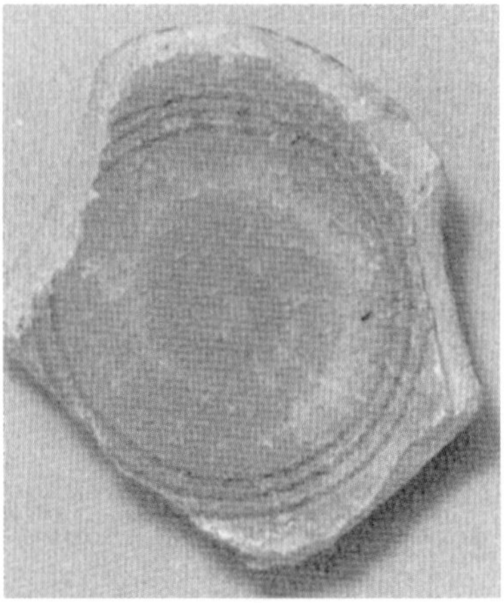
〈그림 8〉 이집트 푸스타트유적 타이청자

그리고 쑤코타이 지역에서 제작된 철회발은 원대의 청화백자의 문양을 모본으로 제작된 것으로 문양과 그 형태가 타이 씨싸차날라이의 철회도자기나 베트남 철화발과 유사한 것을 알 수 있다.〈그림 9〉

〈그림 9〉 쑤코타이 철회백자

이와 같이 동남아시아에서 제작된 철화백자는 초화문을 비롯하여 물고기 등 다양하여 원대의 청화백자의 문양을 모델로 청화백자의 안료인 코발트가 비싸기 때문에 코발트를 대신하여 값싼 산화철의 안료를 사용하여 제작된 것으로 추정된다.

그리고 15세기 이후 태국 도자기를 대표하는 씨싸차날라이와 쑤코타이 도자기는 요의 구조나 요도구에서 영향 관계를 보이고 있다. 씨싸차날라이 요지가 수출용 도자기를 양산하면서 쑤코타이 횡염식(橫焰式) 요지를 받아들이고 양요가 요도구에서 거의 동일한 것을 사용하고 있어 씨싸차날

라이 요지는 쑤코타이 요지로부터 요구조나 요도구 등을 받아들인 것으로 확인된다.[24]

나아가 씨싸차날라이와 쑤코타이 요지에서 확인되는 요도구의 일부〈그림 10〉는 중국 북송 여요과 남송의 요지에서 확인되고 있어 중국 송대 이후의 요도구〈그림 11〉가 타이의 요도구에 많은 영향을 준 것으로 확인할 수 있다.[25]

〈그림 10〉 타이 씨싸차날라이와 쑤코타이 요도구

〈그림 11〉 중국 남송대의 요도구

그리고 최근 북방의 란나(Lan Na)왕국의 도자기의 존재가 알려졌다. 란나 왕국은 카롱(Kalong)요와 싼캉팽(Sankanpaeng)요가 비교적 이른 시기에 알려졌다.[26] 카롱 요지에서 만들어진 도자기는 백자가 널리 알려져 있고

24) 『世界陶磁全集』 16, 小学館. 1984, p.207

25) 타이 씨싸차날라이와 쑤코타이 요지에서 보이는 지정(支釘)이라는 요도구와 거의 동일한 것이 북송 하남성 보풍현청량사지(寶豐縣淸涼寺址) 요지(『北宋 汝窯特展』, 國立故宮博物院, 2007, p.201)와 남송 항주 노호동(老虎洞) 요지(『杭州 老虎洞窯址瓷器精選』, 文物出版社, 2002, p.177)에서 확인할 수 있어 송대의 제도기술(製陶技術)이 타이 등 동남아시아의 도자기에 많은 영향을 준 것으로 생각된다. 그리고 쑤코타이의 요도구는 딕 리차드스가 쓴 영문책에도 보인다.(Dick Richards, South-East Asian Ceramics: Thai, Vietnamese and Khmer, Oxford University Press, 1995, p.25, plate 17

26) J.C. Shaw., Northern Thai Ceramics, Oxford University Press, 1981, pp.60~76

백화장을 하여 문양 이외의 부분을 긁어 내는 소지(搔地)기법이나 철화로 그린 당초문이나 추상적인 문양은 중국 자주요(磁州窯) 도기에 보이는 문양 기법을 기본으로 사용하고 있다.[27]

북방의 타이와 미얀마의 국경 사이에 놓인 산캉펜 요지에서는 청자나 갈유로 병이나 발 등 실용기를 주로 생산했다.[28] 갈유의 반에는 중국 용천요(龍泉窯) 청자에서 주로 쓰인 어문이 보여 원, 명대의 청자가 이 지역의 청자와 갈유의 제작에 많은 영향을 준 것으로 생각된다. 그리고 이러한 싼캉팽요에서는 백화장을 한 다음 철회로 쌍어문과 초화문을 그린 반이나 접시가 많이 제작된다.

그리고 17세기 아유타야가 다시 강성해지면서 타이왕실에서는 타이풍의 장식을 가진 벤차롱(Bencha rong)이라는 도자기를 중국에 주문하기에 이른다. 벤차롱의 벤은 5를 의미하고 론은 색을 의미하여 벤차롱은 중국 명대에 유행했던 색회자기인 오채(五彩)를 음역(音譯)한 것으로 생각된다.〈그림 12〉 이러한 벤차롱은 중국 경덕진에 주문한 것으로 시기적으로는 17세기에서 19세기까지 사용된 것으로 생각된다.

〈그림 12〉 타이 벤차롱

벤차롱의 기형으로는 호, 완, 발, 접시 등이 있고 수량은 적지만 불상에서도 확인된다. 벤차롱의 일부 기형에는 굽의 안쪽에 중국 황제의 연호를 청화로 집

27) J.C. Shaw., Northern Thai Ceramics Oxford University Press, 1981, pp.37~59

28) J.C. Shaw., Northern Thai Ceramics Oxford University Press, 1981, pp.60~76

어 넣었다. 이것은 기본적으로 명, 청대 관요도자기의 관지(款識)를 모방한 것으로 벤차롱 색회자기가 기본적으로 명, 청대의 관요를 모델로 해서 제작된 것을 알려주고 있다.

그리고 벤차롱과 마찬가지로 중국 경덕진에 주문해서 만든 라이남텅(Lai Nam Thong) 도자기의 존재가 있다. 이 도자기는 서양의 분말유리를 이용하여, 건륭년간에 많이 사용되었던 분홍색의 화려한 기법을 사용한 것으로 이전에 볼 수 없었던 분홍색의 화려한 도자기의 제작이 가능하였다는 것을 알려주고 있다.[29)]

이와 같이 중국 청대 경덕진에서 서양의 유리기법으로 만들어진 화려한 도자기는 타이의 궁중과 상층민으로부터 많은 찬사를 받았던 것을 알 수 있고 급기야 타이 상층민들의 취미를 반영한 주문품을 경덕진에 의뢰하기까지 이르게 된다. 결국 중국의 경덕진에서 서양의 기법을 응용하여 화려하게 만든 도자기는 타이 등 동남아시아 제국의 도자기의 흐름에 많은 영향을 주게 된다.

동남아시아 지역에서는 베트남을 비롯하여 타이, 크메르, 미얀마 등에서 다양한 도자기가 제작된다. 이러한 나라에서 제작된 도자기는 중국 한대, 위진남북조, 당, 송, 원, 명, 청대의 도자기로부터 많은 영향을 받게 된다.

베트남 도자기는 한대의 청자의 영향을 받아 회유도기를 제작하고, 당, 송대의 월주요 청자와 요주요 청자의 영향을 받아 청자를 생산하기에 이른다. 그리고 베트남 청화백자는 원대의 청화백자를 모델로 제작되어 원대의

---

29) 타이 라이남텅은 타이에서 중국 경덕진에 주문한 것으로 서양의 유리기법을 응용하여 만들어진 것이다. 라이남텅의 도자기는 완, 호 등이 대부분이다. 라이남텅은 타이 상층민에 인기가 있어 쭐라롱껀(라마5세, 1868~1910) 시대에 궁전 내에 라이남텅을 만들 수 있게 했다(「タイの陶磁」, 『世界陶磁全集』 16, 南海, 小学館 1984, p.196).

도자기와 밀접한 관계를 갖고 전개된다. 그리고 중국 도자기의 영향은 중국 명대의 색회자기의 영향을 받아 제작된 베트남에서 색회자기에서도 확인할 수 있다.

타이에서는 14세기 후반 용천요 청자를 모델로 청자를 양산하여 동아시아의 일본과 서아시아의 중동지역까지 수출한다. 17세기에 이르러 야유타야가 부흥하면서 타이 장식을 가진 색회자기를 중국 경덕진에 주문하기에 이르러 타이풍의 중국 도자기가 타이 궁중 등에서 사용되기에 이른다.

이와 같이 동남아시아 도자기는 중국 한, 당, 송, 원대의 도자기의 영향을 받아 동남아 각국에서 양질의 도기나 청자를 생산하게 된다. 이러한 동남아시아 도자기는 14세기 후반부터 15세기 후반까지 명이 해금정책으로 도자기의 수출이 제대로 이루어지지 못할 때 중국 도자기를 대신하여 서아시아 및 유럽 등지에 수출되어 동남아시아의 조형이 서아시아와 유럽으로 확대되는 발판을 마련하고 이후 동인도회사를 통하여 동남아시아 도자기가 유럽으로 진입하는 돌파구를 마련하게 된다.

이와 같이 동남아시아 지역에서 중국 도자기의 영향을 받아 어떠한 도자문화를 창출했는가를 연구 조사하는 것은 동남아시아 도자기 및 조형문화에서 중국의 영향 내지 중국의 문화를 선택적으로 수용하여 발전시킨 동남아시아의 문화를 이해하는 중요한 부분이라고 할 수 있다. 나아가 동남아시아 지역에서 중국의 문화를 어떻게 수용하여 자체적으로 발전시켜 나갔는지에 대한 연구는 중국대륙과 연결된 한국 문화의 형성 및 발전 과정을 추적하는 중요한 열쇠가 될 것으로 생각된다.

이외 최근 고려청자가 필리핀 마닐라 북쪽 팡가시난의 볼리나오와 타이 유적지에서 발견되어 고려청자를 대표로 하는 한국의 고대문화가 동남아 지역으로 확대되는 현상을 이해하는 데 중요한 의미를 가지고 있다. 앞으로 동남아 도자기 및 문화에 대한 심도 있는 연구는 범아시아 문화권의 형성과 발전과정의 연구에 중요한 전기가 될 것으로 생각한다.

III 미얀마 도자기

01 토기

02 녹유도기

03 청자

04 백유녹채도기

미얀마에서 본격적인 토기가 언제부터 만들어졌는지는 알 수 없지만 약 2500여년 전 따웅따만(Taungthaman) 유적에서 발굴된 토기는 미얀마에서 제작된 이른 시기의 토기의 흐름을 파악하는데 매우 중요한 의미를 가지고 있다.

이 유적에서 나온 토기는 바닥이 둥근 것, 양 옆에 손잡이를 가진 것, 세 개의 굽을 가진 것 등이 있고 뾰족한 나무 등으로 새긴 일자문, 파도문, 톱니문 등이 있다.

1. 토기

미얀마에서 본격적인 토기가 언제부터 만들어졌는지는 알 수 없지만 약 2500여년 전 따웅따만(Taungthaman) 유적에서 발굴된 토기는 미얀마에서 제작된 이른 시기의 토기의 흐름을 파악하는데 매우 중요한 의미를 가지고 있다.〈그림 1〉

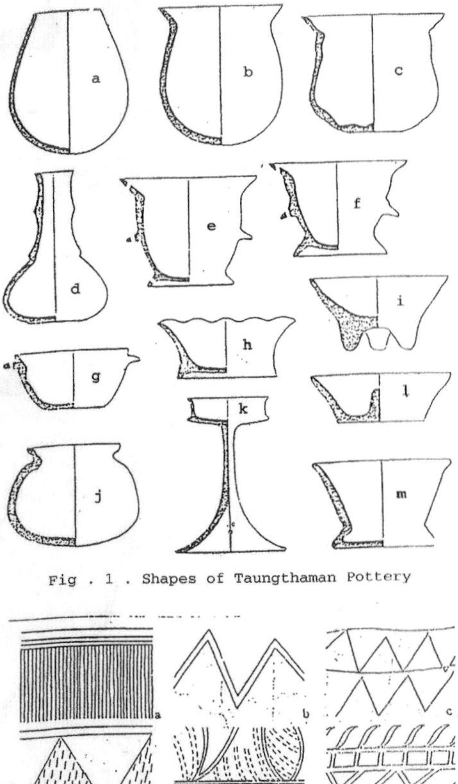

Fig . 1 . Shapes of Taungthaman Pottery

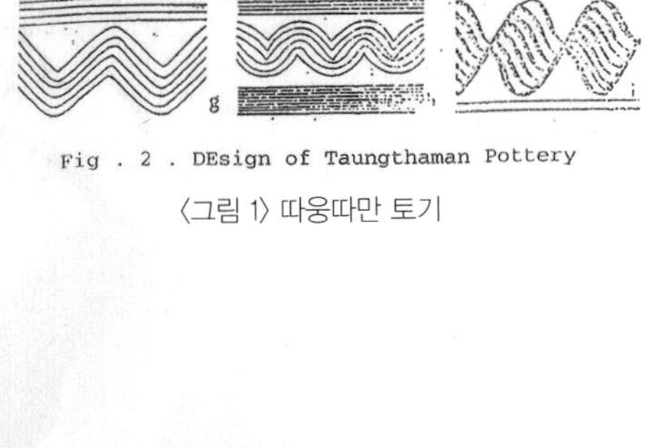

Fig . 2 . DEsign of Taungthaman Pottery

〈그림 1〉 따웅따만 토기

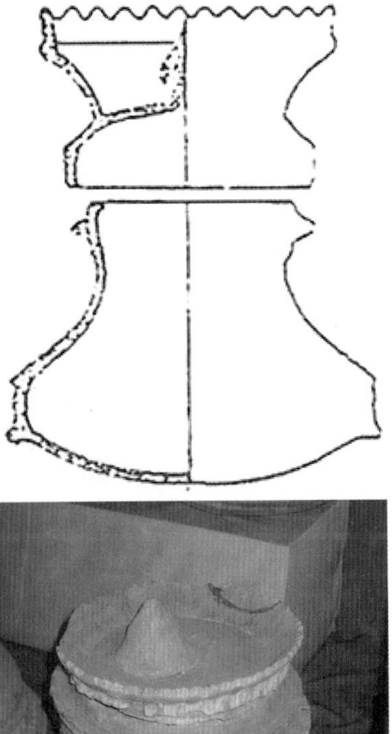

〈그림 2〉 베익타노 토기

이 유적에서 나온 토기는 바닥이 둥근 것, 양 옆에 손잡이를 가진 것, 세 개의 굽을 가진 것 등이 있고 뾰족한 나무 등으로 새긴 일자문, 파도문, 톱니문 등이 있다.

그리고 1500~2000년 전의 베익타노(Beikthano) 유적에는 많은 제기와 일상용기 등이 발견되었다. 이 유적에서 발견된 제사용의 항아리는 유약이 발라지지 않은 것으로 현재 미얀마의 일상생활에서 사용되는 것과 유사하여 오랜 역사와 전통을 갖고 있다.〈그림 2〉

베익타노 유적의 항아리는 도장이나 룰렛(roulette) 등으로 새긴 기하학적인 문양, 연꽃 등의 종교적인 문양, 인간 및 동물형태의 문양이 있다. 룰렛으로 문양을 만드는 것은 1세기 로마에서 주로 사용되어 미얀마의 토기에서 유럽의 토기 기술이 반입된 것으로 추정된다.

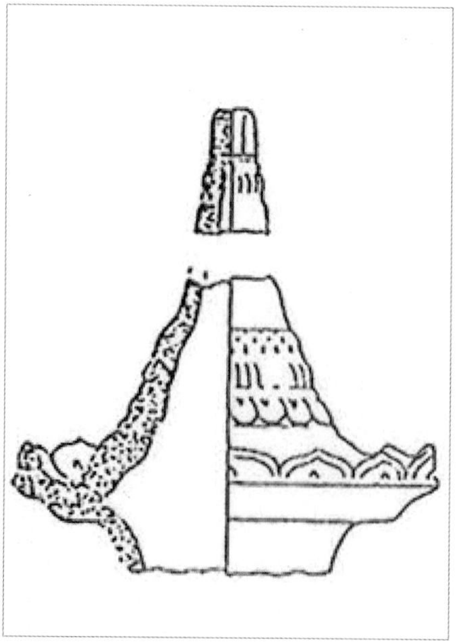

〈그림 3〉 하린 유적 토기

〈그림 4〉 피에 유적 토기

미얀마의 토기는 하린(Halin) 이나 삐에(Pyay) 지역의 유적에서도 확인할 수 있다. 하린유적에서 발견된 토기호는 그 형태가 2세기 산치(Sanchi)의 파고다의 형태와 유사하여 인도적인 조형감각을 느낄 수 있다.〈그림 3〉

삐에 스리께트라(Sriksetra)라고 불리는 모오쟈(Hmawza) 유적은 3세기부터 10세기까지 번성했고 이 유적에서는 수 많은 토기호가 출토되었고 제기용으로 사용된 것에는 명문이 새겨져 있다. 그리고 삐에의 왕족 무덤군에서 스투파의 상부와 유사한 뚜껑을 가진 토기와 그 저부가 대량으로 발견되어 삐에의 시기에는 토기의 제작이 활발하게 이루어졌고 제작기술 역시 상당한 수준에 이르고 일부는 부장용으로도 사용된다.〈그림 4〉

2. 녹유도기

미얀마는 버강왕조 시기에 이르면 도자기의 제작에서 발전을 보이게 되고 녹유도기의 제작이 활성화된다.

미얀마에서 녹유도기는 신당서(新唐書)에 쀼족이 성벽을 녹유도기로 쌓았고 녹유도기를 무역품으로 팔았다는 내용이 적혀 있어 미얀마는 쀼의 시기인 9세기에 상당량의 녹유도기가 제작되었다는 것을 알 수 있다.[1)]

쀼족의 녹유도기의 제작은 자체적으로 이루어졌는지 아니면 중국이나 서아시아로부터 기술을 받아들여 제작했는지에 관해서는 아직은 명확하게 밝혀진 것

1) 新唐書 列伝 第一百四十七 下 南蠻 下 6307
青甓爲圓城 周百六十里 有十二門 四隅作浮圖 民皆居中 鉛錫爲瓦 荔支爲材 俗惡殺 (中略) 有百寺 琉璃爲甓 錯 以金銀 丹彩紫鑛塗地 覆以錦罽 王居亦之如.(新唐書 下 景仁文化社 1977, p.784)

〈그림 5-1〉 그림 5의 녹유도기

〈그림 5〉 응아쭈에나다웅 스투파

이 없다. 다만 9세기에 중국과 서아시아에서 연유도기가 유행하여 응아쭈에나다웅(Ngakywenadaung) 스투파에 사용된 녹유도기는 중국이나 서아시아 녹유기술을 응용하였을 가능성이 있고 응아쭈아나다웅의 스투파가 인도양식을 따르고 있어 서아시아 및 인도의 연유도기와 보다 관련이 있을 수 있다.〈그림 5〉

버강 지역의 녹유도기는 응아쭈에나다웅 스투파를 비롯하여 쉐지곤(Shwe Zigon)과 민글라제디(Mingalazedi) 등 수 많은 사원에서 사용된 녹유도기 벽돌을 통해 알 수 있다. 이 중에서 9세기에 제작된 것으로 알려진 응아쭈에나다웅 스투파는 스투파의 외부가 녹색도기의 벽돌로 제작되어 이미 9세기에 미얀마에서 녹유도기의 기술이 상당한 수준에 달한 것으로 판단된다.[2)]

쉐지곤 파고다는 버강왕조의 창시자인 아노야타(Anawratha, 1044~1077)에 의해 제작되어 제 3대왕 짠시타왕(Kyanzitthar, 1084~1113)에 완성되었고 파고다의 아랫부분의 사방에는 녹유도기의 도판으로 장식되어 있다.〈그림 6〉

〈그림 6〉 쉐지곤 파고다 녹유도기

2) Seameo Regional Center for History and Tradition, Traditions in Myanmar, Ceramics Traditions in Myanmar, 2003, p.41

이 도판은 대부분이 석가의 본생담을 묘사한 것으로 남겨진 녹유도판은 박락이 거의 없을 정도로 정교하게 만들어져 녹유의 기술이 상당한 수준에 이른 것을 알 수 있다. 그리고 1274년에 제작된 민글라제디 파고다의 아래와 중간부분의 사방의 벽에도 석가의 본생담을 묘사한 도판이 빽빽하게 장식되어 버강왕조가 원에 의해 망하기 직전 13세기 후반 미얀마의 녹유도판의 제작상황을 알려주고 있다.〈그림 7〉

〈그림 7〉 민글라제디 파고다 녹유도기

버강시대 이후 미얀마에서 녹유도기의 제작은 구체적으로 알 수 없지만 바고 근처의 사원이나 바고 고고학박물관에 소장된 녹유도기의 도판을 통하여 도기의 제작은 버강 시대 이후에도 지속적으로 제작된 것으로 생각된다.

버강시대 이후의 대표적인 녹유도기도판의 예는 바고 고고학박물관에 소장된 마라(魔羅)의 딸과 반인반수의 도판 및 바고 왕궁터에서 발굴된 도판을 통하여 버강시대 이후에는 녹유도기의 제작이 활발하게 이루어진 것을 알 수 있다.

이와 같이 미얀마의 녹유도기는 중국 및 서아시아의 영향을 받아 늦어도 9세기 이전에 출현하고 버강시기인 11~13세기에 전성기를 보이고 이후 16세기 백유녹채도기로 이어져 약 7백년 이상 지속되고 있는 것을 확인할 수 있다.

3. 청자

미얀마 청자는 1990년 이후 뜬떼(Tuntay, 현 Twante), 마웅미야(Myaung mya)지역 및 바고의 라군비(Lagunbyee), 예몽(Yemon)지역 등에서 요지의 조사를 진행되면서 그 존재가 드러나게 되었고 최근 동아시아의 일본, 동남아시아의 인도네시아 및 필리핀 및 서아시아의 아랍에미레이트 유적 등에서 다량의 미얀마 청자와 백유녹채도기가 발굴되어 무역도자기로서 미얀마 도자기가 아시아 전역에 걸쳐 수입되었다는 것을 알려주고 있다.

나아가 미얀마의 청자가 동아시아 및 동남아시아 유적에서는 소량만이 확인되고 서아시아 유적에서 많은 양이 발굴되어 미얀마 청자는 서아시아 지역을 대상으로 의도적으로 제작된 무역도자기로 이해할 수 있다.

이러한 무역도자기로서 미얀마 청자의 등장 배경에는 명대의 해금정책이 견고하게 유지되었던 14세기 후반부터 16세기 후반까지 중국의 도자기가 무역도자기로써 기능을 상실하여 미얀마를 비롯하여 베트남, 타이 등 동남아시아 도자기가 중국 도자기를 대신하여 동아시아 및 서아시아 지역으로 수출된 사실이 있다.

이와 같이 미얀마의 역사와 문화에서 매우 중요한 의미를 가지고 있는 청자가 언제부터 제작되었는가에 대한 정설은 없고 양곤(Yangon) 국립박물관과 바고(Bago) 고고학박물관에 전시된 몇 점의 청자를 통하여 미얀마 청자의 존재를 확인하는 데 그치고 있다.

그러나 미얀마 박물관에 전시된 청자는 작은 항아리나 병 등 아주 적은 양으로 전반적인 미얀마 청자의 흐름과 전개과정을 살필 수는 없지만 담녹색 유약과 일부의 기형에 간략하게 표현된 연판문으로 미얀마 청자는 중국의 원대 및 명대 용천요 청자의 연판문을 모델로 제작된 것으로 생각되고 늦어도 15세기 이전에는 제작이 이루어진 것으로 판단된다.

미얀마에서 청자의 본격적인 제작은 뜬떼지역을 중심으로 이루어졌고 현재 뜬떼지역에는 약 1000개의 청자를 비롯한 요지가 전해지고 있다.

1) 뜬떼 요지

1990년대 오스트레일리아 도자기학자인 돈하인(Don Hein)과 미얀마 학자 묘민짜우(Myo Min Kyaw)가 라군비(Lagunbyee)에서 요지를 발굴하면서 미얀마의 청자의 존재는 세상 밖으로 널리 알려지게 된다.

이후 뜬떼 및 먀웅미야(Myaung mya)에서 요지의 발굴이 이루어지고 1999년에는 미얀마 문화부고고부의 도베비(Daw Baby)와 묘딴띤(Myo Thant Tyn)에 의하여 바고에서 요지의 발굴이 이루어진다. 2002년에는 도베비(Daw Baby)와 일본 쯔다 타케노리(津田武德)가 파야지의 요지를 발굴하고 돈하인이 바고 근처 나인 르인(Naing Lwin) 근처에서 요지를 발굴한다.[3)]

3) Myo Thant Tyn., The Ancient Glazed kiln sites in Myanmar, a paper presented at the conference of Glazed Ceramics of Southeast Asia –their history, technology and Traditions at the National Museum of Bagan, Myanmar 20~22 Sep 1999.

이와 같이 현재까지 미얀마에서 청자의 생산은 뜬떼지역, 먀웅미야, 바고(라군비, 예몽) 지역에서 확인되어 청자의 생산이 주로 바고 아래 지역에서 이루어진 것을 알 수 있다. 뜬떼 지역에는 파야지(Phayagyi, 팔레치), 예타쉐(Yaytashay), 우까라지(U Kalar Gyi) 등 약 1000여개의 요지가 있는 것으로 추정되고 바고 라쿤비와 그 인근의 예몽에서 몇 개의 요지가 확인된다.

(1) 파야지(Phayagyi = 대불탑) 청자요지

2002년 도베비(Daw Baby)와 일본 쯔다 타케노리(津田武德)에 의하여 발굴이 이루어진 뜬테 파야지(Phayagyi=대불탑) 청자요지는 진흙을 햇빛에 말려 만든 벽돌을 사용해서 만들어졌다. 요지의 전체크기는 15.9m, 폭은 5.8m이다.〈실측도 1〉

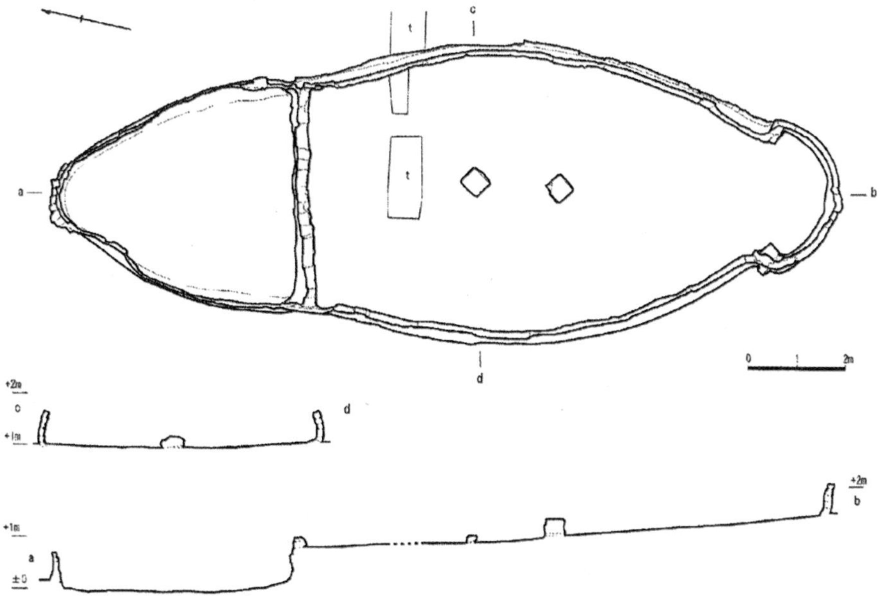

〈실측도 1〉 파야지 요지

전체의 요지의 구조는 타원형으로 만들어져 연기가 굴뚝을 통해 잘 빠져

나가는 구조로 마련되어 있다. 구조는 아궁이, 소성실, 굴뚝의 간단한 구조이다. 아궁이는 타원형으로 앞부분은 좁고, 위로 올라갈 수록 폭이 넓어지는 형태을 보이고 있고 아궁이의 앞부분의 오른쪽에는 출입구가 있었던 것으로 추정된다.〈그림 8〉, 〈그림 9〉 소성실은 벽돌로 약 1m 단을 쌓아 아궁이와 소성실을 구분하였다(소성실이 아궁이보다 약 1m 높게 마련되어 있다) 소성실의 앞부분부터 요지의 폭이 서서히 넓어지면서 요지의 중앙부분에 이르면 소성실의 폭이 가장 넓고 굴뚝에 가까워지면서 소성실의 폭은 서서히 좁아진다. 소성실의 바닥에는 정중앙을 사이에 두고 2곳에 천정을 받쳤던 것으로 추정되는 3단의 벽돌이 놓여있다.

굴뚝 부분은 소성실이 끝나는 부분에 위치한다. 요지 외부에 노출된 굴뚝의 앞부분은 소성실보다 약 1.5배의 많은 벽돌을 사용하여 두텁고 튼튼하게 만들어졌고 요지 내부 역시 굴뚝이 시작되는 부분을 2단의 벽돌을 쌓아 연기가 굴뚝 쪽으로 잘 모이도록 고안했다. 그리고 굴뚝의 맨 끝부분은 원형으로 6~7단의 벽돌로 약 1m 이상 쌓았고 굴뚝 바로 뒤에 굴뚝이 넘어지지 않도록 3단의 벽돌이 쌓여져 있다.〈그림 10〉, 〈그림 11〉

요지에서 생산된 청자는 완과 반이 대부분을 이루고 병, 호 등이 그 뒤를 잇고 있다. 완은 태토가 담황색으로 구연은 내만된 상태이다. 내부에는 음각으로 태양의 문양이 새겨져 있다. 외부에는 문양이 없고 굽은 높고 유약이 칠해져 있지 않다.〈그림 12〉, 〈그림 12-1〉

반은 구연부가 직구의 형태와 손으로 잡을 수 있도록 구연부의 맨 끝부분을 한번 접어 만든 것으로 구분할 수 있다. 반의 내부 중앙에는 작은 이중 원선과 이것을 에워싸고 있는 커다란 이중 원선이 음각으로 그려져 있고 커다란 이중 원의 외부에는 음각선으로 4개의 여의문이 표현되어 있다.〈그림 13〉

〈그림 8〉 뚠떼 파야지 요지

〈그림 9〉 파야지 요지의 벽

〈그림 10〉 파야지 요지 굴뚝 외부

〈그림 11〉 파야지 요지 굴뚝 내부

〈그림 12〉 파야지 요지 청자완

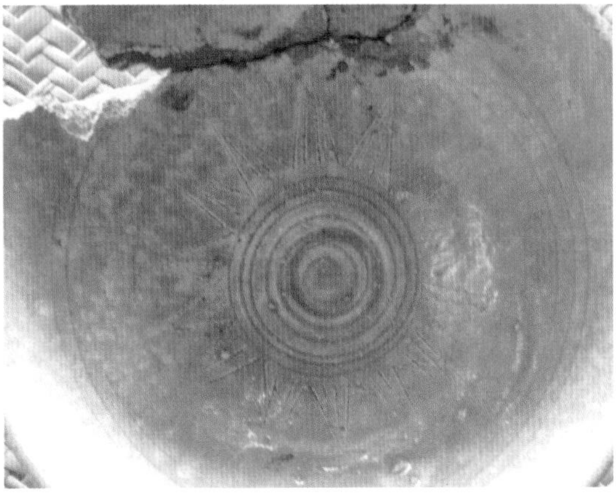

〈그림 12-1〉 그림 12의 내부

여의문은 원대의 대표적인 길상문의 하나로 14세기 원대 청화백자와 고려청자 및 그 이후의 도자기에 널리 쓰인 사실을 감안하였을 때 여의문을 가진 파야지 요지 청자반은 원대 이후의 여의문과 깊은 관련이 있고 시기적으로는 14세기 이후에 제작되었을 가능성이 있다.

그리고 미얀마 청자반에 보이는 원대 도자기의 영향은 내부의 가장자리인 주변에 간략하게 상하로 균일하면서 일자형로 간략하게 표현된 음각의 연판문을 통해서도 알 수 있다.

이와 같이 미얀마 청자반의 내부 문양이 원대 청화백자의 문양과 밀접한 관계가 있는 것으로 추정되어 파야지 청자는 원대 청자나 청화백자가 집중적으로 생산된 14세기 중엽과 후반에 제작된 것으로 여겨진다.

미얀마 파야지 요지의 청자에서 원대 청화백자의 영향은 반의 내부 주변 문양으로 사용된 모란당초문을 통하여 알 수 있다. 모란당초문 역시 원대 청화백자에서 주로 사용되고 조선시대의 청화백자나 분청사기에서도 보여 모란당초문이 시문된 파야지 요지의 청자반 역시 14세기 중엽과 후반에 제작

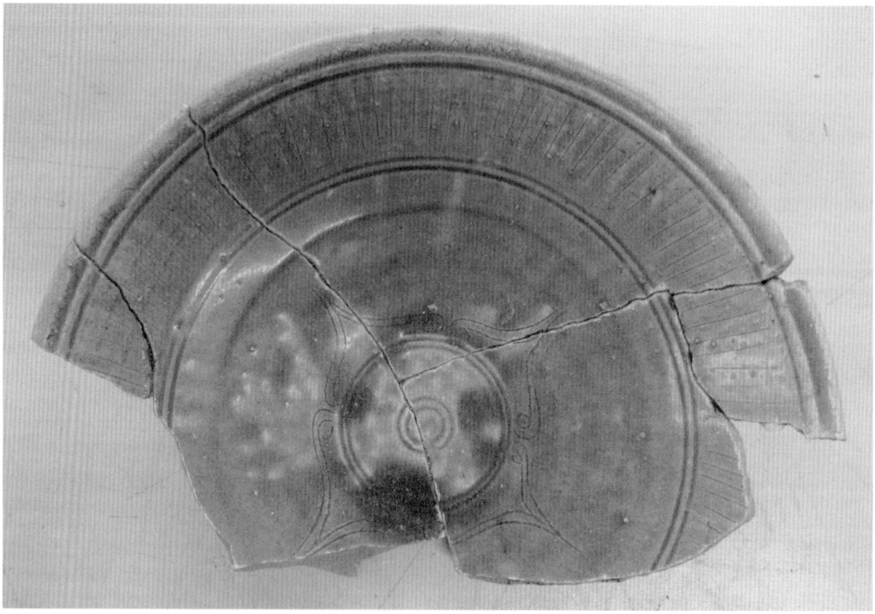

〈그림 13〉 파야지 요지 청자반

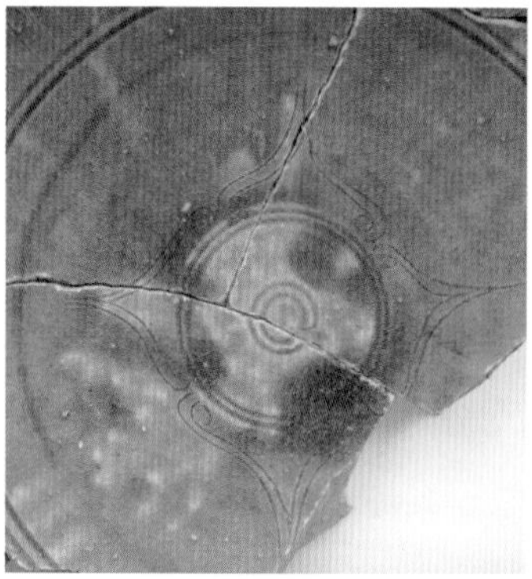

〈그림 13-1〉 그림 13의 내부

된 것으로 간주할 수 있다.〈그림 14〉

미얀마 청자에 보이는 모란당초문은 뜬떼 지역 이외 바고 에몽지역에서 제작된 반의 내부의 주변 문양에서 보여 원대 청화백자의 모란당초문을 모델로 한 청자의 보상당초문이 미얀마 여러 지역에서 동시에 제작된 것을 알 수 있다.

병은 구연부의 중앙에는 굵은 돌대가 튀어나왔다. 돌대는 미끄럼을 방지하고 잡기 쉽게 고안된 것으로 동일한 돌대가 버강 지역에서 발굴된 금속기병에서 확인되어 미얀마 청자병의 돌대는 미얀마 금속기의 전통을 계승한 것으로 여겨진다. 이외 필통 등으로 사용되었을 동물

〈그림 14〉 파야지 요지 청자반

(새, 물고기) 형태의 상형청자가 있다.〈그림 15〉, 〈그림 16〉

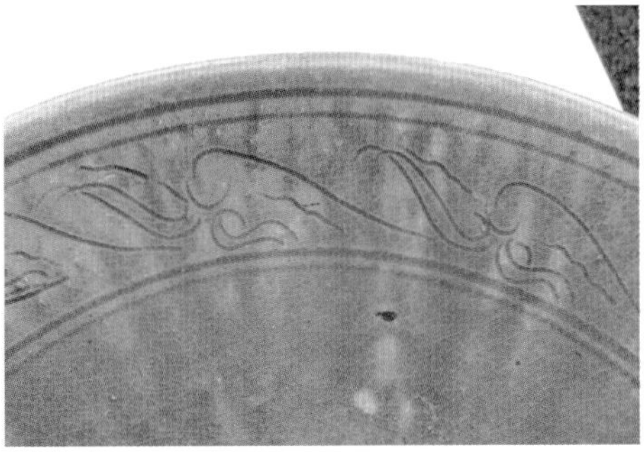

〈그림 14-1〉 그림 14의 내부

이 밖에 뜬떼지역에는 예타쉐(Yaytashay), 우까라지(U Kalar Gyi), 우까우케(U Kyauk Khe), 우라찌(U Hla Kyi), 마미아니엔(Ma Mya Nien), 낫엣뜨인(Nat yet twin) 등 수많은 요지가 확인되고 있으나, 아직 정식으로 발굴이 이루어지지 않아 요지의 구조는 알 수 없다. 하지만 지표에서 수집된 일부의 청자가 파야지 요지에서 제작된 청자와 유사하여 동일한 구조를 지닐 것으로 예상할 수 있다.

〈그림 15〉 파야지 요지 청자병

〈그림 16〉 미얀마 금속기병

뜬떼지역의 예타쉐(Yaytashay), 우까라지(U Kalar Gyi), 우힐라찌(U Hla Kyi) 요지 등에서 지표수집된 청자는 태토가 담회색으로 유색은 황녹색을 보이고 있다. 기형은 완, 접시, 반이 대부분을 이룬다. 반의 내부의 문양은 음각으로 둥근 원을 나타낸 것, 내부의 측면에 당초문을 돌린 것, 내부의 가장자리에 위에서 아래로 홈을 판 것 등이 있다. 각 요지에서 수집된 청자를 기술하면 아래와 같다.

(2) 예타쉐 요지

예타쉐 요지의 청자는 반과 완이 대부분을 차지하고 있다. 반은 환원상태에서 구워진 녹색의 것과 산화상태에서 구워진 황색의 것이 있어 미얀마 청자의 기술은 환원과 산화상태를 조절할 정도로 높은 단계에 이른 것을 알 수 있다.[4)]

환원상태에서 구워진 반은 지름이 37cm의 대형으로 내부 중앙에는 음각으로 새긴 약 6cm의 지름을 가진 원이 새겨져 있다. 굽의 지름이 19cm로, 굽의 내부는 유약이 칠해져 있지 않다. 굽의 내부의 중앙에는 커다란 요도구를 받쳐 구운 흔적이 원형으로 남아있다.〈그림 17〉

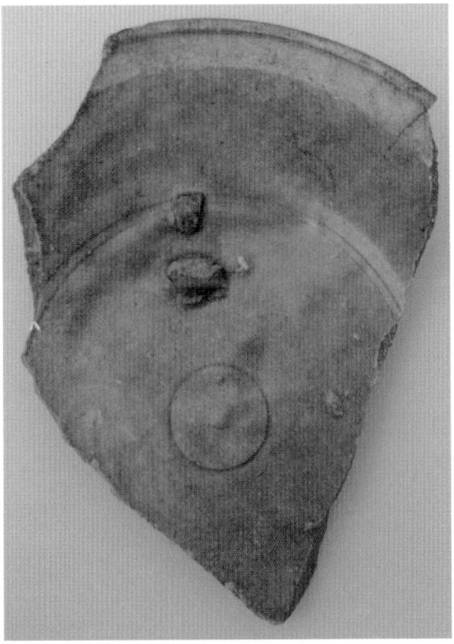

〈그림 17〉 예타쉐 요지 청자반

〈그림 17-1〉 그림 17의 뒷면

4) 동양도자기에서 환원과 산화상태를 조절하여 취미에 맞는 양질의 도자기를 굽게 되는 것은 청자의 제작 기술이 절정에 달한 중국 남송시기에 이루어진다.

유색이 갈색인 반은 지름이 38cm로 반의 중앙에는 음각으로 파낸 약 6cm의 원이 새겨져 있다. 그리고 내부의 가장자리에는 위에서 아래로 파낸 두 개의 홈이 일정한 간격으로 촘촘하게 새겨져 있다. 반의 뒷면에는 문양이 없고 굽의 지름은 21cm이고 굽 내부의 중앙에는 요도구를 받쳐 구운 흔적이 원형으로 남아있다.〈그림 18〉

〈그림 18〉 예타쉐 요지 청자반

〈그림 18-1〉 그림 18의 뒷면

〈그림 19〉 예타쉐 요지 청자완

〈그림 19-1〉 그림 19의 뒷면

완은 두껍게 만들어져 무겁고 유약은 얇게 칠해져 있어 일부는 벗겨져 있다. 완의 내부와 외부에는 문양이 없다. 굽은 높이 1.2cm로 높고 굽의 지름은 7.0cm이고 굽의 내부에는 유약이 칠해져 있지 않다.〈그림 19〉

(3) 우까라지(U Kalar Gyi)

지표채집청자는 반과 완이 대부분을 이루고 있고 호, 병 등이 있다. 청자의 유색은 녹색을 기조로 하고 있고 약간 황색도 보인다. 완은 굽이 높고, 장식은 무문이 많고 외부에 거치문을 음각으로 시문한 것도 보인다.

반은 구연부가 접힌 것이 대부분으로 굽 안은 유약이 칠해져 있지 않다. 내부의 중앙에는 음각의 원이 시문되었고 내부의 가장자리에는 음각으로 국화, 파도, 당초문을 시문하고 있다. 입 주변은 음각으로 파도의 문양을 시문한 것도 있다. 발은 내부에 음각의 원이 시문되어 있다.[5)]

2) 바고(Bago) 요지

바고는 양곤의 북동부 약 70km에 위치하고 버강과 만달레와 함께 13세기부터 16세기까지 몬족의 왕도로서 발전했다. 바고지역에는 라군비 요지가 있고 인근의 예몽에서도 청자가 확인되고 있다.

라군비지역에 대한 발굴은 1990년 미얀마 고고부와 돈하인에 의하여 이루어져 일부는 보고서에서 소개되고 있다. 2012년 2월 현재 라군비 요지의 발굴현장은 보존되어 있으나 거의 물로 차 있어 요지의 정확한 구조를 파악할 수 없어 기존 발굴보고서를 참고하여 요지의 전반적인 상황을 기술하면 아래와 같다.

---

5) 佐々木達夫, 佐々木花江, 「ミャンマ窯跡踏査と採集陶磁器」, 『金澤大學考古學紀要』 2004, pp.152~153

(1) 라군비 요지

라군비 요지는 전체의 길이가 9.8m로 아궁이, 소성실, 굴뚝으로 이루어졌다. 아궁이는 3.4m로 흙을 말려서 만든 벽돌로 만들어졌다. 아궁이와 소성실 사이에는 벽돌로 쌓아진 약 1m 정도 단(段)이 마련되어 있다. 소성실의 바닥은 약간 경사지게 굴뚝까지 이어져 있고 소성실의 왼쪽부분은 대부분 소실되었고 오른쪽에 요벽의 일부가 남아있다. 굴뚝 역시 대부분 소실되었다.[6] 〈실측도 2〉

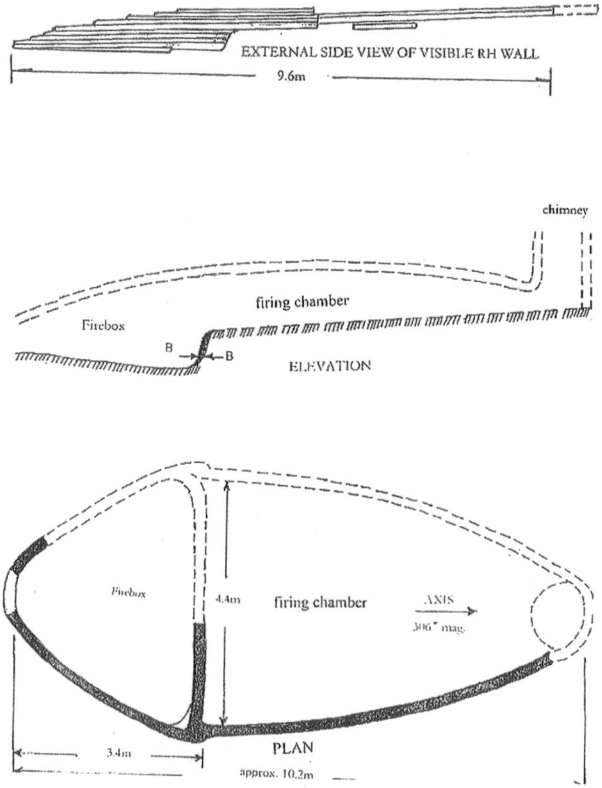

〈실측도 2〉 라군비 요지

6) Slected Writings of U Thaw Kaung., Lagunnbyee and First Ceramic Kiln, Myanmar Historical Commission, 2004, pp.115~130

라군비 요지에서 생산된 것으로 추정되는 청자는 바고 고고학박물관(Bago Archaeolpgy Museum)에 몇 점이 소장되어 있다. 청자병은 둥근 동체로 목의 중앙에는 잡기 쉽기 위하여 만들어진 하나의 돌선이 만들어졌고 동체에는 음각으로 시문된 간략한 연판문이 보인다.〈그림 20〉, 〈그림 20-1〉

〈그림 20〉 라군비 요지 청자병

구연부의 위부분은 구연부의 아래나 중앙부분보다 약간 넓게 만들어져 물이나 술이 잘 나오도록 고안되어 있다. 동체부분에는 음각으로 간략한 연판문과 위에서 아래로 그어 내린 선이 새겨져 있다. 작은 호는 담녹색의 유약이 칠해져 있고 동체부에는 간략한 연판문이 음각으로 시문되었다.

〈그림 20-1〉 뜬떼 요지 청자파편

라군비 요지 주변에서 수집한 청자는 작은 호와 병이 있다. 작은 호는 태토가 회색으로 담녹색의 유약이 엷게 칠해져 있다.〈그림 21〉 작은 병은 태토가 회색이고 담녹색의 유약이 칠해져 있고 굽이 평평하고 부장용으로 사용

된 것으로 생각된다.〈그림 22〉

〈그림 21〉 라군비 청자소호

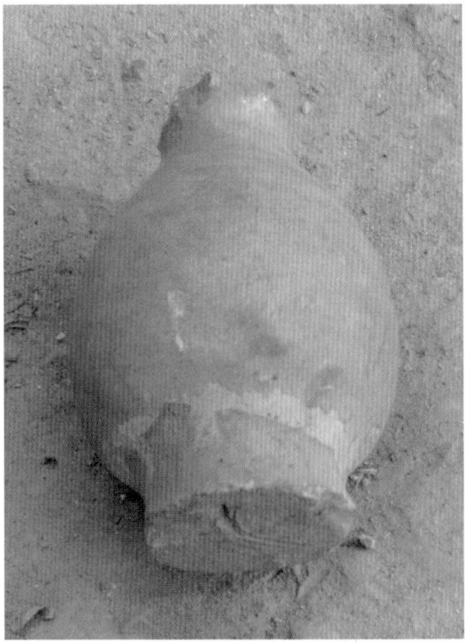

〈그림22〉 라군비 청자병

바고 예몽(Bago Yemon) 지역에서는 반, 발, 합, 작은 항아리 등이 지표에서 채집되었다. 반은 굽이 높고 내부와 저부에 문양이 없고 내부에는 유약이 칠해져 있다. 또 다른 반은 유색이 담황색으로 내부의 가장자리에는 음각으로 당초문이 새겨져 있고 굽안에는 유약이 칠해져 있지 않다.〈그림 23〉 발의 내부에는 음각으로 나무 문양이 장식되어 있고 동일한 문양이 필리핀 산타 크루즈 침몰선에서 발굴된 청자에도 보이고 있어 15세기 후반에 제작된 것으로 여겨진다.[7] 〈그림 24〉

7) Brown. R. M., The Ming Gap and Shipwreck Ceramics in Southeast Asia, Riverbooks, 2009, p.147 〈그림 4〉

〈그림 23〉 예몽 요지 청자반

〈그림 24〉 예몽 요지 청자완

3) 꼬무(Kau Mu) 요지군

꼬무 지역에는 꼬무 우뜬(Kau Mu U Tun), 꼬무 우 포(Kau Mu U Po), 꼬무 우 띤(Kau Mu U Tin) 등에서 요지가 확인되고 있다.

(1) 꼬무 우뜬(Kau Mu U Tun) 요지

꼬무 우 뜬(Kau Mu U Tun) 요지에서 지표 수집된 청자는 반, 호, 발, 병 등이 보인다. 반은 유색이 담황색이고 반 내부의 가장자리에는 음각으로 위에서 아래로 파내어 만든 홈이 새겨져 있다. 구연부에는 불규칙적으로 홈을 만들어 사용하기 쉽게 만들었다.〈그림 25〉

호는 저부의 일부가 수집되었고 음각으로 나무와 거북이가 표현되었다. 발은 유약이 담황색으로 음각으로 간략한 연판문이 시문되어 있다. 내부에는 문양이 없다. 또 다른 발은 저부로 연판문의 아래부분이 굵은 홈으로 비교적 촘촘하게 장식되어 있다.〈그림 26〉 굽은 비교적 높고 내부에는 붉은 안료가 칠해져 있다. 병은 유색이 담황색으로 동체와 목의 경계부분에 굵은 홈이 3개 파져 있다. 또 다른 병의 파편 역시 동체의 상부로 간략한 초화문이 반복적으로 표현되고 있다.

〈그림 25〉 꼬무 우뜬 요지 청자반

〈그림 26〉 꼬무 우뜬 청자완

(2) 꼬무 우 포(Kau Mu U Po)

꼬무 우 포(Kau Mu U Po) 요지에는 반, 작은 항아리, 요도구 등이 보인다. 작은 항아리는 유색이 담황색으로 동체와 하부의 일부에는 유약이 떨어져 있다. 용도는 명확하지 않지만 부장용으로 사용된 것으로 여겨진다.〈그림 27〉

〈그림 27〉 꼬무 우포 청자병

요도구는 반이나 발 등을 받쳐 구웠던 것으로 흑유가 칠해져 있다. 형태는 원통형으로 위로 올라갈수록 지름이 좁아지고 땅에 닿는 부분이 넓게 벌어져 있어 매우 안정적인 모습을 보이고 있다.

(3) 꼬무 우 틴(Kau Mu U Tin)

꼬무 우 틴(Kau Mu U Tin) 요지에는 반, 발 등이 지표에서 수집되었다. 반은 구연부가 한번 밖으로 접혀지고 구연부의 끝부분이 약간 높게 만들어져 사용하기 쉽게 만들어졌다. 구연부의 아래에는 음각으로 두 줄의 선이 위에서 아래로 그어져 있다. 또 다른 반은 초벌상태의 것으로 음각으로 당초문이 굵게 시문되어 있다.

발의 외부에는 굵은 음각이 균등한 간격을 두고 새겨져 있다. 굽의 내부에는 유약이 칠해져 있지 않고 약간 붉은 산화철의 안료가 칠해져 있다.

이 밖에 먀웅미야(Myaung Mya) 지역과 응아 푸 또(Nga Pu Taw) 지역에 여러 가지 요지 등이 있다고 전해지고 있으나 이에 대한 구체적인 상황은 알려져 있지 않다.

4) 해외 출토의 청자

해외에서 출토된 미얀마 청자는 동남아시아, 필리핀, 인도네시아, 태국 등에서 보이고 서아시아에서는 아랍에미레이트, 예멘 등에서 발굴되고 있다.

필리핀에서 출토되고 있는 미얀마 청자는 판다난, 산타크루즈, 레나쇼올 침몰선에서 확인되고 있다. 판다난 침몰선(1460~1487)에서는 미얀마 청자반이 1점 출토되었다.[8)]

이 청자반은 지름 30cm, 높이 6cm로 내부 중앙에는 음각으로 원의 문양이 있고 내부의 가장자리에는 위에서 아래로 그어 만든 2개의 선이 일정한 간격을

---

8) Bobby Orillaneda., The Santa Cruz, Zambales Shipwreck Ceramics: Understanding Southeast Asian Ceramics Trade during the late 15th Century C. E. University of the Philippines, 2008 p.74
Roxanna M. Brown., The Ming Gap and Shipwreck Ceramics in Southeast Asia, Riverbooks, 2009, p.131 〈그림 7-A, B〉

두고 마련되어 있다. 굽의 외부에는 문양이 없다.〈그림 28〉

〈그림 28〉 필리핀 판다난 침몰선 출토 미얀마 청자반

이 반은 전반적으로 미얀마 청자의 특징을 보이고 있지만 반의 지름이 30cm로 산타 크루즈 침몰선과 레나 쇼올 침몰선에서 출토된 반의 지름(30~34cm)보다는 약간 작고 유약과 문양의 시문 처리 역시 산타 쿠루즈 침몰선의 반보다는 조질에 속한다. 그리고 필리핀 산타 쿠르즈 침몰선에서 176점, 레나쇼올 침몰선에서 200여점의 미얀마 청자가 확인되고 있다. 산타 쿠르즈 침몰선에서는 약 15000여점의 무역도자기가 발굴되었다. 국가별로 살펴보면 중국 86%, 타이 9.1%, 미얀마 3.2%, 베트남 0.37%를 차지하고 있고 미얀마의 무역도자기의 비율이 베트남의 무역도자기를 10배 초가하고 있다는 사실은 매우 중요한 점을 시사하고 있다.[9]

산타 쿠르즈 침몰선에서 나온 미얀마 청자반은 구경이 30~34cm이고 저경이 14~19cm로 유약은 담녹색으로 내부의 중앙에 음각의 원 내지 이중의 원이

9) Bobby Orillaneda., The Santa Cruz, Zambales Shipwreck Ceramics: Understanding Southeast Asian Ceramics Trade during the late 15th Century C. E. University of the Philippines, 2008, p.43

장식되어 있다. 또 다른 반에는 내부의 중앙에는 문양이 없고 내부의 측면에 파서 만든 홈이 마련되어 있다.〈그림 29〉, 〈그림 30〉, 〈그림 31〉

〈그림 29〉 산타 쿠르즈 침몰선 출토 미얀마 청자반

〈그림 30〉 산타 쿠르즈 침몰선 출토 미얀마 청자반

〈그림 31〉 산타 쿠르즈 침몰선 출토 미얀마 청자반

레나쇼올 침몰선 출토의 미얀마 청자는 약 200여점으로 발굴되었다고 전해지만 현재는 몇점의 반과 발을 확인하는 데 그친다. 레나쇼올 침몰선의 반은 유색이 반갈색으로 산화상태에서 구워진 것으로 구연이 꽃잎형태이다. 내부 중앙에는 음각의 이중 원문이 새겨져 있고 가장자리에는 위에서 아래로 홈이 파져 있어 전형적인 미얀마 청자반의 형태를 보이고 있다.[10] 〈그림 32〉

그리고 미얀마 청자는 서아시아의 아랍에미레이트 라스 알 카이마 줄파(Ras Al Khaimah, Julfar) 유적을 중심으로 다수가

10) Sunken Treasure: Fifteenth Century Chinese Ceramics From the Lena Cargo, Periplus Publishing London, 2000, p.208
Franck Goddio, Monique Crick, Stacey Pierson, Rosemary Scott., Lost at Sea, The strange route of the Lena Shoal Junk, 2002

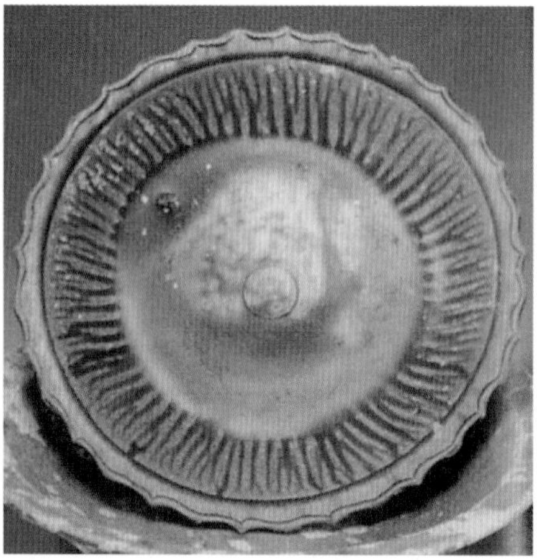

〈그림 32〉 레나쇼올 침몰선 출토 미얀마 청자반

확인되고 있다.[11] 이 유적에서 출토된 미얀마 청자는 태토는 회색이고 유색이 녹색을 기조로 한 회색과 황색이다.

완은 조질로 엷은 갈색을 띄고 많은 빙렬이 보인다. 구연부는 입 주변이 밖으로 벌어져 있고 굽은 약간 높다. 내부와 외부에는 문양이 없다.[12] 〈그림 33〉

반은 구연부의 일부가 몇 점 확인되고 있다. 태토는 회색으로 유약은 담녹색이다. 구연부는 손잡이로 사용된 곳으로 한 번 접혀지고 맨 가장자리는 수직으로 세워졌다. 반의 내부의 끝과 구연부의 경계지역에 위에서 아래로 그은 홈이 새겨져 있다. 이 홈은 칼을 곧바르게 사용하여 일단 선을 긋고 그 다음에 칼날을 비스듬히 해서 태토의 일부를 떼어내어 만들었다.〈그림 34〉, 〈그림 34-1〉 반의 뒷면에는 아무런 문양이 없다. 또 다른 반은 내부의 가장자리와 구연부의 경계사이에 2줄의 홈이 상, 하로 새겨져 있고 반의 외부에는 문양이 없다.

이와 같이 미얀마의 청자는 베트남이나 타이의 무역도자기에 비하여 상당히 늦게 1990년 후반에 이르러 그 존재가 세상에 알려졌지만 최근 인도네시아와 필리핀 등의 동남아시아와 아랍에미레이트 서아시아 지역을 중심으로 미얀마의 청자가 발굴되면서 무역도자기로서 미얀마 청자의 역할과 위상을 재조명할 필요성이 부각되고 있다.

11) 佐々木達夫, 「アラビア半島にひろがるミヤンマ－青磁の發見」, 『金澤大學考古學紀要』 26, 2002, pp.1~7
12) 佐々木達夫, 「アラビア半島にひろがるミヤンマ－青磁の發見」, 『金澤大學考古學紀要』 26, 2002, pp.1~7

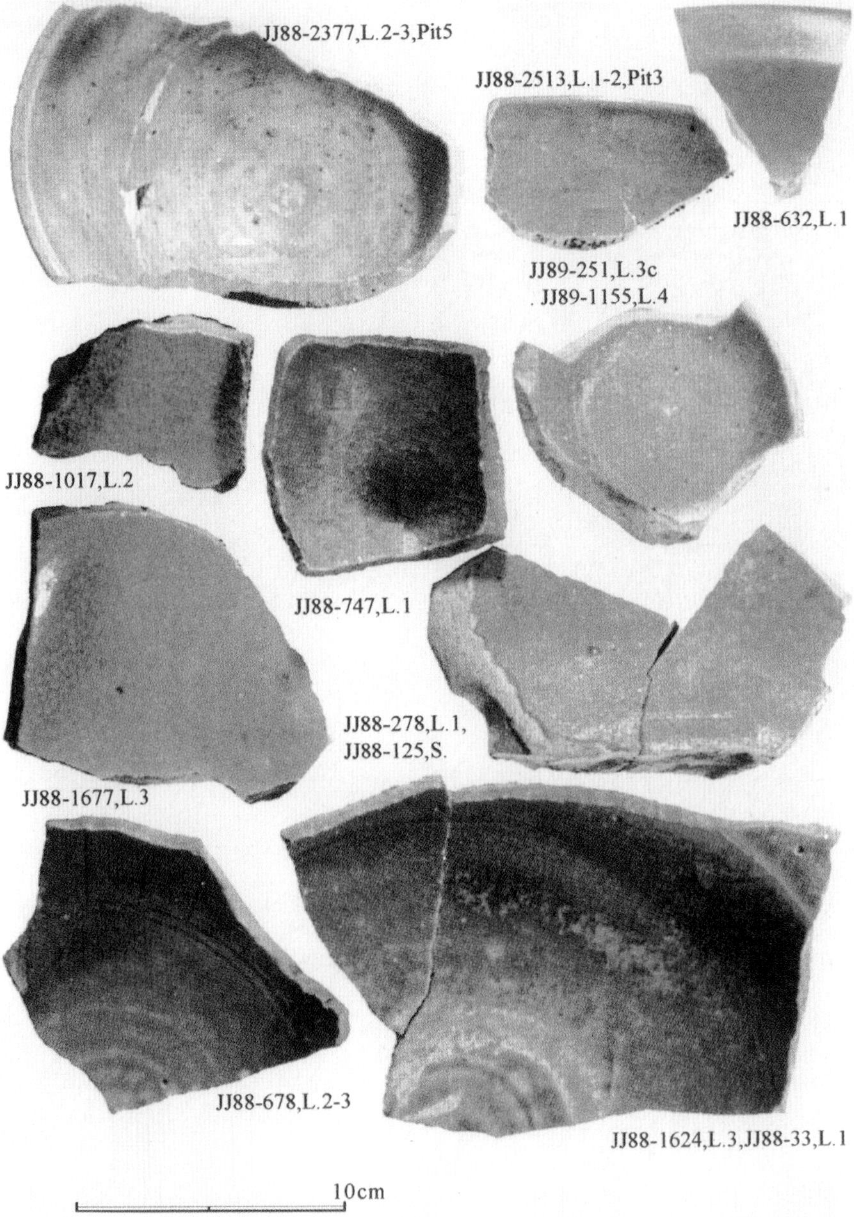

〈그림 33〉 아랍에미레이트 줄파유적 출토 미얀마 청자완

미얀마 청자는 뜬떼를 중심으로 생산되고 일부는 바고 라쿤비와 예몽 그리고 먀웅미야 등에서 제작된 것으로 여겨진다. 특히 뜬떼지역의 1000여개의 청자 요지는 미얀마 청자의 생산과 유통을 이해하는 데 매우 중요한 의미를 가지고 있다고 할 수 있다.

〈그림 34〉 아랍에미레이트 줄파유적 출토 미얀마 청자반

〈그림 34-1〉 그림 34의 외부

이와 같이 대단위 규모로 생산된 미얀마 청자는 국내 및 해외로 유통되었다고 여겨지지만 국내의 소비유적지에서 발굴된 미얀마 청자의 상황을 거의 알 수 없어 미얀마 청자의 국내 소비와 유통과정을 확인할 수 없지만 최근 동남아시아 필리핀이나 인도네시아 등지에서 미얀마 청자가 발굴되고 있어 무역도자기로서 미얀마 청자의 역할과 위상을 이해하는 데 매우 중요한 의미를 가지고 있다. 특히 필리핀지역의 판다난, 산타크루즈 및 레나쇼올 침몰선에서 발굴된 미얀마 청자는 무역도자기로서 미얀마 청자를 이해하는 중요한 척도가 되고 있다.

필리핀 침몰선에서 발굴된 미얀마 청자는 15세기 중엽의 판다난 침몰선에서 1 점의 미얀마 청자가 확인되고 15세기 후반의 산타쿠르즈 및 레나쇼올 침몰선에서는 상당량이 확인되어 미얀마 청자는 15세기 후반에 무역도자기로서 대단한 활약을 한 것으로 파악된다.

그리고 최근 서아시아 유적에서의 발굴에서 미얀마 청자가 많은 유적에서 상당한 양이 출토되고 있어 미얀마 청자는 국내 소비보다 중국 도자기를 대신한 무역도자기로서 서아시아 시장을 목적으로 생산된 무역 아이템이었던 것으로 판단된다.

그러나 미얀마 청자는 언제부터 제작되어 미얀마 국내에서 어떻게 유통되었는지에 대해서는 거의 알려진 사실이 없다. 현재까지 록산나 브라운 등의 연구에 따르면 버강 유적에서는 미얀마 청자가 확인되지 않아 버강시기에는 미얀마 청자가 제작되지 않은 것으로 생각되고 일부 미얀마 청자에 뿌족의 문자가 보여 미얀마에서 청자의 출현시기에 대해서는 아직 유동성이 많지만 미얀마 청자가 서아시아 아랍에미레이트 줄파유적 14세기 후반의 층위에서 발굴되고 있어 미얀마의 청자는 늦어도 14세기 후반 이전에 이루어진 것으로 여겨진다.

그리고 미얀마 청자는 바고의 왕궁터(1553~1599)에서도 확인되어 16세기 후반까지 제작된 것으로 생각되고 무역도자기로서 중국 도자기가 활발하게 제작된 17세기 이후 미얀마 청자의 제작 상황은 아직 알려진 바가 거의 없다.[13)]

결과적으로 무역도자기로서 미얀마의 청자는 14세기 후반부터 16세기 후반까지 약 200여년 동안 중국 도자기를 대신하여 서아시아에서 형성된 중국 도자기의 수요를 만족시켰던 것으로 여겨진다. 이 시기의 미얀마 청자는 14세기 중엽과 후반의 원대의 청자와 청화백자를 모델로 생산되고 그러한 사실은 원대 및 명대

13) 佐々木達夫.「ミャンマー窯跡と採集陶磁磁」.『金沢大学考古学紀要』27. 2004. pp.161

초반에 유행했던 연판문, 여의문, 모란당초문의 존재를 통해 알 수 있다.

4. 백유녹채도기

1980년대 후반 태국 메쏫(Maesot)지방에서 발굴되어 세상에 알려진 미얀마 백유 및 백유녹채도기는 현재까지 요지의 존재가 확인되지 않아 생산지와 유통 및 구체적인 제작과정이 거의 알려지지 않고 있다.

이 도기는 처음에는 타이와 미얀마의 국경에서 출토되어 타이에서 제작된 것으로 간주되었지만 미얀마에서 동일한 종류의 타일이나 석탑의 도판이 확인되어 이러한 종류의 도자기는 최종적으로 미얀마에서 제작된 것으로 밝혀졌다. 나아가 이 도기에 대한 화학분석이 이루어져 납(연)의 성분이 미얀마 빼떼잉(Bassin)광산의 연과 성분이 유사하여 이러한 도기는 미얀마에서 제작된 것으로 밝혀지게 되었다.[14)]

이 도기는 태토가 조질로 붉은 색을 띄고 있다. 유약은 유럽이나 서아시아에서 많이 사용된 주석을 함유하고 있는 연유(鉛釉)이다. 주석을 함유한 연유를 사용한 녹유가 바투(Batu) 지역의 불탑 등에서 발견되어 이러한 도기의 제작지는 양곤 근처의 바고(Bago)로 추정하고 있다.[15)]

그리고 이러한 백유도기는 바고(Bago) 근처의 사원 슈에구지(Shwegugyi)에서 동일한 유약을 쓴 도판이 발견되었다. 이 사원이 1478년

---

14) Yamasaki, K. M. and Shaw, J. George., "A Technical Study on the White-glazed Wares with Green Patterns Excavated in the Tak Area in Thailand: A Preliminary Report". Journal of Siam Society 77(2). Bangkok:The Siam Society, 1989

15) 長谷部樂爾.『インドジナ半島の陶磁器』琉璃書房, 1990

에 창건된 사실을 감안할 때 이러한 백유도기는 늦어도 15세기 후반에는 제작된 것으로 생각된다.[16)]

백유도기의 대표적인 예는 바고의 타운구왕조(1553~1599)의 왕궁터에서 발굴된 접시(바고 고고학박물관)가 있다. 태토는 담황색으로 두껍게 백색의 유약이 칠해져 있다. 접시의 중앙에는 받쳐 구운 흔적이 3곳이 보인다.〈그림 35〉, 〈그림 35-1〉

〈그림 35-1〉 그림 35의 내부

녹채도기는 태토가 담황색이고 유약은 동아시아에서 거의 사용되지 않은 석

16) 津田武德, 「クメール・タイ・ミャンマの陶磁」, 『東洋陶磁學會三十周年記念 東洋陶磁史 – その研究の現在–』, 東洋陶磁学會, 298, 2002

장유이다. 석장유는 백색의 유약으로 납의 일종인 산화석을 첨가한 것으로 그 시원은 기원전 2천년 후반 이집트나 메소포타미아에서 개발되어 타일 등 색유의 일부로써 사용된 것으로 추정되는데 대표적인 예는 메소포타미아를 중심으로 9세기의 출토품에서 확인할 수 있고 백색의 태토에는 녹유를 바른 것과 라스타를 바른 2종류의 것이 있다.[17)]

석장류의 도기는 16세기에 이르러 절정기를 맞이하고 16~17세기에는 유럽에 널리 알려지게 되고 17세기 후반에는 석백유에 람채를 바른 네덜란드 델프트도기에 이르러 활발하게 제작된다.

이와 같이 서아시아에서 기원하여 유럽의 도자기에 많은 영향을 준 석장류도기가 동아시아 및 동남아시아 지역의 도자기에 거의 보이지 않았고 동남아시아의 서남부에 위치한 미얀마에서 유일하게 확인되고 있어 서아시아의 석장유의 전통이 미얀마지역까지 영향을 미쳤던 것을 알 수 있고 이것은 동남아시아 도자기의 역사에서 획기적인 사건이라고 할 수 있다.

그리고 미얀마에서 주석을 포함한 연유을 사용한 예가 버강지역의 불탑의 장식에 사용된 타일에서 보여 미얀마에서 주석을 포함한 연유의 사용이 버강시대(11~13세기)까지 소급될 수 있다는 것을 보여주어 미얀마에서 석장유도기는 늦어도 13세기 이전에는 제작된 것으로 여겨진다.

백유녹채도기의 기형은 반이 대부분을 이루고 발, 작은 항아리 등이 보인다. 반은 지름이 29cm, 높이는 6cm이다. 구연부는 내만된 것, 꽃문양의 것, 능화형의 것으로 나눌 수 있다. 꽃문양과 능화형의 구연은 용천요 청자반의 것과 유사하여 용천요 청자반이 백유녹채도기반에 많은 영향을 미친

17) 長谷部樂爾,『インドジナ半島の陶磁瑠璃書房』, 1990, pp.262~263

것으로 생각된다. 장식문양은 붓으로 그려낸 것으로 간략한 초화문과 동물문 등이 그려져 있어 15세기 타이 철화백자와 유사하여 15세기의 문양 장식 기법의 일면을 볼 수 있다.

반의 내부 중앙에는 녹채로 커다란 4개의 꽃잎이 그려져 있고 그 주변에는 당초문이 돌아가고 있다. 중앙의 4개의 꽃잎 문양은 뜬떼지역에서 출토된 청자반에 보이는 문양과 유사하여 동일시기에 제작되었을 가능성이 있다. 저부의 안쪽에는 유약이 칠해져 있지 않고 태토가 노출되어 드러나고 있다.〈그림 36〉

발은 입지름이 18.3cm 높이가 10cm이다. 입 주변이 약간 외반되었고 그릇의 외부에는 녹채로 연판문과 녹채반점을 그리고 있다. 발의 내부에는 녹채로 간략한 초화문과 별모양이 그려져 있다.〈그림 37〉 소호는 높이가 10.0cm의 작은 호로 동체의 상부와 저부에 간략한 연판문을 녹채로 그리고 있다.〈그림 38〉

해외에서 출토된 백유녹채도기는 동아시아에서는 일본 사카이시와 히라도(平戶)유적에서 확인되고 있다. 일본 사카이(堺) 유적에서 출토된 녹채도기는 1585년 화재층에서 출토되었고 히라도(平戶) 네덜란드 상사 유적에서는 1570~1610년의 층위에서 출토되었다.[18)]

미얀마에서 제작된 백유 및 백유녹채에서 사용된 주석을 포함하고 있는 석장유가 언제부터 사용되었는가는 확실하지 않지만 뿌족이 성을 녹유도기로 쌓았다는 중국 한대의 문헌에 따라 미얀마에서는 늦어도 9세기에는 연유을 포함한 석장유로 제작된 도기 내지 타일이 제작되고 그러한 전통이 16세기 후반의 백

18) 大橋康二, 坂井隆志, 『インドネシアバンテン遺跡出土の陶磁器』, 國立歷史民俗博物館研究報告 82, 1999

〈그림 36〉 백유녹채도기반

〈그림 37〉 백유녹채도기발

〈그림 38〉 백유녹채도기호

유 및 백유녹채도기에 이어진 것으로 생각된다.

그리고 미얀마의 백유녹유도기는 인도네시아 반텐(Banten) 및 인도, 서아시아 아랍에미레이트, 사우디아라비아, 예멘, 이란 등 서아시아 전역에서 일정량이 발견되고 이것에 대한 조사와 연구는 무역도자기로서 미얀마의 도자기를 해명하는 데 매우 중요한 의미를 지니고 있다.

Ⅳ 문헌에 보이는 미얀마 흑유대호

동남아시아 내륙의 북서부에 위치한 미얀마는 지정학적인 이유로 오래 전부터 인도양을 중심으로 서아시아, 동남아시아, 동아시아 지역과 다양한 문화교류를 하였고, 서아시아 지역을 비롯한 동남아시아, 동아시아의 나라들은 미얀마 마루타반(현재 목뜨마, Mouktama) 등의 항구를 중계 무역으로 이용하였다.
미얀마는 이른 시기부터 도자기를 비롯하여 칠기, 직조와 염직, 금속기 등 전통공예가 발달하였고 이중 도자기는 14세기 후반부터 15세기 전반에 동아시아와 서아시아에 수출된 베트남 및 태국 도자기보다 약 40~50년 이른 14세기 전반부터 인근 동남아시아와 원근 서아시아와 동아시아에 무역품 내지 교류품으로 반입되기에 이른다.

동남아시아의 도자기에 대한 연구는 20세기 전반 유럽인에 의해 주도되었고 이후 동남아시아 각국의 고고학자 및 일본의 학자들에 의한 발굴과 유적의 조사로 베트남, 타이, 미얀마 등 동남아시아 각국에서 제작된 도자기에 대한 제반 상황이 보다 명확하게 드러나게 되었다.[1)]

현재 동남아시아의 도자기에 대한 연구는 요지, 소비유적, 침몰선의 유물을 중심으로 이루어져, 도자기의 국적 및 시기의 해명에 초점이 맞추어졌고 이것을 토대로 도자기의 생산, 소비 및 무역시스템과 무역루트 등 다양한 연구가 진행되고 있다.[2)]

그리고 무역도자기로서 동남아시아의 도자기에 대한 연구는 동남아시아 인근해역에서 침몰된 선박에서 인양된 유물을 통하여 베트남 청화백자, 타이 청자, 미얀마 청자 및 흑유대호 등의 존재 및 공반(共伴) 등이 알려져 동남아시아 각국의 도자기가 무역도자기로서 아시아 전역에서 중국 도자기와 대등할 정도의 역할과 위상을 확보했던 것을 알려주고 있다.

동남아시아 내륙의 북서부에 위치한 미얀마는 지정학적인 이유로 오래전부터 인도양을 중심으로 서아시아, 동남아시아, 동아시아 지역과 다양한 문화교류를 하였고, 서아시아 지역을 비롯한 동남아시아, 동아시아의 나라들은 미얀

---

1) Guy, J.S., Ceramic Tradition of South-East Asia. Singapore:Oxford University Press, 1989
Shaw, J.C., Northern Thai Ceramics. Kuala Lumpur, Malaysia:Oxford University Press, 1981
Brown, R.M., The Ceramics of South-East Asia :Their Dating and Identification. Singapore:Oxford University Press, 1988
Sylvia Fraser-Lu., Burmese Craft. Kuala Lumpur:Oxford University Press, 1994
長谷部樂爾.「東南アジア古陶磁研究の現狀」.『東洋陶磁』. 23 · 24. 東洋陶磁学會, 1995
森本朝子.「ベトナムの貿易陶磁 日本出土のベトナムを中心に」.『上智アジア学』 11. 上智大学アジア研究所. 1993
『世界陶磁全集 16 南海』. 小学館, 1983

2) Brown, R.M., "Preliminary report of the Ko Khram sunken ship". Oriental Art 21(4). 1975, pp.356~370.

마 마루타반(현재 목뜨마, Mouktama) 등의 항구를 중계무역으로 이용하였다.

미얀마는 이른 시기부터 도자기를 비롯하여 칠기, 직조와 염직, 금속기 등 전통공예가 발달하였고 이중 도자기는 14세기 후반부터 15세기 전반에 동아시아와 서아시아에 수출된 베트남 및 태국 도자기보다 약 40~50년 이른 14세기 전반부터 인근 동남아시아와 원근 서아시아와 동아시아에 무역품 내지 교류품으로 반입되기에 이른다.

미얀마의 도자기는 토기, 도기(녹유)를 비롯하여 청자, 흑유 등이 알려져있고 독특한 조형과 문양으로 유명하다. 이러한 도자기에 대한 요지의 발굴 등이 1960년부터 시작되었으나 제작시기, 제도(製陶)기술 등 구체적인 제반사항은 거의 알려지지 않은 상태라고 할 수 있다.[3)]

이러한 상황에도 불구하고 최근 동남아시아 인도네시아, 필리핀을 필두로 터키 톱카피(Turkey, Topkapi)미술관 및 이집트 푸스타트(Egypt, Fustat) 유적 나아가 동아시아의 일본 유적 등지에서 미얀마에서 제작된 백유녹채도기와 흑유대호 등이 발견되어 교류 및 무역의 품목으로 미얀마 도자기에 대한 관심이 높아지고 있다.

1. 미얀마 흑유대호

미얀마의 도자기에 대한 연구는 록샨나 브라운(Brown R,M. 1988), 야드야트만(Adhyatman, S. 1985) 등 유럽과 동남아의 연구자에 의해 이루어졌다. 현

3) Aung Thaw., Report on the Excavation at Beikthano, Rangoon: Revolutionary Government of Union Of Burma, Ministry of Union Culture. 1968

재까지 알려진 미얀마 도자기는 토기를 비롯하여 백유, 백유녹채도기, 녹유도기, 청자, 흑유대호 등이 있다.

이러한 도자기에 대한 전반적인 상황은 아직 분명하지 않은 점이 많지만, 최근 일본 학자들이 미얀마 요지 및 동남아시아, 서아시아, 동아시아의 각 유적에서 출토된 미얀마의 도자기를 조사 · 연구하여 무역도자기로서 미얀마의 존재와 위상 등이 드러나고 있다.[4)]

미얀마에서 생산된 일명 마루타반 항아리라고 불리는 흑유대호는 제작지가 아직 알려져 있지 않지만 늦어도 14세기부터 무역도자기로서 서아시아 지역에 상당수가 전래품과 발굴품으로 전해졌고 일부는 동남아시아와 동아시아 지역에서도 확인된다.

흑유대호는 14세기부터 현재까지 제작되고 있고, 크기는 60~70Cm의 것이 가장 많고 일부는 90Cm에 이르는 대형의 것도 존재한다. 태토는 철분이 섞인 갈색이고 유약은 흑갈색으로 저부를 제외하고 호의 전체에 시유되었다. 장식으로는 어깨 주변에 귀가 3~4개가 달려있고, 구연부, 어깨, 동체부분에 종횡(縱橫)의 한 줄 또는 두 줄의 백색선 사이에 백색점이 촘촘히 시문되어 있다.

흑유대호를 제작한 요지는 아직 확인되고 있지 않지만, 현재 흑유대호를 제작하고 있는 요지는 기와로 만들어졌고 가마의 중간에는 아궁이가 마련되어 있다. 요지의 바닥에는 모래가 깔려져 있고 장애벽이나 단(段: 바닥을 약간 높이 올린 것)이 마련되어 있지 않다.[5)]

흑유대호의 대표적인 예는 미얀마 국립박물관을 비롯하여 터키 톱카피 박물관〈그림 1〉, 인도네시아〈그림 2〉, 필리핀의 박물관이나 개인소장가

---

4) 佐々木達夫, 「ミャンマー窯跡と採集陶磁磁」, 『金沢大学考古学紀要』 27, 2004, pp.147~246

5) 津田武德, 2005, p.58

〈그림 1〉 터키 톱카피 박물관소장 미얀마 흑유대호

〈그림 2〉 인도네시아 출토 미얀마 흑유대호

에서 확인할 수 있다. 일부는 필리핀 인근해역에서 침몰한 스페인 샌디에고(1600년) 상선과 아프리카 서부해역 센트헬레나에서 침몰한 네덜란드 동인도회사 위트 레우(Witte Leeuw, 1613) 상선에서 인양된 유물에서 확인할 수 있다.[6]〈그림 3〉

수량적으로 서아시아와 동남아시아의 인도네시아, 필리핀에 집중되어 있고 동아시아의 한국과 일본에서 소량만이 발견되고 있다.[7]

---

6) 坂井 隆.「陶磁の道を訪ねて」.『出光美術館館報』145, 2008, p.22 〈그림 32〉
Rijks Museum. The Ceramic Load of The Witte Leeuw. Amsterdam: Rijks Museum. 1991.

7) 중국에서 출토된 미얀마 흑유대호에 대한 구체적인 사례는 아직 보고된 바 없다.

2. 문헌에 보이는 미얀마 흑유대호

동남아시아 지역에서 통용된 호는 베트남, 타이, 미얀마에서 제작된 것 이외 중국이나 일본에서 제작된 것들이 알려져 있다.[8] 이중 미얀마에서 제작된 흑유대호(마루타반 항아리)는 14세기부터 제작되어 현재도 만들어지고 있는 미얀마를 대표하는 도자기로서 생활용기 및 무역도자기로서 동남아시아는 물론 서아시아와 동아시아에 널리 반입된다.

흑유대호에 대한 기록은 이븐 바투타(Ibun Battuta)가 쓴 여행기(Rihla, The Journey), 포르투갈 사람인 두아르트 바르보사(Duarte Barbosa, 1480~1521)가 1518년에 쓴 두아르트 바르보사의 책(The book of Duarte Barbosa), 쟝 후이겐 판 린쇼텐(Jan Huygen van Linschoten, 1562~1611)이 1596년에 쓴 동방안내기(東方案內記, Itinerario, Voyage ofte Schipvaert), 볼커(Volker, T)가 쓴 도자기와 네덜란드 동인도회사(The Porcelain and the Dutch East India Company: As Recorded in the Dagh-registers of Batavia Castle, those of Hirado and Deshima and other Contemporary Paperm 1602~1682)의 저서에서 확인할 수 있다.[9]

---

8) 인도네시아에 전해지고 있는 시유도기호에 대한 연구로는 S, Adhyatman., Tempayan Martavans in Indonesia.Jakarta:The ceramic Society of Indonesia, 1977

9) Duarte Barbosa., The book of Duarte Barbosa: an Account of the Contries Bordering on the Indian Ocean and their Inhabitants, written by Duarte Barbosa, Nendeln/Lichtenstein:Hakluyt Society. 1967
린쇼텐(Jan Huygen van Linschoten), 岩生成一(번역).『東方案內記』. 岩波書店. 1968.
Volker, T., Porcelain and the Dutch East India Company: As Recorded in the Dagh-registers of Batavia Castle, those of Hirado and Deshima and other Contemporary Paperm 1602~1682. Leiden:E.J. Brill. 1971

1) 이븐 바투타(Ibun Battuta)의 여행기(Rihla, The Journey)

미얀마 흑유대호에 대한 기술은 이븐 바투타(Ibun Battuta, 1304~1368)가 1356년에 쓴 여행기에서 처음 확인된다. 이 여행기는 이븐 바투타가 인도, 동남아시아와 중국을 돌아다닌 기록으로 이븐 쥬사이이(Ibn Juzayy, 1321~1356)가 편찬하여 1356년에 만든 것으로, 흑유대호에 대한 기록은 타왈리씨(Tawalisi)라는 나라에서 여왕을 만나는 장면에서 나온다.

> 여왕은 여러벌의 옷, 코끼리 두 마리 분량의 쌀, 암컷 물소 2마리, 암컷 양 10마리, 마루타반호(Martabanat, 미얀마 흑유대호) 4개(이 항아리에는 항해 중에 사용될 생강, 후추, 레몬, 망고 등이 소금에 절인 상태로 들어있다)를 나를 위하여 가져가도록 했다.[10)]

이러한 이븐 바투타에 보이는 흑유대호의 기술은 미얀마에서 제작된 흑유대호(마루타반 항아리)가 늦어도 이 책이 쓰여진 14세기 중엽에는 제작된 것을 알려주고, 소금에 절인 음식물 등을 보관하기 위하여 사용된 것을 알 수 있다.

이븐 바투타의 기술에서 알 수 있듯, 미얀마의 흑유대호가 14세기에 동남아시아 지역에서 널리 사용된 것은, 최근 동남아 인근의 바다에서 침몰된 선박에서 인양되거나 동남아시아와 동아시아의 유적에서 발굴된 흑유대호가 16세기 후반과 17세기 전반의 것이 대부분이라는 것과는 별개의 상황으로, 미얀마 흑유대호의 시원과 교류품과 무역품으로서 역할 등을 밝히는데 중요한 의미가 있다고 할 수 있다.

10) バトタ イブン, 『大旅行記』6. イブンズユザイイ編. 2001. 家島彦一(번역), 東洋文庫. 平凡社 2001, pp.413~414

나아가 이븐 바투타의 기술에서는 미얀마의 흑유대호가 14세기 중엽에 제작되어 인도네시아에 반입된 사실을 알려주고 있어, 미얀마에서 제작된 흑유대호가 14세기 중엽에 이미 무역도자기로서 동남아 지역에 널리 반입된 사실을 알 수 있다.

이러한 미얀마 흑유대호가 교류품 내지 무역품으로 널리 애용된 배경에는 14세기 중엽, 중국과 서아시아의 중계무역항인 미얀마의 마루타반(Martaban ,현재 목뜨마Mouktama)을 중심으로 중국과 서아시아 지역이 활발한 교류가 이루어져 중국에서 제작된 청자와 청화백자가 서아시아 지역에 많은 양이 반입되고 서아시아의 무역품이 동남아시아를 거쳐 동아시아로 수출되었던 사실이 있다.

그리고 미얀마의 흑유대호가 14세기 중엽 이전 14세기 전반에 이미 제작되어 동아시아에 반입되었을 가능성은 1323년 전라남도 신안 앞 바다에서 침몰한 중국 무역선에서 나온 흑유대호의 예를 통해 알 수 있다.[11)]

이 침몰선에 인양된 흑유대호에 대해서는 거의 연구가 이루어지지 않아 아직 정설이 없지만, 만약 신안에서 출토된 흑유대호가 미얀마에서 제작된 것으로 판명된다면 미얀마에서 제작된 마루타반호는 늦어도 14세기 전반에 제작되어 인도네시아 - 필리핀 - 중국영파 - 전라남도 신안 - 일본을 목적지로 한 중국무역선에서 소금에 절인 반찬 등을 저장하기 위한 용도로 사용된 것으로 추정된다.[12)]

11) 『신안해저문물』, 국립중앙박물관, 삼화출판사, 1977

12) 전라남도 신안에서 침몰된 중국 무역선은 인양된 죽간(竹簡)을 통해 중국 도자기를 의뢰한 일본을 향했던 것으로 여겨진다.

2) 두아르트 바르보사(Duarte Barbosa, 1480~1521)의 두아르트 바르보사의 책(The book of Duarte Barbosa)

그리고 미얀마 흑유대호에 대한 기록은 포르투갈 사람인 두아르트 바르보사(Duarte Barbosa, 1480~1521)가 1518년에 쓴 두아르트 바르보사의 책(The book of Duarte Barbosa)에 바고(Bago)에서 말라카(Malacca)로 향하는 도중에 방문한 마루타 반 항구에 대하여 소개한 부분에서 보이고 있다.

> 이 마을에서는 커다랗고 튼튼한 아름다운 도자기가 대량으로 제작되고 있다. 그 중에서 물을 가득 넣을 수 있는 것도 있다. 그것들은 흑유가 발라져 있고 무어(Moors)인들 사이에는 대단히 귀중하게 여겨져 비싼 가격이 매겨졌고 그들은 이러한 호에 덩어리로 된 안식향(安息香)을 많이 넣어 돌아갔다.[13]

위의 내용에서 1518년경 미얀마 마루타반에서 제작된 흑유대호가 필리핀에 살고 있는 이슬람교도인 무어인들 사이에게 귀중하게 여겨져 비싼 가격에 거래된 것을 알 수 있다. 그리고 이들이 이 호에 안식향을 넣어 서아시아나 필리핀으로 돌아간 것으로 추정된다.[14]

이와 같이 미얀마의 흑유대호는 16세기 전반에 필리핀에 거주하는 이슬람상인인 무어인들에 의하여 인도네시아를 거쳐 필리핀지역으로 반입되어 현재 유물의 일부가 이 지역의 박물관 등에서 확인되고 있다.[15]

---

13) Duarte Barbosa(1967: 157~159) 안식향은 스타이락스 벤조인(Styrax Benzoin) 또는 같은 속(屬)의 나무를 상처내서 얻어낸 수지(樹脂)이다. 이 안식향은 타이, 라오스, 베트남의 고원지대에서 채취되면 식품의 첨가재 등으로 사용된다.

14) 津田武德 2005, p.65

15) Cynthia, O. Valdes., "Martaban Jars found in the Philippines". Art of Asia 22(5), 1990, p.63~75

〈그림 3〉 샌디에고 침몰선 출토 미얀마 흑유대호

3) 린소텐(Jan Huygen van Linschoten, 1562~1611)의 동방안내기 (Itinerario, Voyage ofte Schipvaert)

미얀마 흑유대호에 대한 기록은 네덜란드인 얀 후이겐 판 린소텐(Jan Huygen van Linschoten, 1562~1611)이 쓴 『동방안내기』에서 확인할 수 있다. 이 책은 린소텐이 1583년부터 1589년까지 인도를 여행하고 이것을 토대로 1596년에 쓴 것으로 이후 네덜란드 동인도회사의 아시아 진출에 중요한 지침이 된다. 이 책에는 마루타반 항아리(미얀마 흑유대호)가 다음과 같이 기술되어 있다.

마루타반에서는 일반적으로 해상에서 마루타 바나로 불리는 커다란 호가 활발히 만들어졌고 항해 중에 대량으로 (국외로) 보내졌다. 이것은 큰 것과 작은 것 등 여러 종류가 있고 이 중에 많은 양의 액체가 충분히 들어갈 수 있는 커다란 것도 있다. 이러한 호가 많이 수출되었던 이유는 바루타반에 거주하는 포르투갈인의 각 가정이나 선박에서는 이 항아리에 기름, 술, 물 기타등등을 저장했기 때문이다. 이 호에 물이나 술 등을 저장해 두면 아주 오랫동안 유지할 수 있어 특히 여행자들에게는 이 호는 매우 귀중한 것으로 여겨졌다. 이 호는 포르투갈에도 많이 반입되었다. 항해에서 물이나 기름 등을 저장하는 것에 쓰였기 때문이다.[16]

이 책은 16세기 후반 마루타반을 중심으로 중계무역을 한 포르투갈인들의 역할과 그들의 생활상 등 몇가지 중요한 사실을 전해주고 있다.

첫째로 16세기 후반 포르투갈인과 그 가족들이 마루타반에 상주한 사실이다. 이것은 1519년 마루타반에 포르투갈 상관이 설치되어 1613년까지 거의 백년동안 유지되어 온 사실을 뒷받침하는 것으로 특히 1580년대에 마루타반에 상주하는 포루투갈인들이 마루타반을 애용했다는 사실을 알려주고 있다.[17]

둘째로 마루타반에 상주하는 포르투갈인이 마루타반 항아리를 기름이나 술을 저장하기 위한 용기로 사용한 사실을 확인할 수 있다.

---

16) リンスホテン, 岩生成一(번역),『東方案内記』, 岩波書店, 1968, pp.182~183

17) 미얀마와 포르투갈의 교역은 마루타반에 포르투갈 상관이 설치되는 1519년부터 본격화된 것으로 여겨진다. 이후 포르투갈 상관은 지속되다가 1613년에 폐쇄된다. 린스텐이 동방안내서를 쓴 1596년은 중국 명이 해금정책이 해소되어 동방(동아시아 및 동남아시아)의 산물과 서방(서아시아 및 유럽) 문물 간에 활발하게 교역이 이루어진 시기이다. 이러한 활발한 동서교역을 토대로 16세기 후반 미얀마에서 제작된 흑유대호는 동남아시아를 거쳐 동아시아 지역으로 반입되고 한편으로 인도를 거쳐 서아시아 및 유럽으로 확장되기에 이르게 된다.

셋째로 마루타반을 거점으로 중계무역을 한 포루투갈 상인들이 상당량의 마루타반 항아리를 본국인 포르투갈이나 동남아시아 및 동아시아에 무역품으로 반입시켰다는 사실이다. 이것은 포르투갈 상인들이 마루타반에서 포르투갈 상관이 유지된 16세기 전반부터 17세기 전반에 걸쳐 인도양을 배경으로 동남아시아 및 동아시아 지역과 활발한 교역을 하고 중계무역항으로 이용한 미얀마 마루타반에서 흑유대호를 대량으로 입수하고 다시 그것을 인도네시아나 필리핀 그리고 일본 등에서 되팔았던 것으로 생각된다.

그리고 이 시기에 포르투갈 상인들에 의해 동남아시아와 동아시아에 반입된 마루타반호는 인도네시아에서 집중적으로 발견되고 동아시아에서는 포르투갈과 교역을 했던 일본의 서부지역에서 일정량이 발굴되고 있다.[18] 결과적으로 동남아시아와 동아시아에 전해지고 있는 16세기 후반의 흑유대호는 포르투갈의 상선을 통해 인도네시아 → 필리핀 → (중국 →) 일본 등에 전해지게 된다.

그러나 미얀마에 1595년 미얀마에 페스트가 유행하고 1600년의 전란과 이후 기근이 겹치는 16세기 말과 17세기 초반에는 미얀마 흑유대호의 제작이 활발하게 이루어지지 못하고 마루탄반 역시 중계항으로 역할이 충분히 소화하지 못해 이 시기에 미얀마 흑유대호는 포르투갈의 상인에 의해 동남아시아나 동아시아로 반입되었을 가능성이 희박하다.[19] 그리고 이러한 사실은 16세기 말과 17세기에 일본에 반입된 것으로 추정되는 흑유대호가 전래품이나 발굴품에서 거의 볼 수 없다는 것에서 확인할 수 있다.

---

18) Nan, Kyi Kyi Khai. 「The study of Myanma trade ware: Martaban jar and white dish」. 『金沢大学考古学紀要』 30, 2009, pp.107~108

19) Guillon, Emmanuel. Translated and edited by Di Crocco, James V., The Mons: A civilization of southeast Asia. James V. Bangkok: The Siam Society. 1999, 194

4) 폴커(Volker. T.)의 저서 도자기와 네덜란드 동인도회사(The Porcelain and the Dutch East India Company)

미얀마 흑유대호에 대한 기록은 네덜란드 동인도회사의 회계장부를 토대로 만들어진 폴커의 저작 도자기와 네덜란드 동인도회사(The Porcelain and the Dutch East India Company)에서 자주 보인다. 이 책은 1610년부터 1680년까지 네덜란드 동인도회사가 거래한 품목 및 수량과 가격 등이 구체적으로 밝혀져 17세기 아시아 전역에서 이루어진 무역품의 종류와 가격 그리고 중계무역항을 통한 무역루트 등을 조명할 수 있는 중요한 자료라고 할 수 있다.

이 책에서는 무역품으로 취급된 상품중의 하나로 중국 도자기, 일본 도자기, 동남아시아도자기에 대한 언급이 다수 등장한다. 그리고 동남아시아 미얀마에 제작된 흑유대호에 대한 언급은 책의 여러 부분에서 확인된다. 폴커의 저작에서 보이는 미얀마의 흑유대호에 대한 기술을 토대로 크기, 가격, 용도 및 아시아 전역으로 반입된 분포를 살펴보면 아래와 같다.

(1) 크기

볼커의 저작에는 흑유대호에 대한 정확한 크기는 제시되지 않았지만 흑유대호를 크게 대, 중, 소 세가지로 나누어 가격을 매기고 있는 것을 1642년, 1660년, 1661년 등의 기록에서 찾아볼 수 있다.

1642년 코로만델(Coromandel) 해안 북쪽의 마슬리파탐(Masulipatam)의 보고에 따르면 버고(Bago)에서 대형 200개 소형 150개의 마루타반 항아리가 마슬리파탐 지역의 배로 반입되었다는 사실을 확인할 수 있어 미얀마의 흑유대호는 대형과 소형 등 다양한 형태로 제작된 것을 알 수 있다.[20]

20) Volker, T. 1971, p.93

〈그림 4〉 미얀마 뜬떼 선착장 흑유대호

그리고 흑유대호에는 대형과 소형 이외 중형이 존재했다는 것은 1660년 땅리인(Syium, 양곤에서 가까운 항구)에서 마슬리파탐에 도착하는 배에 65개의 대, 중 크기의 흑유대호가 적재되었다는 기술과 1661년 떠닝타이(Taninthari, 양곤 남부)에서 수라트(Surat)로 향한 배에 65개의 대, 중의 흑유대호가 적재되었다는 폴커의 저서의 언급을 통해 흑유대호는 기준은 명확하지 않지만 흑유대호는 대, 중, 소로 크게 구분되고 있는 것을 알 수 있다.[21)]

그리고 흑유대호의 종류와 크기는 인도네시아 등 동남아시아 지역과 동아시아 그리고 서아시아 지역에서 출토된 흑유대호의 예를 통하여 구체적으로 알 수 있다. 대형의 것은 80~90cm, 중형은 70~60cm, 소형은 60cm 이하의 것으로 생각할 수 있다. 대형의 대표적인 예는 미얀마 뜬떼지역에서 발굴된 호로 크기가 90Cm 이상이다.[22)]〈그림 4〉 중형은 인도네시아, 서아시아, 일본 등에서

21) Volker, T, 1971, p.77, p.109

22) 미얀마 뜬떼 니조다욘(Nijodayon) 수도원에서 발견된 흑유대호는 높이 90센티로 대형이다.

골고루 발견되고 있다.[23]〈그림 5〉 소형은 50cm 이하의 것으로 소량에 그치고 있고 개인 물통 등으로 사용된 것을 알 수 있다.

〈그림 5〉 일본 오이타 출토 미얀마 흑유대호 1580년경

(2) 가격

폴커의 저작이 회계장부를 토대로 만들어져 당연한 일이지만 그의 책에는 미얀마 흑유대호에 대한 구체적인 가격이 명시되어 있는 부분이 다수 존재한다.[24] 이러한 흑유대호의 가격은 흑유대호의 가치는 물론 책이 쓰여졌던 당시

---

23) 일본 오이타 오모토후나이쪼에서 나온 미얀마 흑유대호(大分市教育委員会.『大友府内 5』. 2002. – 中世大友府内町跡3次調査報告大分驛周辺総合整備事業に伴う埋藏文化財発掘調査報告書I –. Oita: 大分市教育委員会)는 1586년의 층위에서 출토되었고 높이는 61.2센티로 중형크기라고 할 수 있다.

24) 폴커의 저작 Porcelain and the Dutch East India Company에는 미얀마 흑유도자기 이외 중국 및 일본 그리고 베트남 도자기에 대한 구체적인 가격이 매겨져 있어 17세기 아시아 각국의 도자기의 가격을 비교할 수 있는 중요한 정보를 제공하고 있다. 앞으로 그의 저작에 보이는 도자기 유통 및 가격 등에 대한 구체적인 조사가 이루어지면 17세기 무역도자기 교류 및 사회 및 경제사적인 연구도 가능할 것으로 생각된다.

의 흑유대호의 수요와 공급을 알려주는 중요한 자료로 판단된다. 1629년을 시작으로 1667년까지 흑유대호의 가격 부분을 정리하면 아래와 같다.

폴커의 저서에 언급된 1629년 반다(Banda)로 부터의 보고에 의하면 태풍으로 12 네아루(30 플로린)[25]의 흑유대호가 깨졌다고 적어넣고 있어,[26] 1629년 당시 미얀마산의 흑유대호가 30 플로린 정도의 가치가 있었던 것으로 추정하고 있다.

그리고 1646년 미얀마 흑유대호의 가격은 마슬리파탐에서 바타비아(Batavia)로 향한 배에는 60개의 마루타반 항아리가 적재되었고 그 가격이 총 1485 플로린이라고 적혀져 있어,[27] 마루타반 항아리 1개의 가격이 24.8플로린이었던 것을 알 수 있다.

또한 1650년 푸리카트에서 바타비아로 향한 배에 24개의 흑유대호가 적재되었고 총 가격은 192플로린으로,[28] 흑유대호 1개의 가격이 8플로린이었던 것을 알 수 있다. 그리고 1651년 플리카트(Pulicat) 및 마슬리파탐에서 바타비아로 향한 배에 8개의 대형의 흑유대호가 적재되었고 총 가격은 64플로린으로,[29] 흑유대호 1개의 가격이 8플로린이었다는 것을 알 수 있고, 1667년 20개의 흑유대호의 총가격이 279플로린으로,[30] 1개의 흑유대호의 가격이 18플로린인 것을 알려주고 있다.

이상과 같이 미얀마에서 제작된 흑유대호는 1620년대 말에는 30플로린, 1640년대에는 24플로린, 1650년대에는 8플로린으로 시대가 내려오면서 흑유

---

25) 플로린(Florin)은 네덜란드 조합인들이 주로 사용한 화폐이다.

26) Volker, T, 1971, p.195

27) Volker, T, 1971, p.103

28) Volkerr, T, 1971, p.105

29) Volker, T, 1971, p.106

30) Volkerr, T, 1971, p.181

대호의 가격이 떨어지는 것을 확인할 수 있다.

이러한 가격 하락의 배경에는 크기 및 질적인 차이가 다수 있을지라도 수요에 비하여 공급이 많이 이루어진 사실에서 그 이유를 찾을 수 있다. 예를 들어 1665년에는 흑유대호 600개가 한번에 적재되었다는 기록을 통하여[31] 17세기 중엽에는 공급이 원할이 이루어지면서 가격이 내려간 것으로 파악된다.

이와 같이 흑유대호의 가격은 약간의 질적인 차이를 감안해도 당시의 수요와 공급의 원칙에 따라 1650년대를 계기로 공급이 서서히 증가하고 이에 따라 질이 떨어져 흑유대호의 가격이 하락한 것을 알 수 있다. 결국 이러한 사실을 토대로 미얀마 흑유대호는 16세기 말과 17세기 전반에 가장 질이 좋아 값이 비쌌고, 흑유대호가 양산되는 17세기 중엽 이후 질이 떨어지고 가격 역시 16세기 말의 1/3까지 밑돌았다는 것을 확인할 수 있다.

(3) 용도

미얀마 흑유대호는 폴커의 저서에서 1610년 반탐(Bantam, 바타비아 서쪽)에서 암보이나섬 및 반다로 향하던 배의 송장에 아편을 넣은 흑유대호가 2점 보여 흑유대호가 아편을 배로 수송하기 위한 저장용기로 사용된 것을 알 수 있다.[32]

그리고 1644년 말라카(Malacca)의 외국상선 및 외국인 거류자의 감독자였던 한 한즈 메니(Jan Jansz Menie)가 죽어 그의 재산을 공매한 품목에 미얀마의 흑유대호가 12개 포함되어 있고, 그 중 5개의 흑유대호에는 소금이 들어있고 또 다른 2개의 흑유대호에는 설탕이 적재되었다고 기재되어, 흑유대호는 소금과 설탕을 담아두는 용기로 사용된 것을 알 수 있다.[33] 그리고 1678년 바고에서

31) Volkerr, T, 1971, p.181

32) Volker, T, 1971, p.194

33) Volker, T, 1971, p.95

200개의 대형 흑유대호 그리고 23개의 중형 흑유대호에 나무에서 얻은 기름이 채워져서 도착했다는 기록이 있다.[34]

〈그림 6〉 미얀마 양곤 국립박물관 흑유대호

이와 같이 흑유대호는 1610년에 아편의 용기로 사용되었고, 1640년 이후에는 소금이나 설탕용 항아리로 사용된 것을 알 수 있다. 그리고 흑유대호의 생산이 확대되고 수급이 원활하게 이루어진 1660, 70년에는 흑유대호가 가정에서 물이나 기름을 저장하는 용기로 사용된 것을 알 수 있다. 그 밖에 미얀마 국립박물관 소장의 흑유대호에는 호의 어깨 주변에 기부자인 마웅타라(Maung

34) Volker, T, 1971, p.95와 p.215

Thar Ra) 와 마카(Ma Khar)의 안녕을 빈 명문(銘文)이 보여 부장용의 제기(祭器)로도 사용된 것을 알 수 있다.[35]〈그림 6〉

이러한 흑유대호는 스코틀랜드 항해사였던 알렉산더 헤밀턴이 쓴 『A New Account of the East Indies』라는 책에서 미얀마 흑유대호에 많은 양의 술을 넣을 수 있다고 기술하고 있어,[36] 미얀마 흑유대호는 18세기 전반까지 제작되어 술을 담기 위한 용기로 사용된 것을 알 수 있다. 그러나 1720년 마루타반 항이 돌로 메워지고 커다란 배가 왕래할 수 없게 되면서 마루타반항을 중심으로 이루어진 중계무역은 현저하게 감소한 것으로 생각되고 미얀마에서 제작된 흑유대호 역시 국외로의 반출이 거의 어렵게 된다.

미얀마는 이른 시기부터 토기를 비롯하여 도기, 자기 등 다양한 도자기를 제작한 것으로 알려지고 있으나 도자기를 비롯한 전통공예에 대한 연구의 역사가 길지 않아 민족의 이동과 정체성을 밝히는 데 중요한 토기와 자기 등의 연구는 거의 이루어지지 않고 있는 실정이다.

이러한 상황에도 불구하고 최근 미얀마의 도자기에 대한 연구는 무역도자기의 차원에서 다루어지고 있으며 일부가 동남아시아를 비롯하여 서아시아 및 동아시아 유적에서 발굴되어 무역도자기로서 미얀마 도자기의 역할과 위상이 보다 명확히 알려지게 되었다.

미얀마의 무역도자기는 흑유대호, 청자, 백유녹채도기 등이 알려져 있다. 이 중 미얀마 흑유대호는 미얀마를 대표하는 도자기로 조형과 제작기법 그리고 무역도자기로서의 역할을 연구하는 데 중요한 위치에 놓여있다.

---

35) Nan, Kyi Kyi Khai. 2009. 「The Study on Myanmar Trade Ware: Martaban Jar and White Dish」, 『金沢大学考古学紀要』 30, 2009, p.129 〈그림 10-c〉

36) Smithies, Michae., Alexander Hamilton: A Scottish Sea Captain in the Southeast Asia, 1689~1723. Bangkok:Silkworm, 1997, pp.37~38

미얀마 흑유대호에 대한 연구는 미얀마를 비롯하여 동남아시아, 서아시아, 동아시아의 유적에서 그 존재가 확인되었지만 제작 및 반입시기 그리고 구체적인 반입루트 등에 대한 정확한 결과에는 이르지 못하고 있다.[37)]

이러한 상황에서 서아시아나 유럽인들이 쓴 여행기나 네덜란드 동인도회사의 회계장부 등에 보이는 미얀마 흑유대호에 대한 기록은 흑유대호의 출현과 전개과정 및 무역도자기로서의 역할 나아가 타국으로 반입루트 등을 밝히는 데 매우 유용하다.

미얀마 흑유대호에 대한 기술이 보이는 문헌으로는 이븐 바투다(Ibun Battuta)의 『대여행기(Rihla, The Journey)』, 두아르트 바르보사(Duarte Barbosa)가 쓴 『두아르트 바르보사의 책(The book of Duarte Barbosa: A Account of the Contries Bordering on the Indian Ocean and their Inhabitants)』, 장후이겐 판 린소텐(Jan Huygen van Linschoten)이 쓴 『동방안내기(Itinerario, Voyage ofte Schipvaert)』, 폴커(Volker, T.)가 쓴 『도자기와 네덜란드 동인도회사(Porcelain and the Dutch East India Company)』 등이 있다.

이러한 문헌에 보이는 미얀마 흑유대호의 기술은 미얀마 흑유대호의 출현시기 및 종류와 가격, 용도 등을 밝히는 중요한 근거가 되고 있다. 미얀마의 흑유대호의 출현은 이븐 바투타의 여행기에서 흑유대호의 존재가 확인되어 이 책이 쓰여진 14세기 중엽에는 이미 미얀마 흑유대호가 출현된 것으로 생각된다. 나아가 1323년 전라남도 신안 해저에서 침몰된 중국배에서 인양된 유물 중에 미

37) 일본에서 오이타 오토모유적에서 발굴된 미얀마 흑유대호는 1580년대의 층위에서 출토되었다는 보고가 있어 미얀마 흑유대호의 제작시기 및 반입경로를 추적하는 중요한 기준이 되고 있지만 인도네시아와 필리핀 등지에서 발굴된 미얀마의 흑유대호는 반입 및 제작 연대는 분명하지 않아 자료로서 한계가 있다.

얀마의 흑유대호가 보여 미얀마의 흑유대호는 늦어도 14세기 전반에 출현되어 그 일부가 동남아시아와 동아시아에 반입된 것으로 생각된다.

그리고 전라남도 신안에서 인양된 중국선박은 발굴 된 죽간(竹簡)을 통하여 중국 영파를 출발하여 한국의 연안를 거쳐 일본으로 향했던 것으로 확인되어 14세기 전반에 동아시아를 중심으로 중국상선에 의해 이루어진 무역에서 중국 영파 → 한국 → 일본의 루트가 매우 중요한 위치를 차지하고 있었던 것을 알 수 있다.

이와 같이 전라남도 신안에서 침몰된 중국선박에서 인양된 흑유대호의 존재는 중국 상선이 영파를 중심으로 동남아시아와 동아시아의 전 지역을 통괄하고 나아가 서아시아와의 중계무역에서 중요한 위치에 놓인 미얀마에서도 활발한 무역활동을 했던 증거로서 해석할 수 있다.

그러나 원(元)이 망하고 명(明)이 들어서 해금정책이 이루어지게 되면서 중국상선에 의한 동남아시아 및 서방과의 무역이 제대로 이루어지지 못하게 되고 미얀마에서 제작된 흑유대호 역시 동아시아 지역에 반입되는 것이 어렵게 되었다.

이러한 미얀마 흑유대호는 명대의 해금정책이 유지되는 유예기간을 거쳐 포르투갈 상관이 미얀마에 설치되는 1519년 전후부터 포르투갈의 무역선에 의하여 다시 유럽 및 서아시아, 동남아시아, 동아시아 등지로 반입된다. 이 시기를 대표하는 미얀마의 흑유대호의 예가 터키 톱카피 박물관 및 일본 서부지역에서 발굴된 유물에서 확인된다.

그리고 다시 미얀마에서 포루투갈의 상관이 폐지되는 1613년 전후에 미얀마 흑유대호는 동남아시아를 비롯하여 동아시아 지역으로의 유입이 원활하게 이루어지지 못하게 되지만, 포르투갈을 대신하여 네덜란드 상관이 동남아시아에 설치되는 1603년 전후에 미얀마 흑유대호는 네덜란드 상선에 의해 유럽 및 서아시아, 동남아시아, 동아시아 등 널리 반입되기에 이르고 17세기 중엽에는 그 반입량이 최고 절정에 이르게 된다. 시기에 따른 미얀마의 흑유대호를 취급한 상선, 반입 지역, 대표적인 흑유대호의 예를 간략한 표로 나타내면 아래의 표와 같다.

미얀마 흑유대호의 반입상황

시 기	상 선	반입 지역	대표적인 예
14세기 전반~ 14세기 중엽	중국	서아시아, 동남아시아, 동아시아	전라남도 신안 출토 흑유대호(1323년경) 미븐 바투타에 기술된 흑유대호(14세기 중엽)
16세기 전반~ 17세기 전반	포르투갈	유럽, 서아시아, 동남아시아, 동아시아(일본)	터기 톱카피 박물관 소장 흑유대호 및 일본 오토모 출토의 흑유대호(1580년경)
17세기 전반~ 18세기 후반	네덜란드 동인도회사	유럽, 서아시아, 동남아시아, 동아시아(중국, 일본)	

그리고 문헌을 통해 본 미얀마의 흑유대호는 크기에 따라 대, 중, 소의 것이 존재하였고 대형은 저장용기로, 소형은 개인 휴대용 물병으로 사용된다. 흑유대호의 가격은 시대에 따라 추이를 보인다. 공급에 비하여 수요가 많지 않았던 16세기 말과 17세기 전반의 흑유대호의 가격은 30프로린이고, 공급이 원활하게 이루어졌던 17세기 후반에는 가격이 8프로린으로 16세기 말과 17세기 전반의 흑유대호의 가격에 비하여 1/3 수준에 미치지 못하는 수준이라는 것을 알 수 있다. 결과적으로 흑유대호는 17세기 중엽 이후 공급이 확대되면서 가격이 대폭 떨어지는 것을 확인할 수 있다.

그리고 이러한 흑유대호를 용도 면에서 보면 1620년에는 아편, 1640년대에는 소금이나 설탕의 저장용기를 사용된 것을 확인할 수 있고 흑유대호의 공급이 원활이 이루어진 17세기 후반 이후에는 흑유대호는 물이나 기름 등 일상용기로 널리 사용된 것을 알 수 있다.

V 태국 도자기

태국의 무역도자기는 1371년 명의 해금정책이 실시된 14세기 후반부터 명의 해금정책이 유명무실화되는 16세기 중엽까지 중국 도자기를 대신하여 동남아시아를 물론 동아시아와 서아시아에 반입된다.
태국의 도자기가 아시아 전역에 반입된 사실은 최근 아시아 전역에서 전개된 도시화의 과정에 따른 일련의 발굴로 그 정체가 서서히 드러나 무역도자기로서 태국 도자기의 역할과 위상이 전 세계에 알려지게 되었다.

동남아시아의 조형문화에 대한 연구는 19세기 말 프랑스를 중심으로 유럽 및 미국의 학자들에 의한 고고학과 인류학적인 성과에도 불구하여 각 지역의 민족문화의 형성과 발전과정을 명확하게 드러내지 못하는 한계를 드러내고 있다.

동남아시아 대륙의 중앙에 위치한 태국은 중국, 캄보디아, 미얀마 등 주변 국가들과 정치, 사회, 문화적으로 긴밀한 관계를 갖고 발전해 왔고 인근 지역과 문화교류를 통하여 자국의 문화를 발전시키는데 그치지 않고, 자국의 문화를 아시아를 넘어 전 세계로 알리게 된다.

이것은 명나라가 해금(海禁)정책을 실시하고 명의 문물 특히 도자기가 해외로 반입되지 못하면서, 중국의 도자기를 대신하여 부상했던 태국의 무역도자기를 통해 명확하게 드러나고 있다.

태국의 무역도자기는 1371년 명의 해금정책이 실시된 14세기 후반부터 명의 해금정책이 유명무실화되는 16세기 중엽까지 중국 도자기를 대신하여 동남아시아를 물론 동아시아와 서아시아에 반입된다.

태국의 도자기가 아시아 전역에 반입된 사실은 최근 아시아 전역에서 전개된 도시화의 과정에 따른 일련의 발굴로 그 정체가 서서히 드러나 무역도자기로서 태국 도자기의 역할과 위상이 전 세계에 알려지게 되었다.

예를 들어 14세기 후반 이후 오키나와(沖繩) 유적에서 발굴된 다량의 태국 도자기는 무역도자기로서 태국 도자기의 위상을 설명하는 데 좋은 예가 되고 있다. 나아가 서아시아의 이집트 푸스타트(Egypt, Fustat) 유적이나 이란의 유적에서 발굴된 태국의 씨싸차날라이 청자의 존재는 14세기 후반 이후 무역도자기의 대표적인 트레이드 마크였던 중국 용천요 청자의 역할을 위협하기에 충분했다.

이와 같이 세계의 조형문화의 역사에서 매우 중요한 역할을 담당한 태국의 도자기에 대한 연구는 1930년에 개시되었고 1960년대 이후 타이 북부지역에서 요지의 발굴이 이루어지면서 본격화된다.

1980년 이후 존 쇼(John Shaw)에 의해 이루어진 타이 북부지역의 요지에 대한 연구, 조사는 태국 도자기 특히 청자 및 철회백자의 연구에 선구적인 역할을 하였고,(Shaw, J.C., 1981)(Shaw, J.C., 1987) 이후 록산나 브라운(Brown,R.M.)에 의한 연구 역시 타이의 쑤코타이 및 씨싸차날라이 도자기의 양상을 밝히는데 커다란 공헌을 하였다.(Brown,R.M., 1988)

1. 태국 도자기의 역사

태국에서 도자기가 제작된 것은 10000여년 전부터로 알려져 있다.(ブジョン チャンタウェイ, 1984, p.165) 이후 기원전 4천년 반치양(Ban Chieng)와 기원 후 반카오(Bang kao)지역에서 본격적으로 토기와 채색토기가 제작된다.〈그림 1〉, 〈그림 2〉 특히 반치양(Ban Chieng)지역에서 만들어진 화려한 채문토기는 구운 후에 채색을 한 것으로 물에 씻으면 색이 지워지는 등 실용성이 떨어져 실용용기보다 부장용으로 사용되었을 가능성이 높고 유적에서 철기와 함께 출토되어 태국의 금속기 문화를 이해하는 중요한 기회를 제공하고 있다.[1)]

---

1) 이마무라 케이지(今村啓爾)는 기존의 학설과 반대로 방카오 유적이 기원전 1770~1300년으로 간주하고, 방치양의 유적은 기원전 1500~500년으로 보고 있다.今村啓爾,「東南アジアの土器」,『世界陶磁全集』16, 小学館, 1984, pp.261~264

반치양의 채문토기에 사용된 안료는 빨간 광석의 안료에 나무 액을 섞은 것으로 생각되고 문양으로는 개구리, 거북이 등 동물문양, 나뭇잎문양, 삼각이나 사각의 기하학적인 문양, 남녀의 성기를 나타낸 문양들이 있다.

〈그림 1〉 반치양(BanChieng) 채색토기

그리고 태국 유적에서 베트남 푸난(扶南)의 옥에오(Oceo) 유적에서 출토된 토기의 일부가 발견되어 고대 태국 토기의 역사는 현재 베트남 남부 및 캄보디아지역과 밀접한 관계를 보여주고 있다.

그리고 푸난을 멸망시키고 등장한 쩐라(眞臘)는 짜오프라야(Chao Phraya)강을 중심으로 발전하여 6세기 경에는 드바라바티(Dvaravati) 왕국을 세우게 되고 이 왕국은 9세기에 융성하지만 11세기에는 크메르의 통치를 받는다.

드바라바티 도자기는 대부분 생활용기로 호, 발, 물병 등이 토기로 만들어졌다. 토기는 물레를 사용하여 인도풍의 주전자 등을 제작한다. 태토는 회색이 기본이고 약간 붉은 색이 감돌고 토기의 표면에는 인화문, 짚으로 새긴 문 등이 새겨져 있다.

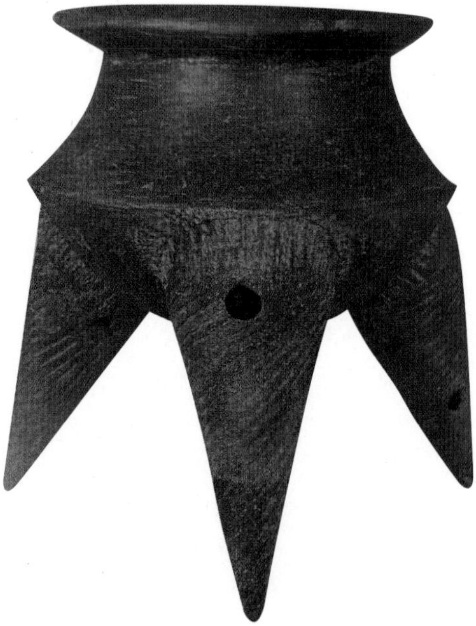

〈그림 2〉 반카오 토기

드바라바티 왕국이 망할 즈음 일부의 몬(Mon)족이 북쪽으로 이동하여 람푼(Lamphun)을 중심으로 하리푼차이(Haribhunchai) 왕국을 세우게 된다. 하리푼차이의 토기로는 탑형의 뚜껑을 가진 호, 평저의 접시 등이 있고, 문양은 파거나 도장으로 찍은 문양이 사용되었다. 제작시기는 11세기부터 13세기 후반까지이고 이후 란나타이의 도자기에 많은 영향을 주게 된다.(長谷部楽爾 1990, p.224)

태국 지역에서 유약을 바른 도기는 크메르의 지배를 받았던 태국의 일부 지역에서 발굴된 크메르도기의 존재를 통하여 알 수 있으나 이후 태국 시유도기의 전개과정 등은 아직 밝혀진 바가 없다.

태국지역에서 시유도자기가 제작되는 대표적인 곳은 중부 쑤코타이, 씨싸차날라이 요지, 북부 란나타이의 카롱, 싼캉팽 등의 요지가 알려져 있고,(Shaw, J.C., 1987, pp.55~91) 14세기 후반 이후 태국의 시유도기는 씨싸차날라이의 코노이 요지와 쑤코타이 요지에서 대량생산 되었고 몬(Mon)도기와 청자, 철회백자 등으로 구분할 수 있다.

몬도기는 태국에서 무역도자기가 제작되는 14세기 후반 이전의 것으로 씨싸차날라이 요지의 최하층에서 발견되어 타이 중부지역의 시유도자기의 시원과 전개과정을 살피는 데 매우 중요한 의미를 지니고 있다.[2]〈그림 3〉

〈그림 3〉 몬토기 14세기

그리고 씨싸차날라이와 쑤코타이 요지에서 제작된 청자와 철회백자는 기형과 문양이 원대의 용천요 청자와 경덕진요의 청화백자와 유사하여, 중국 남부지방의 요지 및 도자기를 모델로 제작된 것으로 추정된다.

2) 씨싸차날라이 요지의 최하층에서 몬도기를 발견한 것은 타이와 오스트레일리아 공동연구단인 T. C. A. P.(Thai Ceramics Archaeological Project)에 의해 이루어졌다.

그리고 17세기의 야유타야는 청대의 색회자기(色繪磁器)를 동경하여, 궁실용의 도자기로 벤차롱(Bencharong)을 중국 경덕진에 주문하고,〈그림 4〉 18세기에는 태국 국내에서 금빛의 장식이 두드러진 라이남텅(Lai Nam Thong)을 생산하기에 이른다.[3)]

〈그림 4〉 벤차롱 색채자기 18세기

나아가 19세기 후반 쭐라롱껀(라마 5세, 1868~1910) 대왕은 궁전 내에 라이남텅을 만들 수 있는 요지를 만들어 청대 양식의 색회자기를 제작한다.

3) 벤차롱은 벤차(Bench는 산스크리트어 Panch에서 파생되었음)는 5를, 롱(Rong)은 색을 의미한다. 벤차롱은 명대 성화년간부터 대량으로 생산되었던 색회자기를 본떠 만든 이름이다. 이러한 벤차롱은 중국 강서성 경덕진에서 생산되어 18~19세기 중국 무역도자기의 양식에 가깝고 라이남텅(Lai Nam Thong의 의미는 Gold Wash로 금을 사용한 장식)은 태국에서 제작된 색회자기로 양식과 미의식에 타이적인 요소가 강하게 남아있다.

2. 태국 요지

태국의 요지는 북부지방(란나타이), 중부지방(씨싸차날라이와 쑤코타이), 동북부지방(이싼, Isan)으로 나눌 수 있고 각 지역의 요지는 시대의 변화에 따라 인근 국가인 중국, 캄보디아, 베트남과의 문화적인 교류로 다양한 양상과 발전을 보이게 된다.〈표 1〉

〈표 1〉 태국의 주요 요지

이러한 지역 중에서 가장 오랜 역사를 갖고 대량으로 생산된 도자기의 일부를 인근 다른 지역으로 유통시킨 곳은 동북부 이싼(Isan)지방의 부리람(Buriram) 요지이다. 이 요지는 13세기 초, 인근 크메르의 지배를 받게 되어 크메르 앙코르지역에서 생산된 도자기와 유사한 도자기를 생산하기에 이른다.

1) 북부지방의 요지

타이 북부지역에서 시유도기의 요지가 만들어진 것은 란나(Lanna) 타이 왕국의 시기이다. 이 지역의 요지에 대한 조사는 1960년 존쇼(J. C. Shaw)에 의해 이루어졌다.[4)]

이 지역의 대표적인 요지로는 카롱(Kalong) 요지, 싼캄팽(Sankampaeng) 요지 등이 있고, 많은 사람들이 살았던 지역을 중심으로 분포한다. 이 요지들은 13세기부터 19세기까지 유지되었고 치앙마이 분지를 중심으로 산간의 구릉에 위치하고 산의 경사를 이용한 지하식 또는 반지하식 단실요가 대부분으로 완이나 접시 등을 생산하였다.

카롱(Kalong) 요지는 라오(Lao)강이 흐르는 빠빠오(Papao)와 왕느어(Wang Nuea)지역을 중심으로 다수가 남아있다. 이 요지는 진흙을 햇빛에 말려 만든 4~5m정도 규모로 아궁이는 작고, 굴뚝이 좁은 것이 특징이다.〈그림 5〉

카롱 요지에서 생산된 도자기는 녹색의 연유도기, 청자, 백자, 철화백자 등이 있다. 백자와 철회백자는 동아시아에서 백자가 유행했던 15세기에 제작된 것으로 여겨진다. 카롱요의 하나인 왕느어(Wang Nuea) 요지에서는 청자가 주로 제작되었고, 명대의 용천요 청자를 모델로 삼았고 제작시기는 15세기이다.〈그림 6〉

---

4) Shaw, J.C., Northern Thai Ceramics, Kuala Lumpur, 1981

〈그림 5〉 카롱 요지

〈그림 6〉 카롱 왕느어 요지청자

싼캉팽(Sankampaeng) 요지는 치앙마이 동부 싼캉팽마을 부근에서 확인되고 있다. 요지의 길이는 3~5m로 소성실은 타원형으로 뒷부분에 굴뚝이 마련되어 있다. 요의 구조는 중국 운남성의 요지와 유사하여,(矢部良明 1978, p.112) 운남성의 제도(製陶)기술

〈그림 7〉 왓 치양쎈(Wat Chiangsaen)의 산캉펜 요지

이 싼캉팽 요지에 전해진 것으로 생각된다.〈그림 7〉, 〈그림 8〉

산캉펜 요지는 존쇼(J. C. Shaw)의 조사로 많은 요지가 알려졌다. 싼캉팽에서 만들어진 도자기는 청자, 백자, 철회백자 등 다양하고, 태토는 기본적으로 갈색이다. 청자는 반(盤)이 많이 남아있고 반의 안쪽에는 쌍어문이 시문

〈그림 8〉 싼캉팽 흑유자

되었고, 바깥 주변에 방사의 선이 촘촘하게 새겨졌다. 동일한 문양이 원, 명의 용천요 청자에서 자주 보여 싼캉팽의 도자기의 생산에는 중국 남부 용천요 청자의 영향이 강했던 것으로 파악된다. 싼캉팽의 도자기는 전반적으로 생활용기로 제작되었고 문양은 간략한 것이 특징이라고 할 수 있다.[5)]

2) 중부지방의 요지

13세기 중엽 쑤코타이 왕국이 건설되면서 쑤코타이와 쑤코타이 북방 10km에 위치하는 씨싸차날라이에 대단위의 요지가 만들어지게 된다. 태국 무역도자기는 씨싸차날라이 및 쑤코타이지역의 양지역에서 만들어진 것이 대부분이다.

이 지역의 도자기는 명의 해금정책이 본격적으로 실시되는 14세기 후반부터 명의 해금정책이 유명무실화되는 16세기 중엽까지 생산이 이루어지고 중국 도자기를 대신하여 무역품으로 가까운 필리핀이나 인도네시아 및 먼 동아시아 및 서아시아 지역으로 반입된다.

이러한 무역도자기는 원대의 강서성 경덕진(江西省 景德鎭)에서 생산된 청화백자나 절강성(浙江省) 용천요 청자를 모델로 만들어졌고 씨싸차날라이와 쑤코타이의 철회백자는 하북성(河北省) 자주요(磁州窯)의 제작기법으로부터 많은 영향을 받게 된다.

무역도자기로서 씨싸차날라이 도자기는 청자, 철회백자 등이 있고 쑤코타이

---

5) 산캉펜 요지의 창시에 대해 야베요시아키(矢部良明)는 1292년 원의 사절 향자지(向子志)가 쑤코타이에 온 것에 대해 쑤코타이 왕조는 1294년과 1299년에 원조를 방문하는 적극적인 외교를 실시하였다. 그리고 2차례의 답방에 대한 귀로에 많은 중국 도공을 데려와 쑤코타이와 씨싸차날라이에 요지를 만들었고 다시 씨싸차날라이의 중국도공의 일부가 싼캉팽 도자기의 초창기 생산에 관여했다고 적고 있다.(矢部良明,「タイベトナムの陶磁」,『陶磁大系47』, 平凡社, 1978, p.112)

도자기는 태토에 백화장을 한 후 산화철의 안료로 문양을 그린 후 투명유를 발라 구운 철회백자가 대부분이다.

(1) 씨싸차날라이(Si Satchanalai) 요지

무역도자기로써 씨싸차날라이의 도자기를 생산했던 대표적인 요지는 반 코노이(Ban Konoi)에 집중적으로 분포하고 있다. 이 지역의 요지는 요지의 1/2 정도가 땅 속에 있고, 나머지 반은 지상에 노출되어 있다. 크기는 3~6m의 소형가마로 판을 쌓아 올려 만든 판축요(版築窯)이다.

이러한 지하식 판축요는 빗물이 들어가는 우기에는 작업이 이루어지지 못하는 등의 약점을 가지고 있고 이후 지상식 판축요 및 지상식 연와요(煉瓦窯)으로 이행하고,(長谷部楽爾, 1990, p.229) 요지의 변천과 더불어 제도(製陶) 기법, 굽는 방법, 요도구에서도 변화가 보인다.

T.C.A.P.(Thai Ceramics Archaeological Project)의 연구에 따르면 씨싸차날라이 요지의 굽는 방법은 시대에 따라 도자기의 구연부를 맞대어 굽는 방법, 원형의 도침을 사용하는 방법, 그리고 갑발에 하나의 도자기를 넣어 양질의 도자기 생산방법으로 변한다.(Hein, Donald et al. 1986, pp.22~23) 이러한 굽는 방법의 변화는 생산된 도자기에 반영되어 도자기의 제작 시기를 알려주는 표식적인 역할을 한다.

반 코노이(Ban Konoi) 요지에서 제작된 도자기는 토기, 몬도기, 씨싸차날라이 도기 등으로 나눌 수 있다.[6] 몬도기는 코노이 요지에서 가장 오랜된 시유도기로 코노이 요지의 최하층에서 보이고 있다.

몬도기는 태토에 철분이 많이 포함되어 담회색이고 형태를 만든 후 백화

---

6) 사완카로구 도기는 T.C.A.P. 보고서에는 LASW(Later Stoneware)로 부르고 있다.

장을 하여 녹색의 회유를 발라 구워졌다. 몬도기의 구연부에는 유약이 칠해져 있지 않아 동일한 기형의 구연을 서로 마주보게 해서 구웠던 것으로 생각된다.(向井瓦, 2005, p.38)

그리고 몬도기는 지상식가마로 전환되면서 태토가 흰색으로 바뀌고 양질의 청자유가 발라져 수출용 도자기인 싸완카록 도자기가 본격적으로 제작되기에 이른다.〈그림 9〉

〈그림 9〉 씨싸차날라이 요지

코노이 지역의 요지는 대부분이 도굴당한 상태여서 어떤 도자기가 어떤 요지에서 제작되었는지 정확히 추적할 수 없는 상태이지만, 록산나 브라운(Brown, R. M.)은 코노이 요지의 상한을 14세기 설정하고 그러한 증거로서 필리핀 탁(Tak) 유적에서 출토되는 코노이의 몬도기를 예로 들고 있다.(Brown, R. M., 1988, p.7)

코노이 요지의 종언시기는 꺼 끄라닷(Ko Kradat Wrecksite) 침몰선으로부터 중국 가정년제(1522~62)의 명문을 가진 중국청화와 함께 싸완카록의 철회백유도가 출토되어 씨싸차날라이 요지는 16세기 중반까지 제작된 것으로 여겨진다.

그러나 16세기 말이나 17세기 초의 침몰선에서 싸완카록의 도자기가 출토되지 않아 씨싸차날라이 도자기는 16세기 중엽 이후 생산이 중지된 것으로 판단하고 있다.(Brown, R. M., 1988, p.9)

씨싸차날라이 요지에서 제작된 도자기는 청자와 철회백자 등이 있다. 청자는 코노이에서 생산되어 씨싸차날라이 전역으로 퍼진 것으로 추정되고 반을 선두로 병, 발, 호, 고리가 달린 작은병, 잔 등 다양하다.

〈그림 10〉 씨싸차날라이 청자반

청자반은 원, 명의 용천요 청자의 영향을 받은 것으로 생각된다. 반의 내면에는 용천요 청자의 반에서 자주 보이는 초화문이나 어문이 새겨져 있다.〈그림 10〉 그리고 극히 일부이지만 산화철로 문양을 그린 것도 보인다. 고리가 달린 작은 병은 문양은 거의 없다. 유사한 병이 원대 흑유자에 보여 원대의 도자기를 모델로 제작된 것으로 여겨진다.〈그림 11〉, 〈그림 12〉 이 밖에 원대 청화백자를 모델로 만든 옥호춘병, 표형병, 연적 등 다양한 기종이 제작된다.

〈그림 11〉 원대 흑유자 14세기 중엽

〈그림 12〉 씨싸차날라이 흑유병 15세기

씨싸차날라이에서 제작된 철회백자는 합이 대부분을 차지하고 완이나 병 및 동물모양의 연적 등이 일부 제작된다. 합은 아래부분이 둥글고 뚜껑부분은 평평하다. 대부분은 물레로 원형을 만든 다음, 날카로운 도구를 사용하여 각(角)을 만든 것이 대부분이다. 이러한 합은 베트남의 청화백자에도 일부 보이지만 기본적으로 중국 원대의 청화백자를 모델로 만들어진 것으로 생각된다. 이른 시기의 합의 문양은 연잎 등을 섬세하게 사실적으로 시문하였고 점차 생산량이 많아지면서 문양은 형식화되는 경향이 뚜렷해진다.

(2) 쑤코타이 요지

타이의 무역도자기를 대표하는 쑤코타이 도자기는 최근 인도네시아, 베트남,

필리핀에서 집중적으로 발견되고 있다. 이러한 현상은 타이 남부에서 쑤코타이 등 무역도자기가 거의 발견되지 않은 상황과 대조를 이루고 있다.

쑤코타이 요지는 씨싸차날라이 요지에서 보이는 요지의 발전과정을 보이지 않고 양식적으로도 변화를 보이지 않아 단기간에 생산이 이루어진 것으로 여겨진다. 그리고 쑤코타이 요지는 요지의 규모도 작아 일정시기에 씨싸차날라이 지상식 요지의 일부가 쑤코타이 요지로 이전한 것으로 여겨지고 있다.

쑤코타이의 요지는 햇빛에 말린 기와를 사용하여 지상에 만들어졌고 씨싸차날라이 코노이 요지에서 보이는 지상요와 유사하고 규모는 5~6m로 작다. 요도구로는 원통형의 지주(支柱)와 구울 때 들어붙는 것을 방지하기 위한 5개나 6개의 돌기가 붙어있는 원판의 도침이 있다.

동일한 도침이 씨싸차날라이 코노이 요지 및 중국 남부의 요지에서 보여 쑤코타이의 요지가 씨싸차날라이 요지와 밀접한 관계였고, 중국의 요지 및 요도구로부터 많은 영향을 받은 것으로 생각된다.

이러한 요도구는 씨싸차날라이 요지에서 초기 단계에만 사용되고 쑤코타이 요지에서는 생산이 이루어졌던 모든 기간에 사용되었다. 그리고 씨싸차날라이 요지에서는 쑤코타이 도자기가 보이지 않는 반면 쑤코타이 요지에서는 다량의 씨싸차날라이 도자기가 보여 쑤코타이 도자기가 씨싸차날라이 요지에서 기원하고 있다는 것을 알 수 있다.

쑤코타이 요지에서 생산된 도자기는 반, 사발, 병 등 다양하다. 대부분의 도자기는 태토로 형태를 만든 다음 백토를 발라 그 위에 산화철의 안료로 물고기나 초화문을 그려 투명한 유약을 발라 구웠다.

물고기가 그려진 쑤코타이 철회백유도는 씨싸차날라이 요지에서 볼 수 있는 물고기 문양을 모델로 만들어진 것으로 대담하면서 유머스러운 모습은 씨싸차날라이 도자기를 뛰어넘는 미의식을 보이고 있다.

그리고 쑤코타이 도자기는 회색의 태토를 긁어내서 회색이 드러나면서 문양을 만들어 내는 소지기법(搔地技法)을 사용하여 태양문 등을 만들어 내고 있다. 소지기법이 씨싸차날라이 요지에서 보이지 않는 기법으로 중국 자주요나 한국 분청사기에서 보여 동아시아의 중국과 한국, 동남아시아의 태국 쑤코타이 요지에서 동일한 기법의 도자기가 출현한 것을 알 수 있어 쑤코타이 도자기는 늦어도 동아시아 중국과 한국에서 소지기법이 사용된 시기인 15세기 전반에는 이미 철회백자의 생산이 본 궤도에 도달한 것으로 생각된다.

나아가 14~16세기 동남아시아 침몰선에서 씨싸차날라이와 쑤코타이 도자기가 동시에 보이고 있어 태국의 도자기 무역이 활발했던 시기에는 씨싸차날라이와 쑤코타이 도자기의 생산이 동시에 이루어진 것을 알 수 있다.

이와 같이 태국의 무역도자기는 태국 인근의 해안에서 침몰된 선박에서 인양된 도자기를 통하여 구체적인 상황이 알려져 요지의 활동시기 및 제품에 대한 추적이 가능하게 되었다.

3. 침몰선에서 출토된 태국 무역도자기

태국 도자기가 무역도자기로 전 세계에 위상을 떨쳐던 14~16세기의 상황은 동남아시아 인근에서 침몰된 투리앙(Turiang, 1370년) 침몰선, 난양 침몰선(Nanyang Ship, 1380년경), 롱쿠안 침몰선(Longquan ship, 1400년경), 로얄난하이 침몰선(Royal Nanhaiship, 1460), 싱타이 침몰선(Singtai Ship, 1550년경) 등에서 인양된 유물을 통하여 알 수 있다.

1) 투리앙(Turiang, 1370년) 침몰선

투리앙 침몰선은 말레이시아 반도 100마일 남중국해의 남쪽에서 발견되었다. 이 배에서 발견된 녹유도는 보르네오에서 아주 인기있는 상품이었기 때문에 이 배는 보르네오를 행했던 것으로 추정된다.

투리앙 침몰선에서는 총 6745점의 도자기가 인양되었고 이 중 태국 도자기는 57%, 중국은 35%, 베트남 도자기는 8%를 차지하고 있다. 태국 도자기 중 46%는 쑤코타이 요지에서 만들어졌고 11%는 씨싸차날라이에서 제작된 것이다.

〈그림 13〉 투리앙 침몰선 쑤코타이 초화문 사발

쑤코타이 요지에서 제작된 도자기는 태토가 회색으로 백화장을 바른 다음 산화철의 안료로 문양을 그려 투명한 유약을 발라 만들었다. 유약은 투명하지만 일부는 약간 녹색을 보이기도 한다. 쑤코타이 요지에서 만들어진 사발은 구연부의 지름이 21~24cm이고 높이는 6.5~8cm 정도로 태토에 백화장을 한 다음, 산화철의 안료로 물고기나 초화문을 그린 것이 대부분을 차지하고 있다. 물고기는 대부분은

〈그림 14〉 투리앙 침몰선 쑤코타이 쌍이병

사발의 안쪽 아래쪽에 시문되어 있고, 물고기의 얼굴은 왼쪽이나 오른쪽 방향으로 향하고 있다.〈그림 13〉 국화문은 역시 사발의 저부에 시문되어 있고 형태가 14세기 중엽의 중국 청화백자나 14세기 후반의 베트남의 청화백자에서 보이는 국화문과 유사하여, 늦어도 14세기 후반에 태국 철회백자가 무역도자기로서 유행한 것을 알 수 있다.

그리고 투리앙 침몰선에서는 쑤코타이 요지에서 제작된 다양한 병이 발굴되었다. 병은 둥근 동체에 구연부와 동체의 상부를 연결하는 2개의 고리가 달려 있다. 동체의 중앙에는 물고기가 돌아가고 있다.〈그림 14〉

씨싸차날라이 도자기는 몬도기, 철회백자, 청자로 구분할 수 있다. 몬도기는 태토는 갈색으로 입자가 고르지 못하고 호와 병이 대부분을 이루고 있다. 호는 3점이 인양되었다. 높이는 33cm이고 동체의 상부에는 귀가 4개 달려있다.〈그림 15〉

이 호는 베트남 꾸라오 짬(Cu Lao Cham) 섬 등 동남아시아 유적지에서 발견되고, 일본 오키나와 유적에서 14세기 후반의 태국 항아리가 대량으로 발견되어 이 시기의 태국 항아리가 동남아시아 및 동아시아에서 술 등을 담는 항아리로서 널리 사용된 것을 알 수 있다.

〈그림 15〉 투리앙 침몰선시 씨싸차날라이호

〈그림 16〉 투리앙 침몰선 씨싸차날라이병

철회백자 역시 몬도기의 일종으로 반이 대부분을 차지하고 있다. 반의 지름 26~27cm, 높이 4.5~6.5cm이다. 백화장을 한 다음 산화철의 안료로 물고기나 초화문이 정교하게 그려져 있다. 초화문은 양식화되어 있고 유약은 투명하고 약간 녹색의 기운이 남아있다. 반의 내부에는 겹쳐 구원 흔적이 남아있고 굽은 잘 깎여져 있다. 쟁반을 잡는 부분에는 약간 올라와 잡기 쉬운 구조를 보이고 있다.

그리고 약간 푸른색의 유약이 칠해져 있는 도기가 있다. 이 도기는 호와 병이 주를 이루고 있다. 호는 보주형의 손잡이를 가지고 있다. 병은 코코넛의 형태와 유사한 동체를 가진 것과 병과 구연이 나팔꽃같이 벌어진 것으로 나눌 수 있다. 코코넛 형태의 병은 구연부와 동체의 상부를 연결하는 고리가 연결되거나 수직

으로 구성된 선이 장식된 것도 있다.〈그림 16〉

이러한 형태의 병은 중국 14세기 중엽의 중국 침몰선에서 나온 흑유자의 형태와 동일하여, 씨싸차날라이 도자기의 기형에 중국 원대 도자기의 요소가 강하게 반영된 것을 알 수 있다.[7] 구연부가 나팔꽃처럼 벌어진 병은 중국의 청화백자 옥호춘병을 모델로 만들어진 것으로 동체의 중앙에는 간략한 수직의 선이나 초화문이 시문되어 있다.

이와 같이 투리앙 침몰선에서 나온 태국 도자기는 무역도자기의 가장 이른 대표적인 예로서 쑤코타이와 씨싸차날라이 요지에서 생산된 것이 대부분을 이루고 있다. 쑤코타이 요지에서 제작된 철회기법의 백자는 완성도가 높아 1370년 이전에 이미 쑤코타이와 씨싸차날라이에서 상당한 수준의 철회기법의 백자가 제작된 것을 알려주고 있다.

나아가 투리앙 침몰선의 태국 무역도자기는 명의 해금정책이 시작된 1371년보다 약 1년 정도 빠른 시기여서 명의 해금정책이 실시되기 전에 태국의 무역도자기가 이미 동남아시아 지역에서 널리 애용되었던 것을 알 수 있다.

2) 난양 침몰선(Nanyang Ship, 1380년경)

난양 침몰선에서 발견된 태국 도자기는 씨싸차날라이 요지에서 제작된 청자가 대부분이다. 기형으로는 호, 발, 반, 링을 가지고 있는 소호 등이 인양되었지만, 산화철 등으로 문양을 그린 후에 유약을 바른 하회기법(下繪技法, 유약 밑에 산화철이나 코발트로 문양을 그리는 것)을 사용한 청자는 거의 보이지 않고 있다.

---

7) 2010년 11월 중국 산뚱 허조우(山東 荷澤) 침몰선에서 110건의 공예품이 발굴되었다. 대부분의 유물은 도자기로 14세기 중엽의 청화백자가 중심이다. 그리고 복건성에서 제작된 것으로 추정되는 흑유자는 형태가 14세기와 15세기의 침몰선에서 출토된 태국의 무역도자기와 유사하여 중국 남부의 도자기의 제작이 태국 중부의 요지에 많은 영향을 준 것으로 생각된다.

〈그림 17〉 난양 침몰선 청자호

〈그림 18〉 원대 용천요 청자호

〈그림 19〉 난양 침몰선 사발

호는 최대 반경이 상부에 있고 밑으로 내려오면서 반경이 줄어들고 있다. 동체의 상부에는 연잎을 여러 겹으로 시문하였고 하부에는 위에서 아래로 파낸 홈이 문양을 이루고 있다.〈그림 17〉 이것과 동일한 기법의 문양은 원대 용천요 청자호에서 자주 보여 14세기 후반 태국 무역도자기에 중국적인 요소가 강하게 반영된 것을 알 수 있다.〈그림 18〉 사발은 외부에는 문양이 없고 내부에는 연꽃잎이 중복되게 표현되어 있다. 굽에는 유약이 칠해져 있지 않아 흰색의 태토가 노출되어 있다.〈그림 19〉

반은 원대나 명대의 용천요 청자를 모델로 만든 것으로, 내부의 중앙에는 연꽃문양이 시문되어 있다. 약간의 공간을 두고 내부의 가장 바깥에는 4송이의 연꽃이 간략하게 표현되어 있다. 그릇의 바깥에는 문양이 없다. 굽과 굽의 안쪽에는 유약이 칠해져 있지 않고, 굽의 안에는 겹쳐 구운 원형의 흔적이 남아있다.〈그림 20〉 링형의 손잡이를 가진 소형호는 굽 약간 위까지 유약이 칠해져 있고 굽 부분에는 유약이 칠해져 있지 않은 상태이다. 동체의 상부와 하부에는 위에서 아래로 파낸 홈이 파져 있다.〈그림 21〉

〈그림 20〉 난양 침몰선 청자반

〈그림 21〉 난양 침몰선 청자병

난양 침몰선에서 인양된 도자기는 대부분 씨싸차날라이 요지에서 제작된 청자가 대부분을 이루고 있다. 호, 반, 병의 형태는 기본적으로 원대의 도자기를 모방하고 있고 문양 역시 기본적으로 원대 청화백자나 용천요 청자의 문양을 참고하고 있지만 연꽃이 강조되는 표현은 14세기 후반의 태국적인 양식이라고 할 수 있다.

3) 롱쿠안 침몰선(Longquan ship) 1400년경

침몰선에서 인양된 10만여점의 도자기 중 약 60%가 태국 도자기로 구성되어 있다. 이중 씨싸차날라이 도자기가 약 40%이고 쑤코타이 도자기는 약 20% 정도이다. 쑤코타이 도자기의 출토 양상은 투리앙 침몰선에서 나온 것과 거의 유사하다. 문양으로 물고기와 꽃이 장식되어 있다.

씨싸차날라이 도자기는 대부분 반으로 간략한 연꽃 문양이 시문되어 있다. 굽의 뒤에는 받쳐 구운 원형의 요도구의 흔적이 보이고 있다.〈그림 22〉 유약은 밝은 담청색으로 베트남 혼담(Hon Dam) 침몰선에서 나온 타이 청자반과 유사하다.〈그림 23〉 (Nguyen Dinh Chien et al, 2008, pp.408~409)

〈그림 22〉 롱쿠안 침몰선 청자반

〈그림 23〉 베트남 혼담 침몰선 타이 청자반

롱쿠안의 침몰선에서는 쑤판부리(Suphanburi)의 반뽕(Ban Pong)에서 제작된 유약을 바르지 않은 대형의 호가 발굴되었다. 반뽕의 대형호의 공급처인 쑤판부리는 아유타야가 성립된 14세기 중엽에 연합정권의 하나로서 등장하여 14세기 말까지 독자적으로 명나라에 사신을 파견하는 등 정치적으로 중요한 역할을 수행하였다.(向井瓦

〈그림 24〉
롱쿠안 침몰선 반뽕(Ban Pong) 요지 호와
세부문양

2009-1, p.48)〈그림 24〉

반뽕 대형호는 동남아시아, 자바 및 일본 오키나와 등에 널리 분포한다. 롱쿠안에서 발견된 반뽕의 호는 높이가 80cm로 유약이 칠해져 있지 않다. 호의 상부에는 14세기 후반 동아시아 및 동남아시아의 조형문화에서 널리 사용된 여의두문이 변형된 형태로 장식되어 있다. 이 여의두문은 도장으로 찍어 만든 것으로 생각되고 현재 반뽕요지에서 출토된 파편에서도 확인할 수 있다.〈그림 25〉

〈그림 25〉 반뽕(Ban Pong) 요지 호의 일부

4) 로얄 난하이 침몰선(Royal Nanhaiship, 1460)

로얄 난하이배에서 4천여점의 도자기가 인양되었다. 대부분의 도자기는 씨싸차날라이 요지에서 제작된 반이다. 이 반은 구연부가 꽃잎의 형태로 반의 내부에는 구획되어 연꽃 문양이 변형되거나 약화되어 시문되어 있다.〈그림 26〉

〈그림 26〉 로얄난하이 침몰선 청자반

이것과 거의 동일한 문양 구조를 가진 청자가 이란을 비롯하여 서아시아 지역에서 출토되어 15세기 중엽에는 태국 도자기의 수출이 절정에 이른 것으로 생각되고 도자기의 질 역시 태토나 유약 그리고 굽는 방법에서 최고의 수준을 유지하고 있는 것을 확인할 수 있다.〈그림 27〉

〈그림 27〉 이란 출토 타이 청자반

이 시기에 태국 도자기를 비롯하여 베트남, 미얀마 등의 동남아시아의 무역도자기는 이집트, 이란, 이라크, 아랍에미레이트 등 서아시아의 주요 유적에서 광범위하게 발굴되고, 이러한 배경에는 명의 해금정책이 견고하게 유지되었던 사실이 있다.

그러나 쑤코타이 요지에서 주로 제작된 산화철의 안료를 그린 반은 발견되지 않아 15세기 중엽 경에는 쑤코타이에서 철회백자의 생산은 활발하지 않았던 것으로 생각된다.

5) 선덕유적(1540년경)[8)]

선덕유적은 말레이시아 근해에서 발견되었다. 이 침몰선에서는 약 30여점의 태국 도자기가 인양되었다. 대부분의 도자기는 씨싸차날라이와 쑤코타이 요지에서 제작되었다. 발굴된 도자기 중에 청자는 전무하여 16세기 중반에 씨싸차날라이와 쑤코타이 요지에서는 청자의 제작이 거의 이루어지지 않은 것으로 생각된다.

이 유적에서 나온 도자기는 회색의 태토에 백화장를 한 후 산화철 안료로 문양을 그려 투명한 유약을 바른 것으로 합이나 사발이 대부분이다. 씨싸차날라이 요지에서 제작된 것으로 손잡이가 달린 뚜껑을 가진 합은 둥근 원형의 동체로 동체의 지름은 12~18cm이며 동체의 상부와 하부를 추상적인 문양으로 빽빽하게 장식하고 있다.〈그림 28〉

8) 선덕(宣德)사이트(유적)는 선덕명의 중국 청화백자가 출토되어 붙여진 유적의 명칭으로 선덕명의 도자기는 실제로는 선덕년간(1426~35)보다 100년 뒤인 중국 가정년간(1552~1557) 전후에 제작된 것으로 생각된다. 이 유적에서는 1520년 제작된 것으로 추정되는 포르투갈의 대포가 출토되었다.

〈그림 28〉 선덕사이트 쑤코타이완

그리고 쑤코타이 사발은 입의 지름이 20cm의 사발로 내부의 중앙에는 음양(陰陽)을 의미하는 문양이 새겨져 있고, 그 바깥 주변에는 7개의 연꽃잎이 시문되어 있다. 사발의 외면 역시 연꽃잎이 새겨져 있다.〈그림 29〉

〈그림 29〉 선덕사이트 쑤코타이사발

나아가 1540년대에 제작된 것으로 추정되는 이 유적에서 출토된 쑤코타이에서 제작된 철회백자에서 음양을 의미하는 문양이 사용된 것은 중국의 가정년간 전후 음양사상을 반영한 문양이 집중적으로 등장한 것과 밀접한 관계가 있는 것으로 여겨진다.

중국에서 음양 내지 음양팔괘의 문양은 명 가정년간의 도자기에서 처음 보이기 시작하여 명말의 혼란기에 집중적으로 사용되는 경향이 뚜렷하다. 음양의 문양은 강서성과 복건성의 청화백자에서 주로 보이지만 하북성의 명대 가정년간의 자주요에서 보여,(大阪市立美術館, 2002, p.52 Plate 92-1) 1540년 전후 선덕 침몰선에서 발굴된 쑤코타이 철회백자에서 음양문이 보이는 것은 극히 자연스러운 현상으로 해석할 수 있다.

6) 싱타이 침몰선(Singtai Ship, 1550년경)

싱타이 침몰선에서 나온 태국 도자기는 청자는 보이지 않고 씨싸차날라이 및 쑤코타이에서 제작된 조질의 철회백자가 대부분으로 16세기 중엽 이후에는 태국 도자기는 소강상태에 이르게 된다.

〈그림 30〉 싱타이 침몰선 쑤코타이합

〈그림 31〉 싱타이 침몰선 쑤코타이사발

씨싸차날라이에서 제작된 스투파 형태의 합은 상부에는 보주형 손잡이가 달려있다.〈그림 30〉 합의 상, 하부분에는 철회로 추상적인 문양이 시문되어 있다. 그리고 쑤코타이 요지에서 제작된 발은 내부와 외부에는 태양을 상징하는 문양이 간격을 두고 시문되어 있다.〈그림 31〉

7) 꺼 끄라닷 침몰선(Ko Kradat Wrecksite, 1522~66)

태국 북방의 섬에서 침몰된 선박에서는 발견된 태국 도자기는 씨싸차날라이와 쑤코타이 요지에서 제작된 것이 대부분으로 철회백자, 갈유자 등이 있다. 기형으로 고리 병이나 합 등 16세기 중엽에 유행한 것이 다수 포함되어 있다. 〈그림 32〉(J. Green et al. 1981)

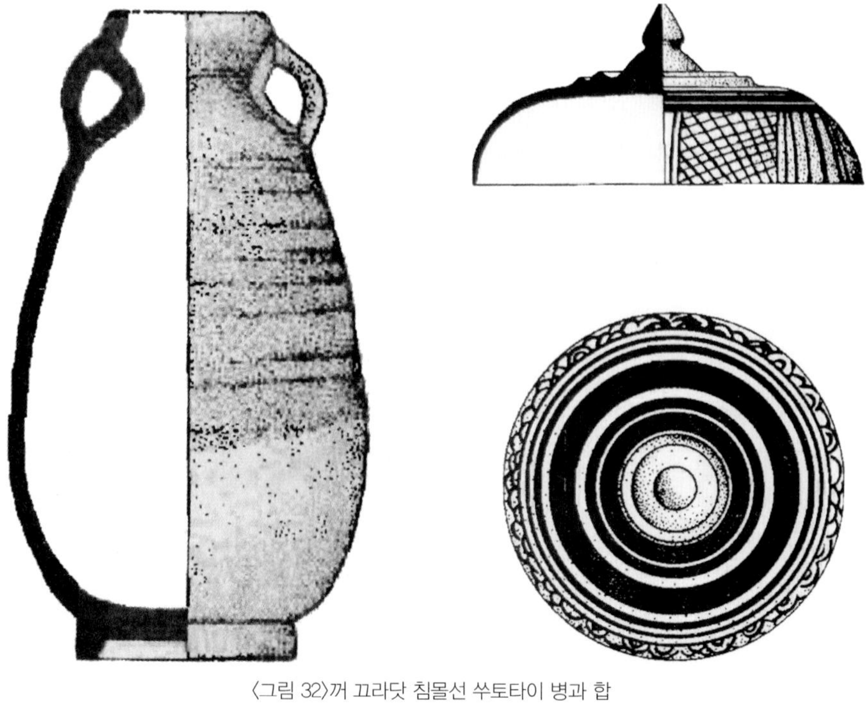

〈그림 32〉꺼 끄라닷 침몰선 쑤토타이 병과 합

태국 도자기의 역사는 10000년에 이르는 토기의 존재를 통하여 동남아시아의 여러 국가 중에서도 상당히 중요한 의미를 가지고 있고 14세기 이후 출현하는 몬 도기의 출현으로 태국 도자기의 역사는 새로운 양질의 도자기 탄생이라는 국면에 이른다.

나아가 태국 도자기는 몬 도기의 제작기술을 토대로 청자와 철회백자를 대량생산하여 아시아 전역에 수출하기에 이른다. 대표적인 무역도자기는 씨싸차날라이와 쑤코타이 요지에서 생산되었다.

중국 명나라가 1371년 실시한 해금정책은 경덕진를 비롯하여 중국 남방에서 제작된 중국의 무역도자기가 중국 국외로 반입되지 못하는 상황을 만들게 된다. 중국 도자기가 무역도자기로서 존재가치를 상실했을 때 중국 도자기를 대신하여 무역도자기로서 아시아 전역에서 등장하게 되는 것이 동남아시아 도자기라고 할 수 있고 그 중에서 14세기 후반 이후에 제작된 타이 중부 씨싸차날라이와 쑤코타이에서 제작된 청유도와 철회백유도가 중심적인 역할을 하게 된다.

무역도자기로서 태국 도자기는 14세기 후반부터 등장하고 16세기 후반까지 약 200여년 지속되지만 16세기 후반 이후 명의 해금정책이 제대로 힘을 발휘하지 못하고 흐지부지되고 중국 민간에서 제작된 청화백자가 사무역을 통해 동남아시아 및 서아시아 지역에서 유통되면서부터 무역도자기로서 태국 도자기의 역할은 종지부를 찍게 된다.

무역도자기로서 태국 도자기의 위상과 역할은 동남아시아 인근에서 침몰된 선박에서 인양된 태국 도자기의 존재를 통해서 알 수 있다. 14세기 후반 이후 대표적인 침몰선으로 투리앙(Turiang, 1370년) 침몰선, 난양 침몰선(Nanyang Ship, 1380년경), 롱쿠안 침몰선(Longquan ship) 1400년경, 로얄난하이 침몰선, 선덕유적(1540년경), 싱타이 침몰선(Singtai Ship, 1550년경), 꺼 끄라닷 침몰선(Ko Kradat Wrecksite, 1522~66) 등이 있다.

1370년경에 침몰한 투리앙 선박에서 인양된 태국 도자기의 존재는 무역도자기로서 태국 도자기가 명의 해금정책이 본격적으로 실시된 1371년 이전부터 시장에서 유통되었다는 것을 보여주어 무역도자기로서 태국 도자기가 14세기 후반 이전에 이미 동남아시아 시장에서 널리 유통된 것으로 생각된다.

그리고 16세기 후반 이후 침몰선에서 태국 무역도자기가 발견되지 않아 태국의 무역도자기는 14세기 후반에서 16세기 후반까지 200여년 간 아시아 무역시장에서 유통된 것으로 판단된다. 16세기 이후 태국 무역도자기는 씨싸차날라이 청자와 쑤코타이 철회백자가 중심을 이루고 쑤판부리(Suphanburi)의 반뽕(Ban Pong)을 비롯한 저장용의 다양한 호 등이 있다.

태국 무역도자기는 롱쿠안과 로얄난하이 침몰선을 통해 알 수 있듯이 15세기 전반과 중엽에 가장 좋은 질을 유지하고 선덕 유적과 싱타이 침몰선 등 16세기 중엽의 태국 무역도자기는 청자보다 철회백자가 많은 비율을 차지하고, 철회백자 역시 15세기 전반과 중엽의 침몰선에서 발굴된 것보다 질이 떨어지는 경향이 강하다. 이러한 배경에는 중국 명의 해금정책이 흐지부지되면서 사무역을 통하여 중국 도자기가 아시아의 무역시장에서 다시 등장하여 무역도자기로서의 지위를 재탈환했다는 사실이 있다.

Ⅵ 캄보디아 시유도기(施釉陶器)

캄보디아(크메르) 시기의 시유도기는 동남아시아에서 가장 이른 시기에 제작된 것으로 캄보디아 지역에서 제작된 도자기의 성격 및 의미 나아가 중국 및 인도와의 문화교류 등을 규명하는 데 매우 중요한 의미를 지니고 있다.

캄보디아 도자기는 20세기 초반의 프랑스 연구자인 아이모니에 에띠엔느(Aymonier, Etienne)와 그로리지에 베흐나흐(Grolisier, Bernard P.)에 의하여 소개되면서 세상에 알려지게 되었고, 1970년 이후 캄보디아의 도자기 연구는 내란으로 인하여 요지 조사가 일시 중단되는 사태를 겪었지만 1995년의 타니(Tani) 요지의 발굴을 시작으로 캄보디아의 도자기 연구는 재개되어 여러 성과를 내고 있다.

1. 캄보디아 도자기 연구사

도자기의 역사는 인류의 발전과 더불어 진화하여 왔다. 인류가 흙으로 만든 토기문화를 가진 이후 청동기 및 철기문화를 거쳐 다시 양질의 도기 및 자기 문화를 갖게 된 배경에는 금속 문화가 지니고 있는 고비용과 생산에 많은 시간이 걸리는 한계 등이 있다.

이와 같은 금속문화의 한계를 극복하기 위하여 인류는 금속기의 기술 즉 높은 온도를 응용하여 금속에 비하여 간단한 공정과 저비용이 드는 도자기 문화를 만들어 내고 초창기의 도자기는 금속기의 형태를 모방하여 금속기의 역할을 대신하게 된다.

그리고 시간이 흐르면서 도자기의 발전과정은 금속기와 다른 궤도에서 눈부신 발전을 이루어 인류의 조형문화를 대표하기에 이른다. 이러한 대표적인 예가 중국 한대 이후에 제작된 당대(唐代), 송대(宋代), 원대(元代), 명대(明代), 청대(淸代) 도자기로 새로운 흐름과 조형에 맞추어 등장한 신기술을 응용하여 시대에 앞서는 높은 수준의 도자기를 만들어 내는 데 성공한다.

동남아시아 지역에서 제작된 도자기 역시 시대의 진보에 맞추어 양질의 도자기를 제작하는데 성공하고 캄보디아 도자기는 기술 및 조형적으로 독특하여 매우 높은 평가를 받아왔다.

특히 캄보디아(크메르) 시기의 시유도기는 동남아시아에서 가장 이른 시기에 제작된 것으로 캄보디아 지역에서 제작된 도자기의 성격 및 의미 나아가 중국 및 인도와의 문화교류 등을 규명하는 데 매우 중요한 의미를 지니고 있다.

캄보디아 도자기는 20세기 초반의 프랑스 연구자인 아이모니에 에띠엔느(Aymonier, Etienne)와 그로리지에 베흐나흐(Grolisier, Bernard P.)에 의하여 소개되면서 세상에 알려지게 되었고,[1] 1970년 이후 캄보디아의 도자기 연구는 내란으로 인하여 요지 조사가 일시 중단되는 사태를 겪었지만 1995년의 타니(Tani) 요지의 발굴을 시작으로 캄보디아의 도자기 연구는 재개되어 여러 성과를 내고 있다.

캄보디아 도자기는 토기와 도기로 구분된다. 토기에는 2세기 경 토착적인 조형요소에 인도의 종교와 문화의 영향을 받아 인도적인 조형이 가미된 것으로 여겨지고 있다.〈그림 1〉, 〈그림 2〉 도기는 중국의 문화가 본격적으로 확대되는 9세기 이후 중국 도자기의 영향을 받아 회유와 흑유 2종류가 제작되고 10세기부터 13세기까지 지속된다.

캄보디아 도자기에 대한 연구는 19세기 후반 프랑스 고고학자들에 의해 시작된다. 대표적인 학자로는 19세기 후반의 아이모니에(Aymonier, Etienne)와 20세기 전반의 그로리지에 베흐나흐(Grolisier, Bernard P.)가 있다. 아이모니에는 1883년 프롬크랜 안롱 톰(Anlong Thom)을 방문하여 완, 합, 건축용 도자기 등을 발견했다.[2]

그로리지에는 크메르 도자기의 연구를 비약적으로 발전시킨 인물로 1963년 스라 스란(Srah Srang) 선착장의 주변의 유적에서 완형의 크메르 도자기를 발견하고 이 지역을 1964년 발굴하여 다량의 묘지 부장품을 발견하고 완형토기를 포함하여 다량의 토기 자료를 확보한다.[3]

---

1) Aymonier, Etienne., "Les Provinces Siamoises", Le Cambodge, vol.2, Paris: Ernest Leroux, 1901
Groslier, Bernard P., Introduction to the Ceramic Wares of Angkor, in Diana Stock Khmer Ceramics: 9th~14th Century, pp.9~39, Singapore: Oriental Ceramics Society, 1981

2) Aymonier, Etienne., Le Cambodge, Vol.2 Paris, 1901

3) Grolisier, Bernard P., Introduction to the Ceramic Wares of Angkor, in Diana Stock Khmer Ceramics: 9th~14th Century, pp.9~39, Singapore: Oriental Ceramics Society, 1981

〈그림 1〉 캄보디아 토기

〈그림 2〉 캄보디아 토기

그의 연구는 현지 조사와 발굴을 통해 이루어지고 연구 영역이 토기와 도기를 비롯하여 넓은 영역에 이르고 특히 유물의 수리와 복원에 주로 담당했던 10~12세기의 도자기에 대해 많은 성과를 내고 있다.

브라운(Brown,R.M.,)과 루니(D.F. Roony)의 캄보디아 도자기에 대한 연구 성과 역시 훌륭하다. 브라운은 1977년 동남아시아 도자기를 총괄적으로 취급한 저서에서 태국 동북부 부리람(Buri Ram) 지방에서 출토된 도자기를 소개하면서 스라 스란과 프라사트 반푸르앙(Prasat Ban Phluang) 안에서 출토된 도자기를 1050~1150년의 연대의 것으로 소개하고 있다.[4)]

그리고 그녀는 캄보디아 도자기의 연구에 과학적인 방법을 적용한다. 유적에서 출토된 도자기에 대해 화학적인 분석을 하여 태토와 유약에 포함된 철분이 5~7퍼센트일 경우 안료인 산화철의 발색은 갈색, 8~10퍼센트일 경우 흑갈색, 12퍼센트일 경우 갈색이 된다고 발표한다.[5)]

나아가 그녀는 캄보디아 왕조의 성장과 쇠퇴 과정을 축으로 캄보디아 도자기의 흐름을 설명하였고 10세기에 캄보디아에서 흑갈유도기가 등장한 배경과 크메르 왕조의 쇠퇴로 캄보디아 도자기의 제작에 참여했던 도공이 쑤코타이로 이동하여 타이의 싸완카록의 철회도자기를 생산하는데 기여했다는 논리를 제시하고 있다.

루니(D.F. Roony)는 태국을 중심으로 활약하였고, 1981년에는 캄보디아 도자기의 기형과 사용법에 대한 저술을 출판하고, 1984년에는 캄보디아 도자기의 유약과 제작기법 사용법과 문양기법 등을 본격적으로 연구한 책을 출판하여

---

4) Brown,R.M., The Ceramics of Southeast Asia Their Dating and Identification, Oxford University Press, 1988, p.48

5) Roxanna M Brown, Vance Childress, Michael Gluckman., Khmer kiln Site Surin Province Journal of Siam Society, Vol. 62, No. 2, 1974, pp.239~252

부리람(Buri Ram) 요지를 제 1기인 저화도도기, 제 2기인 회유도기, 제 3기인 흑갈유의 전성기로 구분하여 조사결과를 발표하였다.[6)]

그는 부리람(Buri Ram) 요지는 회유가 등장한 이후 회유와 흑갈유가 동시에 제작되고 동일한 기형이 사용된다고 밝히고 있다. 그리고 1989년 논문에서 캄보디아 도자기의 기형에서 인도와 중국 도자기의 영향을 언급하고 특히 시유도자기에서 중국 광동지방의 영향을 강조하고 있다.[7)]

일본에서의 캄보디아 도자기에 대한 연구는 1970년대 이후 야베 요시아키(矢部良明), 하세베 가꾸지(長谷部樂爾) 등의 연구가 있고, 1995년 캄보디아 타니 요지에 대한 발굴이 죠치대학과 나라문화재 연구소가 중심이 되어 이루어지면서 일본에서 캄보디아 도자기에 대한 연구는 진일보하게 된다.[8)]

일본에서 타니 요지를 중심으로 캄보디아 도자기에 대한 연구는 1995년 이후 쯔다 타게노리(津田武德), 타바타 유키쯔구(田畑幸嗣) 등에 의해 본격화된다. 쯔다는 중국 광동성 요지와 타니 요지를 비교하여 타니 요지의 요도구가 광동성에서 보이지 않아 중국인 도공이 직접적으로 관여하지 않았을 가능성을 제시하고 있다.[9)]

타바타는 타니 요지의 개요 등 타니 요지에 대한 정리작업과 더불어 타니 요

6) D. F. Roony., "Use of Khmer Ceramics", Khmer Ceramics 9th~14th Century, Singapore, 1981
D. F. Roony., Khmer Ceramics, Singapore, 1984

7) D. F. Roony, A New Look at the Khmer Ceramics, Based on Recent Finds in Thailand, Siam Society New Letter, 1986, vol. 2, No.4

8) 矢部良明, 「タイベトナムの陶磁」, 『陶磁大系』 47, 平凡社, 1978
長谷部楽爾, 「クメール陶器」, 『世界陶磁全集南海編』, 1984, pp.151~164
獨立行政法人文化財研究所 奈良文化財研究所, 『タニ窯跡群6号窯發掘調査報告 -アンコル文化遺産保護共同 研究報告書-』, 2005
靑柳洋治, 佐々木達夫, 『タニ窯跡の研究』, 聯合出版, 2007

9) 津田武德, 「クメールの初期灰釉陶と古窯址」, 『東洋陶磁』, 1999, pp.123~130

지에 대한 견해를 밝히고 제작시기에 대해서는 C 14의 결과를 토대로 10세기 전후의 요지로 간주하고 있다.[10)]

2. 캄보디아 요지

1995년 타니 요지가 발견되기 이전 캄보디아 요지에 대한 정보는 아주 극소했고 캄보디아에서 발견된 요지는 씨엠립(Siem Reap)주의 타니 요지를 중심으로 몇 개의 요지가 발견되는 데 그치고 있고,[11)] 캄보디아 씨엠립(Siem Reap) 주의 요지에 대해서는 일본 나라문화재 연구소의 조사로 요지의 위치, 요지의 구조 등이 일부 알려진 바 있다.[12)]

캄보디아의 요지는 기본적으로 인위적으로 흙을 쌓아 토대를 만든 다음 그 위에 요를 만드는 지상요가 대부분이다. 요지는 비교적 길고 소성실은 직사각형에 가깝고 아궁이와 소성실 사이에 약 1m 정도의 간격이 마련되어 있다.

캄보디아 타니 요지는 1995년 발견되어 1997년 나라국립박물관과 죠치(上智)대학이 참여하여 3건의 요지 발굴을 수행한다. 발굴된 3개의 요지는

---

10) 田畑幸嗣, 「クメール陶磁の研究」, 『雄山閣』, 2008, p.151

11) Don Hein은 그의 논문에서 동남아시아의 요지의 형태를 해변과 내륙으로 구분하고 있다. 그는 캄보디아 요지에 대해서는 해변의 요지로 구분하고, 중국의 지상요의 형태를 계승하고 있다고 밝히고 있다.(Don Hein, "Ceramic Kiln Lineages in Mainland Southeast Asia", Ceramics in Mainland Southeast Asia: Collections in the Freer Gallery of Art and Arthur M, Sackler Gallery.

12) 獨立行政法人文化財研究所 奈良文化財研究所, 『タニ窯跡群６号窯發掘調査報告 –アンコル文化遺産保護共同研 究報告書–』, 2005
青柳洋治, 佐々木達夫, 『タニ窯跡の研究』, 聯合出版, 2007

전체의 길이 8m, 폭 2.3~3m이다. 요지는 아궁이와 소성실로 구성되어 있다. 아궁이의 전면에는 연료를 집어넣었던 3개의 구멍이 있다. 요지의 경사도는 A6 요지가 22도, B1 요지 22도로 타이 동북 요지의 경사도 6도에 비하여 가파른 것이 특징이다.[13] 요지의 상부 부분과 굴뚝 부분은 거의 소실되어 구조를 알 수 없지만 요지의 상부를 받쳤던 흙으로 만든 원반 형태의 기둥받침이 요의 중앙에 남아있다.〈실측도 1〉

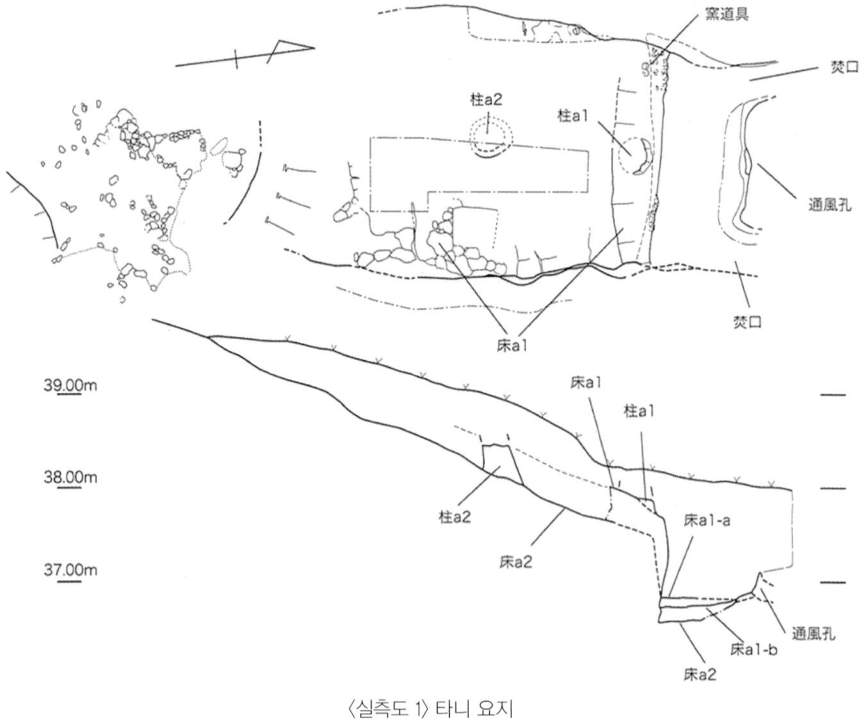

〈실측도 1〉 타니 요지

도자기는 소성실에 비스듬히 옆으로 넣어졌다. 이와 같이 방법은 반듯하게

13) 津田武德, 「クメールの初期灰釉陶と古窯址」, 『東洋陶磁』 28, 1998~1999, p.120

세워 도자기를 굽은 것보다 많은 양을 구울 수 있는 장점이 있지만 불안정하여 소성시 도자기가 굽어질 수 있는 위험이 있다.[14]

타니 요지의 요도구는 말의 발톱과 같은 것이 다수 보이지만 이러한 요도구가 중국 광동성 및 베트남 등지에서 보이지 않아, 타니 요지 등 캄보디아의 요지 및 제도(製陶)활동이 중국 및 인근 국가로의 직접적인 영향은 없었던 것으로 생각된다.

타니 요지에서 출토된 시유도기는 호, 합, 완, 병, 등이 확인되고 있다. 호는 동체의 지름보다 구연부가 큰 호와 작은 호로 구분된다. 동체의 지름보다 구연부가 큰 호는 대부분이 소형이고, 그 반대는 대형호이다.

소형호는 대부분이 10cm로 구연이 외반 된 것과 내만 된 것이 있다. 대형호는 높이가 약 70cm로 유약이 칠해져 있지 않았다. 입 주변과 동체 일부에 음각의 침선이 시문되어 있고 귀가 있는 것과 없는 것으로 구분할 수 있다.

합은 회유가 발라져 있고 대부분 유가 박리상태에 놓여있다. 합은 동체가 둥근 것과 통형의 것으로 구분된다. 전자는 굽이 있는 것과 없는 것이 있고 후자의 것은 대부분 평저를 보이고 있다. 그리고 일부의 합의 뚜껑에는 보주형의 손잡이가 붙어있고 음각의 연판문이 시문되어 있다.〈그림 3〉

완은 구연부가 넓게 벌어진 것과 굽이 명확하지 않은 통형완이 있다. 완의 구연부는 외반형과 내만되고 두툼한 것으로 나눌 수 있다. 구연부가 두툼한 것은 당대의 형요나 송대의 정요백자의 완의 구연부와 유사하다.〈그림 4〉 병은 높이가 10cm 소형과 30cm를 넘는 대형의 것이 있다. 소형의 병은 동체부분은 원형으로 연판문이 음각으로 시문되어 있고 구연부는 넓게 벌어져 있다.〈그림 5〉

---

14) 津田武德, 「クメールの初期灰釉陶と古窯址」, 『東洋陶磁』 28, 1998~1999, p.123

〈그림 3〉 타니 요지 회유합

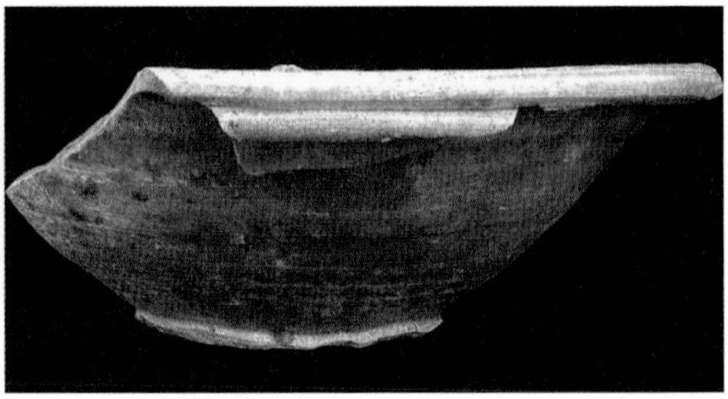

〈그림 4〉 타니 요지 회유완

이러한 도기에 시문된 문양은 단선이나 복수의 파여진 선이 합이나 병의 구연부에 주로 시문되어 있다. 합의 뚜껑에는 6개의 연판문이 규칙적으로 시문되어 있다.〈그림 6〉 중국에서 연판문이 불교가 융성했던 5세기 후반부터 본격적으로 사용되어 약간 간격을 두고 10세기 중엽 이후 본격적으로 사용되었다는 것을 감안하면 타니 요지에서 보이는 연판문은 10세기 중엽의 중국 청자에서 사용된 연판문과 유사하여 타니 요지는 늦어도 10세기 중엽에는 생산이 이루어진 것으로 생각된다.

〈그림 5〉 타니 요지 회유병

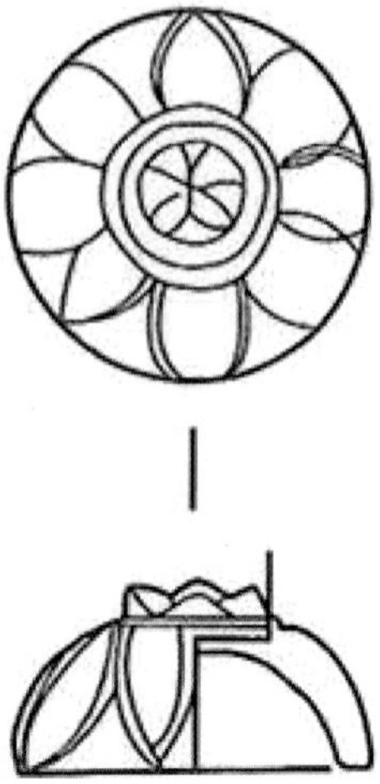

〈그림 6〉 타니 요지 합의 연화문

3. 캄보디아 시유도기

1) 출현시기

캄보디아 시유도기는 형태가 다양하고 조형적으로 우수하여 유럽 및 일본의 연구자로부터 높은 평가를 받았다. 이러한 시유도기는 회유와 흑유로 구분할 수 있고 회유가 흑유보다 이른 시기에 등장하고 흑유가 본격적으로 등장하는 시기에는 회유는 더 이상 제작되지 않는 경향을 보인다.

캄보디아 시유도기가 출현한 시기 및 그 전개과정은 아직 명확하지 않지만, 그로리지에는 캄보디아 시유도기의 출현을 9세기 말로 추정하고 있다. 이러한 근거로는 9세기 말에 건립된 로루오스(Roluos) 유적에서 출토된 시유도자기를 제시하고 있지만, 시유도기가 건축물의 창건과 관계가 있는 층에서 출토되었는가에 대해서는 아직 확인할 방법이 없고 그로리지에 역시 캄보디아의 시유도기와 로루오스 유적의 층위에 대한 구체적인 언급은 없다.

그러나 그로리지에가 도시의 건축과 그에 따른 건축자재의 수요라는 이론적인 토대에서 이끌어낸 9세기 말 캄보디아 시유도기설은 최근 앙코르 동쪽에서 시대가 이른 도시가 발견되고 이러한 도시에 대한 발굴이 진행되면 크메르 시유도기의 출현시기는 9세기 말보다 이른 시기에 이루어 졌을 가능성이 있다.[15]

쯔다 타게노리(津田武德)는 캄보디아 시유도기가 형태면에서 광주 서촌요(西村窯)와 유사하다는 그로리지에의 견해를 인정하면서, 중국 측의 보고를 인용하여 광주 서촌요의 도자기가 오대의 것과 유사한 것이 거의 없고 대부분이 북송의 것이라는 사실을 근거로 광주 서촌요와 유사한 캄보디아 타니 요지의 시

---

15) 田畑幸嗣, 「カンボジア, アンコル地域における灰釉陶器の生産」, 『上智アジア学』 23, 2005, p.10

유도기의 상한은 북송시대(960~1127)로 간주하고 있다.[16)]

시유도기의 하한에 대해서는 그로리지에의 견해에 관한 정보는 없다. 그로리지에는 11세기에는 회유도기가 감소하고 11세기 후반에는 회유도기가 쇠퇴한다고 보고 시유도기의 하한을 11세기 후반으로 생각한다.

2) 회유도기

캄보디아 회유도기는 프놈클렌(Phnom Kulen) 요지, 타니(Tani) 요지의 것이 알려져 있다. 이중 프놈클렌 요지에서 제작된 회유도기는 앙코르 동북 약 40km 지점에 산재한다. 이 요지는 1883년 아이모니에(Aymonier, Etienne)씨에 의해 발견되었다. 요지에서는 태토가 회색이고 투명한 회유가 발라진 완, 발 등 생활용기가 발굴되었다.

〈그림 7〉 캄보디아 회유도기호

〈그림 8〉 캄보디아 회유도기 병

16) 津田武德, 「クメールの初期灰釉陶と古窯址」, 『東洋陶磁』 28, 1998~1999, p.124

회유도기의 기형은 호, 병, 발, 합, 상형 등 다양하다. 이러한 기형 중 대표적인 것이 호이다. 이 호는 전체적으로 스투파의 형태로 저부, 동체부, 구부로 나누어져 있어 지하, 지상, 천상을 의미하여 캄보디아 도자기에는 우주의 원리 및 삼계(三界)의 사상이 내포되어 있었다는 것을 알 수 있다.〈그림 7〉

〈그림 9〉 캄보디아 이중시유(회유,흑유)발

〈그림 10〉 캄보디아 이중시유병

병은 원형의 동체에 구연부가 달려있는 형태로 구연부의 형태가 넓게 벌어져 있고 위로 올라갈수록 좁아지는 형태를 보이고 있다.〈그림 8〉 발은 구연부가 내만되어 있고 저부에는 가로로 돌선이 있고 돌선의 아래 부분에는 흑유를 발라 회유가 발라진 위부분과 경계를 보이고 있다. 돌선을 경계로 흑유가 칠해진 아랫부분은 바다 내지 지하을 의미하고 회유가 칠해진 윗부분은 지상을 의미하는 것으로 해석할 수 있어 캄보디아 도자기는 지하, 지상, 천상 등의 삼계를 표시하는 도자기가 많이 제작된 것을 알 수 있어 당시 캄보디아인들은 철저한 우주관 및 조형의식을 가지고 있었다는 것을 알 수 있다.〈그림 9〉 그리고 캄보디아 시유도기는 중국 남방에서 유행했던 이중 시유의 기법을 응용한 도자기를 제작했던 것을 알 수 있어 당시 도자기의 제작방법이 높은 수준이었던 것을 알 수 있다.〈그림 10〉

병은 동체가 표형인 병과 구연이 나팔형인 병으로 나눌 수 있다. 표형의 병은 2단으로 구성되어 있고 상부는 회유, 아랫부분은 흑유가 발라져 있다. 표형의 형태가 주로 경덕진에서 제작된 표형병과 유사하여 경덕진의 청백자를 모델로 제작된 것으로 여겨진다. 나팔형의 병은 중국 광주 서촌(西村, Xicun) 요지에서 제작된 청자나 경덕진 청백자병을 모델로 제작된 것으로 생각된다.[17] 〈그림 11〉, 〈그림 12〉

〈그림 11〉 중국 서촌(西村)요

〈그림 12〉 브리람(Buri Ram) 요지

합은 상, 하로 구성되었다. 태토는 회백색으로 유약은 얇아 일부 박락현상이 보인다. 이것은 잿물을 그릇의 표면에 얇게 바른 초기의 회유도기에서 자주 보

17) Daw F. Rooney., Khmer Ceramics, River Books, 2010, p.203

이는 현상이라고 할 수 있다. 문양은 거의 시문되지 않았다. 거의 동일한 형태의 것이 월주요 청자의 합에서 볼 수 있어 월주요 청자를 모델로 제작된 것으로 생각된다.[18]〈그림 13〉, 〈그림 14〉

〈그림 13〉 월주요 청자합

〈그림 14〉 프놈클렌(Phnom Kulen) 요지

이와 같이 캄보디아 회유도기는 10, 11세기의 월주요 청자와 용청요 청자, 그리고 12, 13세기에 제작된 광주 서촌요 및 경덕진요에서 제작된 청백자를 모델로 제작된 것을 알 수 있어 캄보디아 회유도기의 제작시기는 늦어도 10세기 중엽이나 후반에 개시되어 13세기까지 지속된 것으로 여겨진다.

3) 흑유도기

캄보디아 도자기의 연구자인 그로리지에는 캄보디아에서 흑유도기가 출현하는 시기는 10세기 말로 추정하고 그는 수리야바르만(Suryavarman) 1세

18) Daw F. Rooney., Khmer Ceramics, River Books, 2010, p.201

(1002~1050)의 11세기에 캄보디아 흑유도기가 독자적으로 발전한 것으로 해석하고 있고 이 시기에 독특한 형태의 동물 형태의 상형 흑유도기가 제작된다고 밝히고 있다.[19)]

그는 우다야딧야바르만(Udayadityavarman) 2세(1050~1066)에는 앙코르의 중앙에 세워진 사원와 거대한 저수지 등이 만들어졌고, 이 시기에는 시유의 기술과 소성법이 안정되어 안정된 색조의 시유도기를 얻게 되었다고 설명하고 있다.

이 시기에 가장 주목되는 것은 황색을 띤 회유와 흑유가 하나의 기형에 동시에 사용되는 이중시유시법의 사용이다. 이중시유의 기법은 먼저 흑유를 바르고 흑유를 바른 다음 투명한 회유를 기면의 전체에 바르는 것이다. 이러한 이중시유기법은 복건의 흑유자기 등에서 사용된 기법으로 복건의 흑유자기법을 응용한 것으로 판단된다.

이러한 흑유도기의 기형은 항아리, 완, 병, 주전자, 상형(물고기, 자라) 등이 있다. 크메르 부리람(Buri Ram) 요지에서 제작된 소형의 항아리는 형태와 장식 등이 광동의 동안(東莞, Qishi) 요지의 흑유와 유사하다. 주전자는 구연이 나팔의 형태인 것과 가죽의 형태에서 기원하는 요대의 백자에서 기원하는 것으로 나눌 수 있다.[20)]〈그림 15〉, 〈그림 16〉

나팔구연의 병은 기본적으로 경덕진요의 청백자를 모델로 만들었다. 윗부분에 손잡이를 가진 부리람(Buri Ram)에서 제작된 흑유 주전자는 요대의 백자의 주전자를 모델로 제작된 것으로 여겨져 크메르 흑유의 기형이 중국 남방 이외 북방 요나라의 기형도 참고했다고 여겨진다.

---

19) Groslier, Bernard P., Introduction to the Ceramic Wares of Angkor, in Diana Stock Khmer Ceramics: 9th~14th Century, pp.9~39, Singapore: Oriental Ceramics Society, 1981

20) Daw F. Rooney., Khmer Ceramics, River Books, 2010, p.206

완은 구연부가 약간 들어가는 특징을 갖고 있고 중국 복건성의 다완을 참고로 제작된 것으로 생각된다. 상형의 흑유는 토끼 등 다양한 동물의 형태를 모방한 것이 다수 있고 그 중 자라를 모방한 흑유는 그 형태와 구조가 복건성의 흑유와 매우 유사하여 크메르에서 제작된 상형 흑유도기는 복건성의 청자나 흑유자로부터 많은 영향을 받은 것으로 생각된다.[21] 〈그림 17〉, 〈그림 18〉

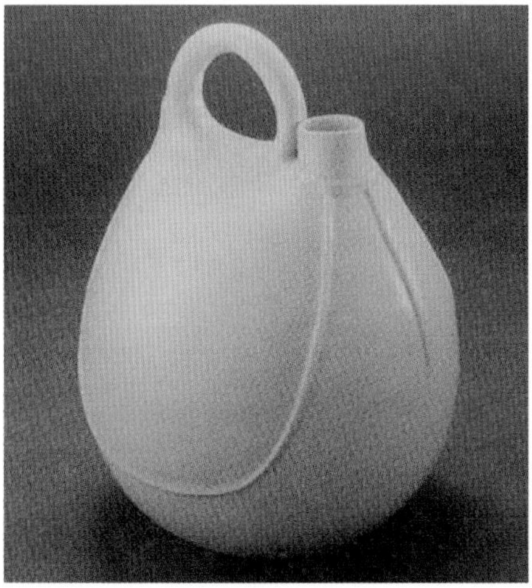

〈그림 15〉 요대 백자

〈그림 16〉 후지엔(福建) 청자

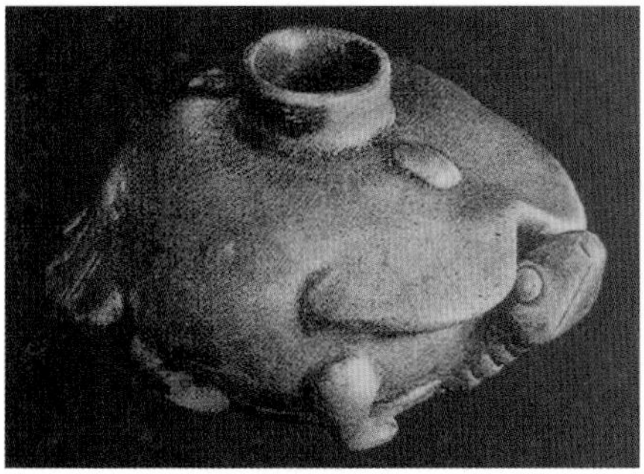

〈그림 17〉 후지엔(福建) 청자

〈그림 18〉 크메르 흑유도기

21) Daw F. Rooney., Khmer Ceramics, River Books, 2010, p.209

그 외 캄보디아 요지에서는 상당량의 기와가 제작되었다. 캄보디아 기와는 환와(丸瓦)와 평와(平瓦)가 기본적인 구성으로 환와 앞에 와당을 붙여 처마앞을 장식하는 헌선와(軒先瓦)와 용마루에 놓는 동식와(棟飾瓦)가 있다.

캄보디아 기와는 환와를 기본으로 한 제작기법체계를 갖는다. 환와를 와당부에 접합해서 헌선와를 만드는 것은 특이한 것은 아니지만 평와는 환와를 변형시켜 만드는 특징이 있다. 동식와 역시 기대부분은 환와를 기준으로 한다. 모든 기와는 기본적으로는 점토를 감아올려 만든 점토원통(粘土圓筒)에서 제작되고 이러한 제작방식이 진, 한대 및 한성기의 백제에서 주로 이루어지고 있어 캄보디아 기와의 제작기법은 중국적인 남방요소가 있다고 할 수 있다.[22)]

캄보디아 시유도기는 회유와 흑유로 구분되고 회유가 먼저 등장하고 회유가 쇠퇴하면서 흑유가 등장한다. 캄보디아 시유도기의 출현은 9~10세기로 알려지고 있다. 요지로는 타니 요지를 비롯하여 프놈클렌(Phnom Kulen) 요지 및 부리람(Buri Ram) 요지 등이 있다.

캄보디아 시유도기는 중국 영파에서 가까운 월주요, 용천요 및 광주에서 가까운 서촌(西村), 동완(東莞), 조주(潮州, Chaozhou) 요지의 도자기를 모델로 제작된다. 캄보디아 시유도기는 시기적으로 10, 11세기에는 영파에서 가까운 월주요 청자와 용천요 청자로부터, 12, 13세기에는 천주와 광주에서 가까운 복건성 및 광동성 주변의 요지로부터 많은 영향을 받은 것으로 생각된다.

캄보디아 시유도기중 프놈클렌(Phnom Kulen) 요지는 중국 서촌(西村, Xicun)

---

22) 花谷浩,「クメール瓦の製作技」,『法奈文研紀要』2004, p.7

과 조주(潮州, Chaozhou) 요지의 도자기를 모델로 제작되었고, 부리람(Buri Ram) 도자기는 중국 온주(溫州, Wenzhou), 서촌, 경덕진요, 용천요와 유사하다.

이러한 캄보디아 시유도기는 자야바르만(Jayavarman) 4세(928~944)부터 수리야바르만(Suryavarman) 2세(1113~1150)가 다스린 마이다라푸라(Mahidharapura) 왕조인 11세기 후반과 12세기 전반에 정점에 도달한다.

Ⅶ 베트남 도자기

01 개요

02 베트남 도자기의 역사

03 기년명 베트남 도자기

베트남의 토기는 1만년 전에 출현한 것으로 추정하고 있고 기원전, 후 2천년 전부터 청동기의 형태를 모방한 음각의 토기가 주로 생산되었다. 한대부터 당대까지 중국 복속기에 생산된 베트남 도자기는 한대, 위진남북조시대, 당대도자기로부터 많은 영향을 받게 된다.

한대의 금속기, 도자기, 칠기 등의 조형문화는 베트남의 도자기에 많은 영향을 주게 된다. 특히 베트남 북부지역에서 제작된 토기에는 한대의 금속기, 도자기, 칠기 등을 모델로 한 것이 많아 한대의 조형문화가 베트남 북부지역에 많은 영향을 미쳤던 것으로 간주된다.

1. 개요

베트남은 지역적으로 중국 남부와 연결되고 기원전 2세기부터 기원후 10세기까지 약 1000여년 간 중국의 지배를 받아 동남아시아 다른 지역보다 이른 시기에 양질의 토기와 자기를 생산하기에 이른다.

베트남의 토기는 1만년 전에 출현한 것으로 추정하고 있고 기원전, 후 2 천년 전부터 청동기의 형태를 모방한 음각의 토기가 주로 생산되었다.[1]

한대부터 당대까지의 중국의 복속기에 생산된 베트남 도자기는 한대, 위진남북조시대, 당대도자기로부터 많은 영향을 받게 된다.

한대의 금속기, 도자기, 칠기 등의 조형문화는 베트남의 도자기에 많은 영향을 주게 된다. 특히 베트남 북부지역에서 제작된 토기에는 한대의 금속기, 도자기, 칠기 등을 모델로 한 것이 많아 한대의 조형문화가 베트남 북부지역에 많은 영향을 미쳤던 것으로 간주된다.

당의 지배를 받았던 시기에는 중국 남부 절강과 그 주변에서 집중적으로 생산되었던 청자가 베트남의 조형문화에 많은 영향을 주게 되고 베트남의 청자 및 자기의 탄생에 결정적인 영향을 미쳤던 것으로 여겨진다. 그러나 현재까지 베트남에서 청자의 자기문화가 언제 출현했는가에 대해서는 명확하지 않다.

베트남 리(李), 쩐(陳) 왕조 시대에는 독립국가로서 청자와 갈채도기(백지갈채도기)가 제작되었다. 레(黎), 막(莫) 시기(15~16세기)는 도자기의 생산이 활발하게 이루어졌고 특히 청화백자가 대량생산되어 필리핀과 인도네시아 등의 동남아시아 지역을 거쳐 이란, 이집트 등의 서아시아 지역에 수출되기에 이른

1) Nguyen Dinh Chien, Pham Quoc Quan., 2000 years of Vietnamese Ceramics, National Museum of Vietnamese History, 2005.

다. 일부이지만 이 시기의 베트남 색회자기도 이집트 푸스타트(Egypt, Fustat) 지역에서 확인된다.

그러나 16세기 후반에 이르러 중국의 해금정책이 유명무실화되고 중국 도자기가 다시 무역도자기로 아시아 각 지역에 수출되면서 베트남의 청화백자는 국내의 수요에 만족하게 된다. 이후 청대 초기 해금정책이 실시된 17세기 전반과 후반에 걸쳐 약 60여년 간 베트남 청화백자가 중국 도자기를 대체한 무역도자기로써 명성을 되찾게 되지만 1683년경덕진에서 다시 본격적인 수출도자기기 제작되면서 무역도자기로서의 베트남 도자기의 역할과 위상은 약화된다.

2. 베트남 도자기의 역사

베트남의 토기는 1만년 전 신석기시대인 호아빈(Hoa Binh) 박썬(Bac Son)문화기에 출현한다. 이 시기의 토기는 낮은 온도에서 구워져 쉽게 부서져 원형을 알 수 없지만 외부에는 줄무늬가 새겨져 있다.

동썬문명을 창조한 반랑(Van Lang)국이 등장하면서 토기도 발달한다. 이 시기의 토기는 부엌에서 사용하는 생활용기와 저장용기로 크게 구분할 수 있고 솥과 항아리, 병 등 다양하다. 문양으로는 마름모, 원형, 빗살문이 대부분을 이루고 있다.

이 시기의 중부와 남부에서도 다양한 토기가 만들어진다. 사후인(Sa Huynh) 문화와 남부 동나이(Dong Nai) 문화가 만들어지면서 다양한 토기가 만들어진다. 중부 사후인 문화의 토기로는 빗살문, 인화문 등 다양한 문양을 가지고 있다. 일부는 큰 주검을 묻었던 항아리가 있다. 남부 동나이(Dong Nai) 문화의 토기 역시 빗살무늬, 점열문 등이 시문된 항아리, 병 등이 발견되었고 둥근 형태의 주검을 묻었던 항아리가 있다.

한대와 당대의 지배를 받았던 시기에 제작된 베트남 토기는 형태와 문양에서 중국적인 요소를 보이게 된다. 베트남 북부 뚜끼(Tuky) 지역에서 출토된 토기는 한대의 칠기에서 주로 보이는 이배 형태로 한대의 조형이 베트남의 토기에 많은 영향을 주게 된다.〈그림 1〉

그리고 3세기 후반 중국 남부 절강성에서 대량의 청자생산이 이루어지면서 일상에 필요한 모든 용기와 부장용기가 청자로 제작되고 이 시기 청자의 일부가 베트남 지역에 반입되면서 베트남의 토기에 많은 영향을 주게 된다.〈그림 2〉

〈그림 1〉 회유도기, 1세기

〈그림 2〉 토기(남자 용변기), 3세기

9세기 전반 이후 중국 남부에서 생산된 장사요 청자와 월주요 청자가 초기무역도자기로 아시아 전역에 수출되어 중국청자문화권을 형성하면서 이 시기의 중국 도자기는 베트남의 토기 및 청자에 많은 영향을 미치게 된다. 베트남 중부 꾸라오짬(Cu Lao cham) 섬 등에서 9세기 장사요 청자와 월주요 청자가 확인되어 중국 남부의 청자가 베트남 도자기에 많은 영향을 주게된다.

그러나 베트남은 중국의 지배를 받았던 시기 기원전 2세기~기원후 10세기에도 각 지역에서 베트남 고유의 토기가 제작되었다. 특히 중부지역인 꾸라오짬, 짜끼에우 등 참빠유적에서 나온 토기는 항아리, 병, 주전자 등 다양하고 기와 등 건축용 제품이 많이 제작되었다. 남부지역에서는 푸난왕국이 발전하면서 병, 주전자, 건축용 자재 등의 토기의 제작이 왕성하게 이루어졌다.

베트남이 독립국가를 이룬 응오(Ngo), 딘(Dinh), 전레(前黎), 리(Ly)왕조시대(10~13세기)에는 불교가 전성기를 보인 시기로 불탑을 비롯하여 불교적인 요소를 지닌 도자기가 제작되고 한편으로 중국, 크메르, 참족, 인도의 도자기 요소를 받아들이면서 베트남의 정체성을 가진 도자기를 제작한다.

이 시기에는 탕롱(하노이) 궁전과 사찰의 건설 등으로 건축용 도자기 및 생활 도자기의 수요가 급증하였다. 건축용 도자기는 벽돌이 대부분을 차지하고 있다. 호아르성을 건설하던 딘, 전레 왕조의 벽돌에는 강서군의 문자가 새겨진 것도 있고 리 왕조시대에는 이가제삼제창성가경칠년조(李家第三帝彰聖家慶七年造, 1064) 한자가 새겨져 있다.[2] 특히 리 왕조의 고향이었던 박닝성 유적에서는 기와 등이 많이 발견되고 치미는 오리나 나뭇잎의 형태도 보이고 있다.

이 시기의 생활용 도자기는 청자와 백자가 있다. 청자접시는 기형과 문양이 요주요 청자와 유사하여 중국의 북방청자인 요주요 청자가 베트남의 청자에 많은 영향을 미친 것을 알 수 있다. 청자의 문양으로 연꽃과 국화문 등이 보인다. 그릇의 안쪽에는 겹쳐 구운 흔적이 4~6여개 뚜렷하게 남아있다.

백자는 갈색유를 바른 것으로 참빠지역의 도자기가 대표적이고 음각으로 연꽃, 국화문양 등을 새겨넣었고 이 도자기는 1149년 번돈(Van Don)항이 개방되면서 필리핀이나 인도네시아, 타이 등으로 수출된 것으로 생각된다.

---

2) 팜 하우 꽁, 「역사적 시각에서 본 베트남 도자기」, 『베트남 홍강에서 메콩까지』, 2010, p.227

갈유도자기(11~15세기)는 문양부분을 제외한 바탕을 긁어내는 기법을 사용한 것으로 기본적으로 북방의 자주요 도자기의 기법을 채용하고 있다. 태토는 엷은 갈색으로 그 위에 산화철로 문양을 그린 후에 갈유을 발라 구웠다. 문양으로는 연꽃, 창과 방패를 들고 있는 인물, 반인반마(半人半馬), 반인반조(半人半鳥) 등이 보이고 있다

쩐왕조는 도자기의 제작에서 많은 진보가 이루어졌고 양질의 청자와 백자가 제작되었다. 청자는 하노이, 하이즈엉에서 다수 확인할 수 있고, 남딩에서는 천장부제(天長府製)의 문자가 새겨진 청자가 발굴되었다.

〈그림 3〉 피리핀 판다란 참빠도자기

쩐왕조의 말기에는 백자를 기본으로 청화백자가 제작되었다. 청화백자의 요지로는 남싸익(Nam Sach)을 중심으로 빈지앙(Binh Giang) 지역에 걸쳐 놓여져 있다. 대표적인 요지로는 남싸익 지역의 추다우(Chu Dau)가 유명하다. 이 시기의 청화백자의 일부는 필리핀이나 인도네시아 및 멀게는 서아시아 이집트까지 수출되었다.

중부지역에서는 참빠문화가 발전하였다. 참빠의 도자기는 고사잉, 고쯔엉, 고께 등의 요지에서 확인된다. 고사잉요지에서는 건축용과 생활용 도자기를 주로 제작하였다. 생활 도자기는 갈색의 유약을 주로 사용하고, 연꽃, 기하학적인 문양들이 새겨져 있다.

참빠 도자기의 일부는 무역도자기로 수출되어 그 일부는 필리핀 판다난 침몰선과 서아시아 알투르 침몰선에서 확인되어 청화백자가 본격적으로 수출되기 이전에 참빠의 도자기가 이른 시기에 동남아시아와 서아시아 지역에 수출된 것을 알 수 있다.〈그림 3〉

1) 레왕조(15~16세기)

레왕조의 시기에는 국가의 사상체계가 불교에서 유교로 전환되었다. 절약과 근검을 중시한 유교사상은 베트남 사화전반에 많은 변화를 불러들였고 도자기의 제작에서도 청자에서 백자로의 전환이 이루어졌다.

이 시기의 베트남 도자기는 백자와 청화백자가 중심을 이루고 하이즈엉 추다우, 응오이, 협레 등이 그 제작지로 유명하다. 이 지역에서 생산된 도자기는 동남아시아, 서아시아 등으로 수출되었다. 대표적인 유물로는 터어키 톱카피 박물관에 소장된 1450년에 제작된 청화백자와 꽝남성 꾸라오짬섬 인근에서 침몰한 배에서 발굴된 많은 청화백자가 있다.〈그림 4〉

〈그림 4〉 꾸라오짬섬 추롯 청화백자호 16세기 후반

2) 막왕조(16세기)

막왕조의 도자기는 하이즈엉의 추다우, 고이(Ngoi), 바투이(Ba Thuy) 요지에서 제작되었고 대형 향로나 촛대와 같은 제기용 도자기가 주로 제작되었고 연꽃, 용, 봉황 등의 문양이 시문되었다.

3) 레왕조(17~18세기)

레왕조 시기에는 베트남의 북부와 중부에 내란이 있었다. 이 시기의 도자기는 중국의 해금정책이 와해되고 중국 도자기가 무역도자기로서 부활한 시기로 베트남 도자기는 무역도자기로서의 위상이 약화되어 내수시장을 만족시키는데 그쳤다.

나아가 궁중의 생활용기가 베트남 국내가 아닌 중국 경덕진에 주문, 제작되어 베트남에서 청화백자를 비롯하여 고급도자기를 제작하는 환경이 극도로 악화된다.

〈그림 5〉 청화백자접시, 17세기

레왕조 시기에 중국에 주문한 도자기에는 내부시중(內府侍中), 경춘시좌(慶春侍左)라는 한자가 새겨져 있다.〈그림 5〉, 〈그림 6〉

〈그림 6〉 청화백자사발, 17세기

이러한 흐름과 달리 남부지방에서는 동나이 꾸라오 요지 등이 생겨났고 이 지역에서는 중국 난민들이 응운엔의 군주의 허락을 받아 생활을 하고 있었고 이들은 전통적인 광동성의 제작기법을 토대로 비엔호아의 꾸라오포 도자기를 제작하였다.

4) 응우엔 시대(19~20세기)

응우엔 초기(1802~1883)에는 관요와 니와장국(泥瓦匠局)을 설치하여 궁중의 생활과 건설에 필요한 도자기를 생산하였다. 쟈롱황제는 1807년~1810년 건설용 도자기를 생산하기 위한 47개의 요지를 만들라는 명령을 내리게 된다.

그리고 응우엔 왕조는 중국 광동성이나 복건성의 도공을 받아들인 것으로 생각되지만 응우엔 왕조는 일상생활에 필요한 용기를 중국에 주문하여 사용하였다. 이러한 제품들은 왕의연호(嘉龍年製 · 紹治年造)가 쓰여져 있고 대부분이 후에(Hue)지방에 남아있다. 그리고 19세기 초 응우엔 왕조는 영국 스포드(Spode), 프랑스 등 유럽의 도자기를 수입하여 사용하였다.

이 시기의 국내용의 도자기는 북부 밧짱, 중부 짱득, 남부 꺼이마이 지역에서 생산되었다. 밧짱 요지의 도자기는 기형이 다양하고 화려한 유약을 사용하여 제조되었다. 문양으로는 따로 만들어 붙이는 첩화방식이 주로 이용되었다. 짱득 도자기는 흙으로 만든 항아리, 향로 및 술을 담는 자기 등이 있다. 남부의 꺼이마이 도자기는 항아리, 병 등 다양하고 다양한 안료를 사용하여 화려한 도자기를 제작하였다.

베트남이 1883년 통치권을 상실했을 때 베트남의 도자기는 국내의 수요를 만족시키는데 그쳤다. 북부에서는 밧짱, 흐엉까잉 외에도 중국 남부의 영향을 받은 몽까이 요지에서는 양질의 청화백자를 생산하였다. 중부지역에서는 프어떡, 짱득 요지에서 생활용기를 제작하였다. 남부지역에서는 비엔호아(Bien Hoa) 도자기와 라이티에우(Lai Thieu) 도자기 발전하였다. 비엔호아 도자기는 항아리와 병이 대부분으로 음각, 첩화 및 다양한 안료를 사용하여 화려한 문양을 만들어냈다. 라이티에우 도자기는 병, 향로, 주전자 등 다양한 기형이 있고 꽃, 닭, 한자를 문양으로 사용하였다.

베트남은 20세기 초반에 비엔호아를 비롯하여 도자기를 제작하는 기술을 가르쳐 도자기의 양산이 이루어졌다. 일부 지역에서는 외국에서 기계를 수입하여 백자를 생산하고 20세기 중반에는 근대적인 도자기가 제작된다.

3. 기년명 베트남 도자기

베트남 도자기는 동남아시아 지역의 조형문화를 이해하는 데 중요한 의미를 지니고 있고 특히 제작 연대를 알 수 있는 도자기에 대한 연구는 베트남 도자기의 흐름과 제작방법(기형, 문양, 유약) 등을 연구하는데 중요한 척도가 된다. 기년명 도자기에 있는 명문에 대한 연구 역시 도자기 제작의 배경이 되는 문화와 종교 나아가 당시의 경제 상황을 파악하는 데 도움이 된다.

베트남 도자기의 명문은 음각으로 파내거나 틀로 찍어내던가 청화로 쓰는 방법을 주로 사용하고 이 세가지 방법을 단독으로 쓰거나 2개 이상 함께 사용하는 경우도 적지 않았다.

베트남 기년명 도자기는 국내외 도자기의 수요가 확장되었던 15세기를 시작으로 19세기까지 지속적으로 다양하게 제작된다. 기년명 도자기로는 등잔, 향로, 항아리, 사발, 병 등이 있고 대표적인 예는 아래와 같다.

1) 기형

(1) 등잔받침

연대를 알 수 있는 베트남 도자기의 형태는 등잔받침, 향로, 호, 꽃병 등 다양하고 등잔받침과 향로가 많은 부분을 차지하고 있다. 등잔받침은 막왕조 시대에 만들져 이후 200년 동안 지속적으로 만들어졌다.

등잔받침의 대표적인 예로 1587년과 1588년의 것이 있다. 1587년 것은 향로 상부가 약간 외반된 원통형으로 상부는 봉황무늬가 그 아래에는 기린문양이 청화로 시문되어 있다.〈그림 7〉 등잔받침은 매병의 형태로 주문양으로는 용과 구름이 시문되어 있고 맨 위의 어깨부분에는 여의문이 시문되어 있다. 용문의 아래에는 금속선의 띠를 경계로 간략한 연판문이 역시 청화로 그려져 있다. 받침의 용문양과 저부에는 大悲寺新興府神溪縣安興社 端泰 三年(저부)과 灞水社 匠人 阮儼 賣의 명문이 쓰여져 있다.

〈그림 7〉 청화백자 등잔받침, 1587

〈그림 8〉 청화백자 등잔받침, 1588

후자는 전자에 비하여 등잔의 상부에 갓형태 상부가 덧붙어 있다. 금속 띠의 중앙에는 도철문이 따로 만들어져 붙여져 있다. 등잔받침 중앙에는 용과 구름 문양이 청화로 시문되었다.〈그림 8〉, 〈그림 8-1〉, 〈그림 8-2〉 저부에는 음각으로 皇上萬萬順安府文江縣淸朗社各士娓爲興…… 興治貳年肆月壹日造…… 라고 쓰여져 있어 1589년 왕의 명복을 기원하는 제기용기로서 등잔받침이 만들어진 것을 알 수 있다.

〈그림 8, 8-1, 8-2〉 그림 8의 세부

그리고 1618년에 제작된 동 타이 흥 찌(Doan Thai and Hung Tri) 시기의 등잔받침은 유약이 녹색으로 이전의 16세기 후반의 투명한 유약과는 사뭇 다르다. 문양 역시 16세기 후반의 등잔받침이 코발트나 음각으로 문양을 시문한 반면 이 시기의 등잔받침은 주문양을 부조기법으로 용이나 연판문양 등을 시문하고 있다. 특히 등잔받침의 맨 위쪽에는 연꽃으로 장식되어 있고 그 아래에는 용문양이 붙여져 있다.

17세기 전반의 등잔받침은 상아색의 유약이 발라져 있고 사자 형태의 기본으로 하고 용, 구름, 국화, 수(壽) 자문이 새겨져 있다. 이 밖에 17세기에 제작된 등잔받침은 새로운 형태로 상부는 4개의 부분으로 이루어졌고 그 아래부분은 커다란 호가 장식되어 있다.

(2) 향로

연대를 알 수 있는 가장 이른 시기의 향로는 1582년의 것이 있다.〈그림 9〉 이 향로는 호의 형태로 양쪽에는 커다란 연잎이 붙어 있다. 이 잎에는 명문이 쓰여져 있다. 호의 구연부에는 부조로 삼보(三宝)의 글자와 용문을 만들어 내고 있다. 향로의 가운데에는 원형안에 용문이 부조로 장식되어 있고 아래부분에는 여의문이 상하로 장식되고 그 가운데에는 일자형 무늬사이에 화문이 부조로 만들어졌다.

영우 2년(永佑二年, 1736)에 제작된 향로는 동체는 원형에 가깝고 중앙에는 도철문이 양각으로 시문되었고 양옆에는 용이 따로 만들어 붙여졌다. 뚜껑의 상부에는 사자 형태의 손잡이가 붙어있다. 그리고 향연이 나오는 부분에는 팔괘가 투각으로 시문되었다.

팔괘가 우주와 세상의 이치를 해석하는 중요한 도교의 원리라는 사실을 감안하면 18세기 전반의 베트남 조형문화와 그 배경에는 도교적 원리가 커다란 배경이 되고 있다는 것을 알 수 있다. 결국 이 향로는 죽은자의 영혼이 영생하기를 바라는 도교적 배경에서 제작되었다. 동일한 투각의 팔괘문은 19세기 조선 백자의 향로에서도 볼 수 있다.

(3) 항아리

1580년에 제작된 항아리는 구연부는 짧고 동체의 상부에는 따로 만들어 붙인 명문과 용문이 보인다. 아래부분에는 연잎이 장식되고 연잎 가운데에 명문이 쓰여져 있다.

〈그림 9〉 청화백자향로, 1582

〈그림 10〉 백자육각호, 1663~71

〈그림 11〉 백자사각호, 1740~1786

〈그림 12〉 청화백자호, 1802~19

1663~71년에 제작된 호는 태토로 판(板)을 만든고 그러한 판을 연결하여 만든 6면을 가지고 있다. 각 면에는 대나무 등이 양각으로 시문되어 있다. 호의 저부에는 경치(景治) 연간(1663~1671)의 명문이 있어 6개면을 가진 호의 형태가 17세기 후반에 주로 제작된 것을 알 수 있다.〈그림 10〉

1740~86년에 제작된 호는 6면으로 만들어졌고 각 면에는 용문이 양각으로 시문되어 있고 어깨부분에는 도철문이 붙어져 있다. 뚜껑에는 용문이 붙어 있다. 1740~86년에 제작된 호는 4개의 면을 가진 호로 각 면에는 소나무, 연꽃 등 사군자의 문양이 양각으로 시문되어 있다.〈그림 11〉

이와 같이 베트남 도자기에서 4면과 6면을 가진 호는 17세기 후반에 등장하여 18세기 후반까지 지속된 것을 알 수 있다. 16세기 후반의 원형 등잔받침이나 향로 등에는 용이나 구름 등 하늘을 의미하는 문양이 시문되어 임금이나 조상의 음덕을 기렸던 것에 반하여 4개면과 6개면을 가진 항아리의 문양은 대나무, 국화 등 지상의 사군자 등 현실적인 소재가 문양의 중심을 이루어 당시 지배층의 정신세계를 반영하고 있다.

이와 같이 호를 4면, 6면, 8면으로 만드는 것은 한국, 중국, 일본 등 동남아시아 지역에서 17세기 이후 보이는 현상으로 특히 조선시대에 면(또는 각)을 가진 호가 대량으로 제작되고 이러한 흐름이 임진왜란 이후 납치된 조선사기장이 주도한 일본의 서부요지에서 생산된 호의 제작에 많은 영향을 미치게 된다.

다면체를 가진 호의 제작에서 조선백자가 일본에 미친 영향은 17세기 및 18세기에 일본에서 제작된 다면체호의 제작방법이 조선백자호와 유사하다는 사실에서 확인할 수 있다. 결국 다면을 가진 호는 아시아 전역에서 17세기와 18세기에 걸쳐 널리 제작된 것을 알 수 있고 베트남 역시 예외가 아니었던 것을 알 수 있다.

그러나 19세기에 이르면 호(1802~19년)는 다시 원형으로 다수 제작되고 사

a

b

〈그림 13〉 청화백자향아리 받침, 1803~1819

실적이고 회화적인 문양이 사용된다.〈그림 12〉그리고 이 시기에도 일부 각형을 만드는 흐름이 남아있다.

(4) 항아리 받침

항아리 받침으로는 지아 롱(Gia Long) 시기(1803~19)에 제작된 것이 있다. 이 받침은 바다 위를 헤엄치고 있는 거북이를 장식하고 있다.〈그림 13〉 거북이의 등 뒤에는 책이 가득 올려져 있다. 책은 학문이나 학자를 의미한다. 상부에는 북극성을 비롯한 별자리가 사각형 안에 빽빽하게 그려져 있다. 별자리는 우주의 운행을 상징하는 것으로 도교적 요소를 상징화한 것으로 생각된다.

19세기에는 거북의 조형은 임금님의 도장에 자주 쓰였고 이러한 현상은 한국과 중국에서도 자주 보인다.

(5) 상형도자기

상형은 인물과 동물의 형태가 주로 제작된다. 상형의 대부분은 18세기에 제작된 것으로 수노인상은 장생불사를 의미하고 도교를 상징하는 것으로 생각된다.〈그림 14〉

〈그림 14〉 상형백자, 18세기

(6) 사발

사발은 내만된 형태로 사발의 외부에는 청화로 대나무가 시문되어 있고 반대편에는 명문이 청화로 쓰여져 있다. 그리고 굽은 일자형으로 짧고 굽 안에는 명문이 쓰여져 있다.〈그림 15〉

〈그림 15〉 청화백자사발, 18세기

(7) 병

병은 아래 부분이 둥근 것과 표형인 것, 사각형의 것이 있다. 저부가 둥근 병은 중국 청대의 병을 모방한 것으로 주둥이는 굵고 위로 올라갈수록 반경이 넓어지고 있다. 저부에는 나무, 인물, 새 등이 묘사된 풍경화 등이 장식되어 있다.

아랫부분이 원형인 병은 최대 반경이 저부에 있어 매우 안정된 형태로 구연부는 위로 올라갈수록 반경이 넓어진다. 이러한 병은 17, 18세기 중국 청화백자에 보여 청대의 병이 동시기의 베트남 도자기의 조형에 많은 영향을 미쳤던 것을 알려주고 있다.〈그림 16〉

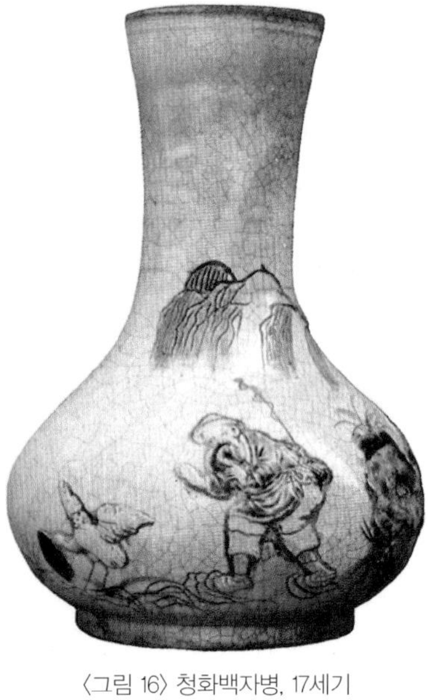

〈그림 16〉 청화백자병, 17세기

표형은 원대 도자기에 자주 사용된 형태로 베트남 도자기에서는 19세기의 병에서 보이고 있다. 유약은 금이 가 있고 아래부분에는 사자의 모양을 따로 만들어 붙이고 있다. 굽의 안쪽에는 가경년제(嘉隆年製)의 연호가

붙어있다.〈그림 17〉

사각병은 19세기 초기에 제작된 것으로 사각의 몸체 위에 원추형의 주둥이가 붙어 있다. 사각의 각 면에는 고사인물도가 청화와 산화철로 장식되어 있다. 주둥이의 중앙에는 청화로 명문이 시문되어 있다.

이것과 유사한 사각병이 한국, 중국, 일본에서 보여 사각병의 조형이 19세기 아시아 전반에 걸쳐 유행했던 것을 알 수 있다. 조형적으로 사각병은 각이 땅을 의미하고 원이 천을 의미하는 전형적인 동양의 조형원리인 천원지방(天圓地方)의 조형원리를 적용한 형태라고 할 수 있다.〈그림 18〉

이러한 기형이 베트남에서 유행한 것은 19세기의 베트남이 중국의 조형을 민감하게 반영한 것을 알려주고 그러한 배경에는 17세기 후반부터 아시아 전역에 유행한 시누아즈리 현상이 있다.

〈그림 17〉 백자표형병, 19세기

〈그림 18〉 청화백자사각병, 19세기

2) 문양

베트남 기년명 도자기의 문양은 용문, 봉황문, 기린문, 국화문, 수자문, 사군자문, 팔괘문 등이 사용되었다. 용문, 봉황문, 국화문, 수자문, 팔괘문 등은 중국의 전형적인 문양으로 중국의 것을 모델로 제작된다.

(1) 용문

〈그림 19〉 청화백자용문호

연대를 알 수 있는 베트남 도자기 중에서 용의 문양은 1576년에 처음으로 보이고 18세기 후반까지 지속적으로 보인다. 용은 고개를 들고 날아가는 모습으로 여의주가 앞에 놓여져 있고 용의 주위에는 구름이 흩어져 있다. 막 왕조의 용문양은 여의주를 한발로 감싸고 있는 모습이 자주 보인다.〈그림 19〉

용문양은 도자기 이외 1846년 왕의 교지에도 사용된다. 교지의 중앙에는 용문이 있고 그 주변에는 구름문와 점문 그리고 수자문(壽字文)이 네귀퉁이와 중앙의 상단에 시문되어 용문양은 19세기 중엽까지 지속적으로 사용된다.〈그림 20〉

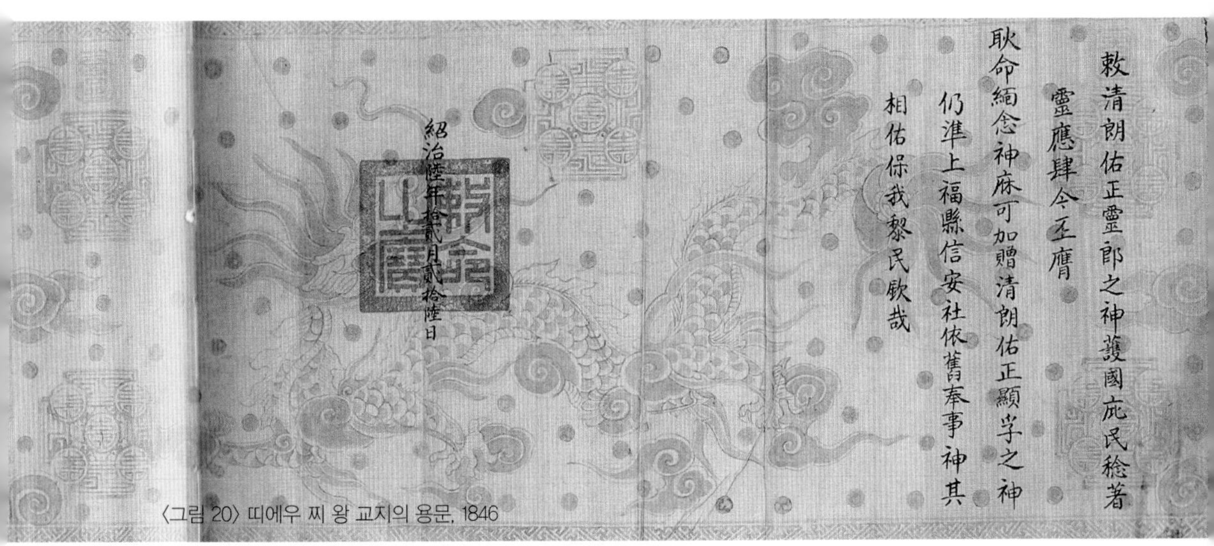
敕清朗佑正靈郎之神護國庇民稔著
靈應肆今丕膺
耿命緬念神麻可加贈清朗佑正顯孚之神
仍準上福縣信安社依舊奉事神其
相佑保我黎民欽哉
紹治陸年拾貳月貳拾陸日

〈그림 20〉 띠에우 찌 왕 교지의 용문, 1846

(2) 봉황문

봉황은 1584년의 받침에서 보이는 용문양의 주변문양으로 주둥이 근처의 문양으로 사용되고 황제 및 그 주변인물 등 제한된 사람들에게서만 주로 사용된 것을 알 수 있다.〈그림 21〉

(3) 기린문

기린 문양은 드물고 16세기 후반에 약간의 예가 있다.〈그림 22〉

〈그림 21〉 백자받침, 16세기 후반

〈그림 22〉 청화백자, 16세기 후반

(4) 연판문

연판문은 원대와 명대 전반의 관용도자기에 사용된 연판문을 모델로 만든 것으로 약화된 형태를 보이고 있다.

(5) 국화문

국화문은 당초(돌아가는)의 형태나 첩화(따로 만들어 붙이는)의 형태로 장식되어 있다. 당초형태의 국화문의 예는 등잔받침 아래부분의 문양으로 주로 사용되었다. 첩화형태의 국화문은 16세기 후반부터 17세기 후반까지 오랜 기간 동안 사용되었고 등잔받침의 주둥이 부분의 주변문양으로 주로 사용되었다.〈그림 23〉

〈그림 23〉 청화백자호

〈그림 24〉 청화백자호, 1677

〈그림 25〉 백자향로, 1736

(6) 수자문

1677년에 제작된 등잔받친의 저부에는 따로 만들어 붙인 장식에 수(壽)자문이 새겨져 있다.〈그림 24〉 수자문은 중국을 비롯하여 한국, 일본 등에서도 오랫동안 사용된 문양으로 17세기 후반에 베트남 도자기에서 보이는 문양 역시 장수를 바라는 길상문양으로 도교의 유행의 배경에서 사용된 것으로 여겨진다.

(7) 사군자문

사군자문은 14세기 원대백자에서 보이기 시작한 문양으로 1705~19년과 1740~86년의 작품 등 18세기에 본격적으로 등장하여 군자의 절개를 상징하는 봄(매화), 여름(소나무), 가을(국화), 겨울(대나무)이 표현되었다.

(8) 사자문

사자문은 1705~19, 1736, 1740~86의 기년명의 도자기 등에서 확인할 수 있고 향로 등의 손잡이의 문양으로 사용되었다. 1736년의 제작된 향로에는 손잡이가 사자로 장식되었고 그 아래의 향로의 동체에는 팔괘문이 투조로 장식되어 있다.〈그림 25〉

(9) 시문(詩文)

19세기 베트남 도자기는 사실적인 경향이 있고 다른 한편으로 중국적인 4행시 한시도 보인다.

베트남 기년명 도자기는 기형에서 향로, 각형(4면, 6면, 8면) 항아리, 원형의 병 등은 중국의 도자기를 모델로 제작된 것으로 여겨진다. 이것은 기년명 도자기에 사용된 용문, 봉황문, 연판문, 국화문, 수자문, 사군자문, 팔괘문 등 중국적인 문양을 통하여 알 수 있다.

그리고 이러한 베트남 기년명 도자기의 기형과 문양에서 보이는 중국의 영향은 당시 유행했던 시대사상인 유교나 도교와 밀접한 관계가 있다.

이것은 17세기 후반 베트남 도자기에서 보이는 각형의 호를 통하여 알 수 있다. 동양의 조형에서 각이 땅을 의미하고 원이 하늘을 의미하는 천원지방의 조형원리가 17세기 후반 이후 베트남 도자기의 조형에 영향을 미친 것으로 당시 중국의 유교 및 도교원리가 베트남 사회 전체에 널리 퍼진 것을 알 수 있다.

그리고 19세기에 이르러 베트남 도자기는 원형 위주의 기형과 팔괘문과 별자리문의 사용에서 알 수 있듯 유교사상에 많은 영향을 준 도교를 적극적으로 채용하여 도교가 지향한 태평성대의 사회를 만들려는 움직움을 포착할 수 있다.

결국 베트남 기년명 도자기를 통하여 베트남의 조형문화가 중국의 유교 및 도교의 원리를 충실히 반영하고 있다는 것을 알 수 있고 이러한 흐름은 17세기 후반부터 19세기까지 지속된 것을 알 수 있다.

그리고 이러한 흐름은 동시기 조선시대의 대표적인 조형문화인 도자기를 통해서도 확인할 수 있어 도교의 원리가 동아시아 및 동남아시아의 조형문화에 막대한 영향을 미친 것을 확인할 수 있다.

Ⅷ 베트남 청화백자

14세기 중엽에 강서성 경덕진에서 제작된 원대의 청화백자는 그 대부분이 무역품으로 중동지역에 반입되어 엄청난 경제적인 이득을 취하기에 이른다. 원대의 청화백자는 질이 아주 좋아 청화백자의 무게에 해당하는 만큼의 금을 받았다는 이야기가 있을 정도로 고가의 부가가치의 상품이라고 할 수 있다.

그러나 14세기 말부터 16세기 후반에 걸쳐 이루어진 원명(元明)교체기와 명대의 해금정책으로 중국에서 제작된 청화백자는 무역품으로 중동지역에 원활하게 반입되지 못하게 된다.

이러한 시기에 중국의 청화백자의 대용품으로 이집트, 이라크 등의 서아시아 및 필리핀, 인도네시아의 동남아시아 지역에 14세기 말부터 16세기 후반까지 무역품으로 반입된 것이 베트남에서 제작된 청화백자이다.

백색의 흙으로 형태를 만든 후 코발트(Cobalt)로 문양을 그리고 투명한 유약을 발라 1250도 이상의 높은 온도에서 구운 청화백자는 9세기 중국에서 만들어지기 시작하여 14세기 중엽 원대(元代)에 많은 양이 생산되기에 이른다.

9세기의 청화백자는 중국 강소성 양주(揚州)의 당성(唐城) 유적에서 발견되고 있다(弓場紀知 2008, 33~35). 당성에 대한 발굴이 1947년에 이루어져 당삼채, 월주요 청자, 형요백자 등 다양한 도자기가 출토되었다. 이 중 백색의 태토에 코발트로 간략한 초화문을 그린 청화백자의 파편이 몇 점 확인되었다.

당성출토의 청화백자는 연질로 백화장이 칠해져 있는 반자기의 상태로 완전한 자기화에는 도달하지 못하였지만 백토위에 코발트로 문양을 그린 후 유약을 발라 구운 것 등은 일부 청화백자의 조건을 갖추고 있어 9세기 청화백자의 존재를 알리는 중요한 자료로써 평가된다.

그러나 양질의 견고한 청화백자는 원대 14세기에 이르러 본격적으로 제작된다. 원대의 청화백자 중 연대를 알 수 있는 것은 지원무인(至元戊寅, 1338)명 청화누각, 대원지원무인(大元至元戊寅, 1338)의 경덕진시에서 출토된 사신문(四神文)탑호, 영국 데이비드재단 소장의 지정11년(1351) 명 청화백자병이 있다.[1)]

이와 같이 14세기 중엽에 강서성 경덕진에서 제작된 원대의 청화백자는 그 대부분이 무역품으로 중동지역에 반입되어 엄청난 경제적인 이득을 취하기에

1) Margaret, Medley., Yuan Porcelain and Stone Ware, London:Farber and Farber, 1974
中澤富士夫 . 長谷川祥子, 『中國の陶器 8 元明の靑花』, 平凡社, 1995.

이른다.[2] 그러나 14세기 말부터 16세기 후반에 걸쳐 이루어진 원명(元明) 교체기와 명대의 해금정책으로 중국에서 제작된 청화백자는 무역품으로 중동지역에 원활하게 반입되지 못하게 된다.

이러한 시기에 중국의 청화백자의 대용품으로 이집트, 이라크 등의 서아시아 및 필리핀, 인도네시아의 동남아시아 지역에 14세기 말부터 16세기 후반까지 무역품으로 반입된 것이 베트남에서 제작된 청화백자이다.

베트남의 청화백자는 14세기에 제작된 것으로 추정되고 있으나 그 구체적인 출현시기에는 아직 정설이 없다. 그리고 중국 도자기의 대용품으로 동남아시아와 서아시아 지역에 많은 양이 반입된 15, 16세기의 베트남 청화백자에 대한 구체적인 양상 역시 밝혀지지 않은 부분이 많다고 할 수 있다.

1. 베트남 청화백자 요지

베트남 청화백자를 제작했던 요지는 여러 성(省)과 시에서 확인되고 있다. 그리고 베트남 청화백자의 절정기라고 할 수 있는 15~16세기 청화백자의 요지는 남싸익(Nam Sach) 지역을 중심으로 빈지앙(Binh Giang) 지역 등에 상당량이 남아있다.[3] 〈지도 1〉

2) 원대의 청화백자는 질이 아주 좋아 청화백자의 무게에 해당하는 만큼의 금을 받았다는 이야기가 있을 정도로 고가의 부가가치의 상품이라고 할 수 있다.

3) 베트남 청화백자의 요지에 대해서는 長橋明子(2002, pp.149~156)의 논문을 참고로 기술하였다.

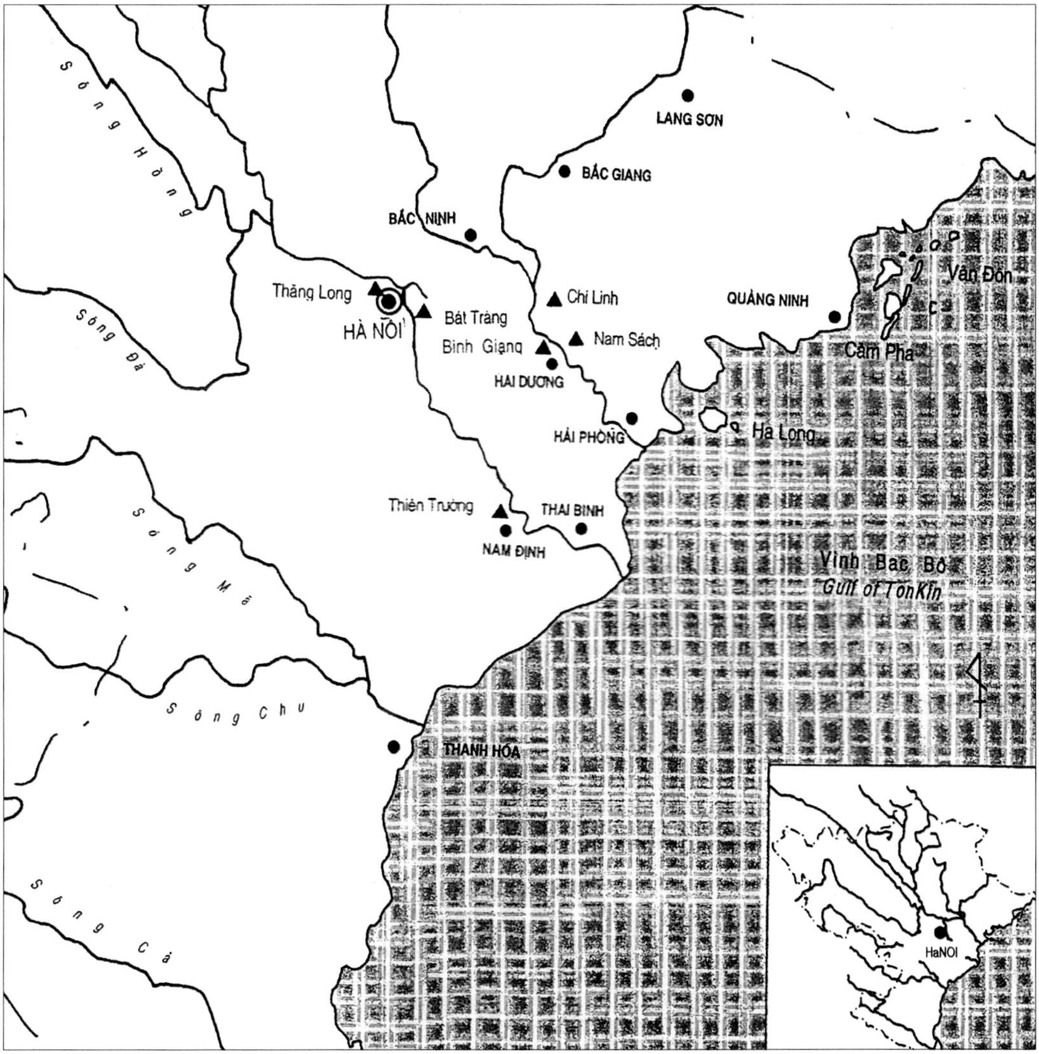

〈지도 1〉 베트남 청화백자의 요지

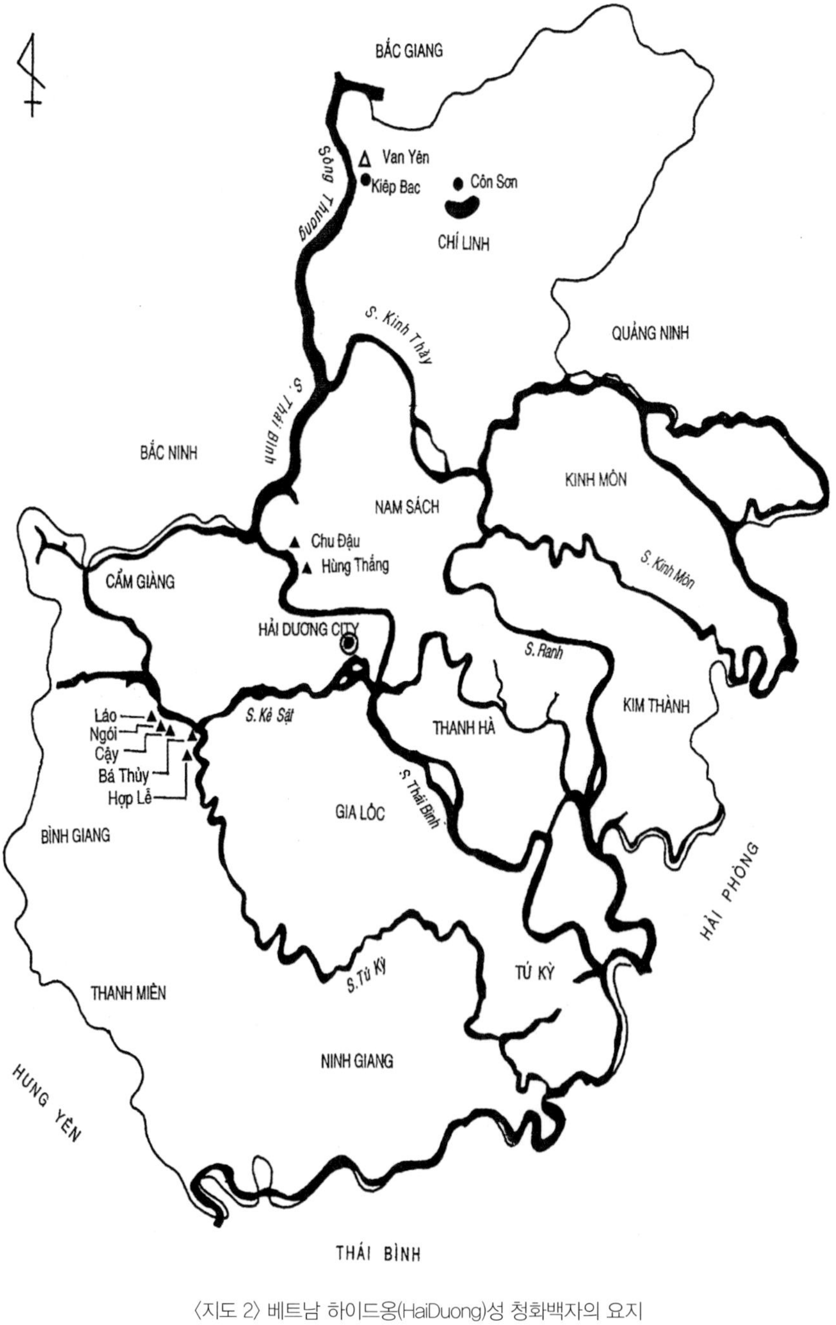

〈지도 2〉 베트남 하이드옹(HaiDuong)성 청화백자의 요지

1) 남싸익 지역

남싸익 지역은 타이빈강의 옆에 있고 요지는 추다우(Chu Dau) 요지를 비롯하여 미이싸(My Xa), 홍탕(Hung Thang), 린싸(Linh Xa) 등의 요지가 남아있다.〈지도 2〉

(1) 추다우(Chu Dau) 요지

추다우 요지는 고급자기를 생산한 곳으로 14세기부터 17세기까지 청화백자를 주로 생산하였다. 기종은 완, 접시, 마상배, 병 등 다양하다. 미이사 요지는『雄家家譜』에 의하면 16세기 말에서 17세기 초에 많은 도공이 미이싸에서 바짠으로 이주했다고 적혀있고 이러한 도공의 이주가 이후 추다우 요지 쇠퇴의 주요 원인으로 간주되고 있다(長橋明子, 2002, p.153).〈그림 1, 2, 3, 4〉

〈그림 1〉 추다오 요지 청화백자호

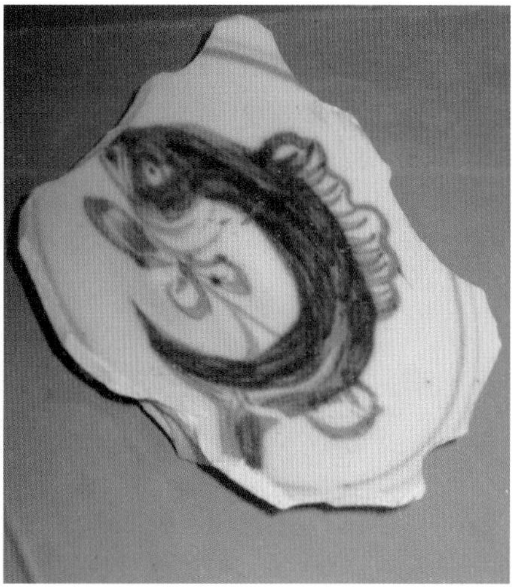

〈그림 2〉 추다오 요지 청화백자접시

〈그림 3〉 추다오 요지 요도구

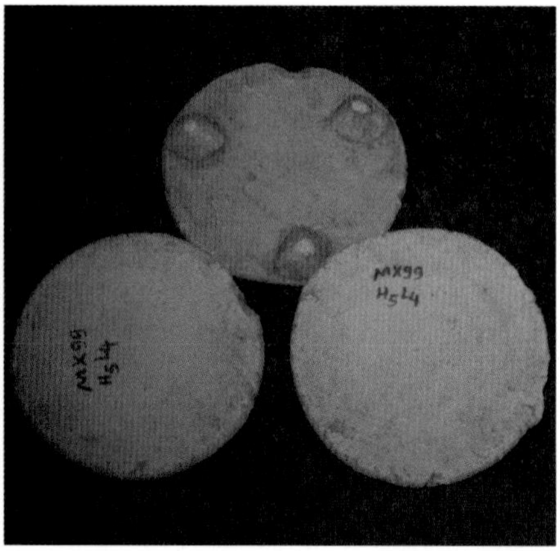

〈그림 4〉 추다오 요지 요도구

(2) 훙탕

홍탕은 민탄(Minh Tan)의 지역으로 막조(莫朝)의 유명한 도공이었던 등현통(鄧玄通)의 고향이다. 이 요지는 국내용의 청화백자를 주로 생산하였고 시기는 16~18세기에 속한다.

(3) 빈지앙(Binh Giang)

하이손성 하이손시의 북동 약 10Km에 위치하고 있다. 청화백자를 제작한 요지로는 라오(Lao), 고이(Ngoi), 카이(Cay), 바투이(Ba Thuy), 홉레(Hop le) 등이 있다.

(4) 고이

고이는 투안루옹(Thuan Luong)에 위치한다. 보태(保泰) 5년(1724) 후신비기(後神碑記)의 비문에 의하면 고이는 투옹 혼(Thuong Honh)의 두옹엔(Duong Yen)현의 투안루옹(Thuan Luong)에 속하고 있었다.

고이 요지에서 생산된 도자기는 청자, 백자, 청화백자가 주를 이루고 있다. 백자는 15세기의 것이 중심을 이루고 완이나 접시의 내부에는 인화문이 새겨져 있다. 내부의 정중앙에는 원형의 고리를 놓아 겹쳐 구운 흔적이 보인다. 일부의 백자에는 어문과 국화문이 확인되었다. 그리고 백자의 완이나 접시의 내부에는 극히 드물지만 도장으로 찍은 관(官)이나 부(府)의 문자가 보여 고이 요지가 관용(官用)의 도자기를 생산한 곳으로 확인되었다.[4)]

〈그림 5〉 고이 요지 청화백자사발

〈그림 6〉 고이 요지 청화백자접시

고이 요지에서 생산된 청화백자는 15세기 전반에 생산을 시작하여 항아리, 완, 병. 병 다양한 기종을 양산했다. 이 요지에서 생산된 청화백자는 유약이 얇고 그릇의 내부에는 국화문이, 외부에는 연판문이 시문되어 있다. 굽의 안쪽에

---

4) 요지에서 발견되는 관자명은 관용의 도자기를 보여주는 좋은 예라 할 수 있다. 관자명의 도자기는 중국 월주요 청자와 정요백자 등에서 알 수 있듯이 질이 매우 좋다. 그러나 관자명이 존재하더라도 그러한 관자명의 도자기를 구운 요지를 관요로 규정하는 것에는 약간 어려운 상황이 있다. 왜냐하면 중국의 예를 보더라고 관용의 도자기는 민요에서 공납된 역사가 길고 도자기의 제작상황이 좋지 않았을 때 임시방편으로 관용의 도자기만을 제작하기 위한 관요가 등장한 사실이 있기 때문이다. 이러한 사실을 감안하면 관자명의 고이 요지는 관용의 도자기를 구워 바쳤던 민요(民窯)일 가능성이 높다. 고이 요지에서 관자명의 도자기는 최하위층에서 발견되고 있고 명의 지배를 받았던 1407~1420년 이후에 제작된 것으로 추정하고 있다(西村昌也 · 西野範子, 2005, p.95).

는 산화철이 칠해져 갈색을 띠고 있다. 고이 요지는 15세기에 청화백자를 제작하여 17세기까지 생산이 지속된 것으로 추정된다. 인도네시아의 쟈카르타나 베트남 호이안 꾸라오 짬(Cu Lao Cham) 침몰선에서 나온 도자기에서 고이에서 생산된 청화백자와 유사한 것이 보여 고이 요지는 국내외용 청화백자를 생산한 것으로 여겨진다(長橋明子, 2002, p.154) 〈그림 5, 6〉

(5) 라오(Lao)

라오는 현재 푸크 라오(Phuc Lao)지구에 위치한다. 요지 주변에는 완이나 접시 등이 산재하여 있다. 라오 요지는 15~16세기의 것으로 생각되는 것이 일부 발견되고 있지만 생산방식 등 불분명한 점이 많다. 라오 요지 중에서 연대가 명확하게 밝혀진 것은 16세기 후반부터이고 17~18세기까지 청화백자가 지속적으로 생산된 것으로 여겨진다. 이 시기의 청화백자의 특징으로 겹쳐 구운 흔적이 명확히 보이고, 문양은 식물문이나 국화문이 간략하게 시문되었다.

(6) 까이(Cay)

까이 요지는 고이 요지 서쪽에 위치한다. 이 요지에서 생산된 도자기는 청자, 백자, 청화백자가 중심을 이루고 있다. 백자는 15세기 전반의 것으로 연꽃, 국화, 물고기 등의 문양을 틀을 사용하여 찍어 만들었다. 청화백자는 항아리. 완, 병 등 다양하다.

15세기 후반에서 16세기 전반의 청화백자는 도침을 사용하여 그릇의 내부에는 겹쳐 구운 흔적이 3~4개 보인다. 16세기 말~17세기 전반의 까이 요지는 생활용기 이외 향로나 초대 등 제사용기를 주로 생산하였다. 향로는 문양으로 구름이나 용 등을 사용하였고 17~18세기에 이르면 문양은 보다 단순화된다.〈그림 7, 8〉

〈그림 7〉 까이 요지 청화백자사발

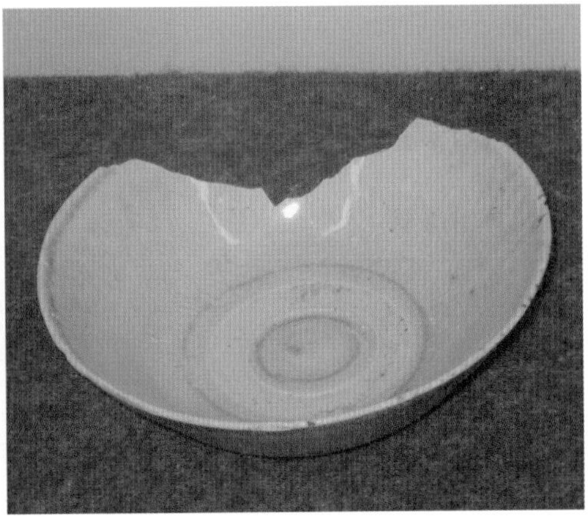

〈그림 8〉 까이 요지 청화백자접시

(7) 바투이(Ba Thuy)

요적은 강쪽에 집중하고 있다. 바투이 도자기는 청자, 청화백자가 주로 생산되었다. 청화백자는 16세기 전반부터 생산된 것으로 추정되고 17세기 이후에도 청화백자의 생산이 지속된 것으로 여겨진다.

(8) 홉레(Hop Le)

홉레는 바투이 요지에서 가깝고 도다이(Do Day) 유적의 오른쪽에 위치한다. 이 요지에서 생산된 도자기는 청자, 백자, 청화백자 등이 있다. 청화백자는 완, 접시, 향로, 초대, 병 등이 대량으로 생산되었고 문양은 용이나 봉황문 등이 사용되었다.

홉레 요지에서 생산된 청화백자 중에서 일부는 중국 명대의 복건성 장주요(福建省 漳州窯)의 제품을 모방하여 제작한 것도 다수 존재하여 베트남 청화백자와 복건성의 색회자기(色繪磁器)와의 관계를 해명하는 데 중요한 의미를 가진 것으로 생각된다(長橋明子 2002, p.156).〈그림 9, 10〉

〈그림 9〉 홉레 요지 청화백자호

〈그림 10〉 홉레 요지 요도구

2. 베트남 청화백자의 출현과 전개

1) 출현

베트남 청화백자는 한국이나 중국의 청화백자와 달리 태토에 백화장을 하고 그 위에 코발트로 문양을 그린 것이 많다. 이러한 백화장기법은 동아시아의 중국이나 한국의 청화백자와 다른 독특한 것으로 안료인 코발트가 백화장 위에 스며든다든지 번져 청화백자의 문양이 불투명하거나 약간 몽롱한 발색을 나타내도록 한다.

베트남 청화백자에 쓰인 안료인 코발트는 중국의 남부를 향해 가던 서아시아나 중국의 선박 등이 베트남의 항구에 잠시 들렀을 때 직접 구입했는지 아니면 베트남 청화백자의 원료조달자들이 중국 남부 무역항인 광주(廣州)에 가서 서아시아산의 코발트를 직접 확보했는지에 대해서는 아직 확인된 바 없으나 베트남이 중국의 남부와 가깝고 서아시아의 선박이나 서아시아의 산물을 중계하던 중국상선이 베트남의 항구에 들렀을 가능성이 커서 베트남 청화백자의 코발트의 수급은 전자일 가능성이 크다고 생각된다.

베트남 청화백자가 언제 만들어졌는지에 대한 정설은 없다. 베트남 도자기 및 청화백자의 연구에서 많은 업적을 남긴 존가이(John Guy)는 터키 톱카피(Topkapi) 박물관에 소장된 1450년(대화 8년)의 청화백자를 베트남의 초기청화백자로 간주하고 있으나, 최근 일본 다자이후나 오키나와에서 출토된 14세기의 베트남 청화백자의 존재로 베트남 청화백자는 늦어도 14세기 후반에 출현했을 가능성이 많다(Brown 1977; Guy 1989; 三上次男 2000; 長谷部樂爾 1990; 森本朝子 1993).

일본의 대표적인 베트남 도자사학자인 모리모토 아사코(森本朝子)는 일본 다자이후에서 나온 국화문의 베트남 청화백자를 예로 들어 베트남의 청화백자는 늦어도 14세기 중엽 내지 후반에 생산된 것으로 간주하고 그러한 근거로서 베트남 청화백자가 발굴된 유적의 층위를 포함하여 베트남 청화백자에 보이는 국화문과 중국 광동성(廣東省) 뇌주반도(雷州半島) 해강요(海康窯)에서 발견된 연대가 명확한 철화백자호(1337년)에 사용된 국화문이 매우 유사하다는 하세베 가쿠지(長谷部樂爾)의 의견을 제시하고 있다.[5]

그러나 일본에서 출토된 베트남 청화백자의 자료로 베트남의 청화백자의 출현시기를 설정하는 것은 생산지인 베트남, 그리고 대표적인 소비지역인 동남아시아와 서아시아 지역에서 출토된 베트남 청화백자의 중요성을 간과한 것으로 앞으로 베트남 요지 및 유적지 나아가 대표적인 소비유적지인 동남아시아나 서아시아의 유적에서 출토된 베트남 청화백자를 조사 · 연구하면 베트남 청화백

5) 長谷部樂爾.『インドシナ半島の陶磁』. 瑠璃書房, 1990, p.213

자의 출현시기는 보다 구체적으로 밝혀질 것으로 생각된다.

특히 베트남 청화백자가 필리핀 및 인도네시아 등지에서 다수 발굴되고 있어 이러한 자료에 대한 해석이 명확하게 이루어지면 베트남 청화백자의 출현시기는 보다 명확해질 것으로 생각된다. 나아가 베트남 청화백자에 사용된 코발트를 화학적으로 분석하고 그러한 결과를 원대 및 명대의 청화백자와 비교한다면 베트남 청화백자의 출현과 그 시기는 보다 정확하게 될 것으로 생각된다.

2) 발전(15~16세기)

(1) 15세기

베트남 청화백자는 15~16세기에는 많은 발전을 이룩한다. 이러한 발전에는 베트남 국내의 정치와 경제적인 안정이라는 커다란 배경이 있다. 나아가 국외적으로 중국 명(明)이 해금정책을 실시하여 중국의 무역도자기가 국외로 반출되지 못하는 상황에서 중국의 청화백자를 대신하여 베트남 청화백자가 인근의 동남아시아 제국과 서아시아 지역에 반입되었다는 배경이 있다.

15세기를 대표하는 베트남 청화백자로는 1450년에 제작되어 터키 톱카피 박물관에 소장된 청화백자병이 있다.〈그림 11〉 이 병은「大和八年匠人南策州裴氏戯筆」의 명문을 가지고 있어 1450년에 제작된 것으로 간주된다.

이 명문에서는 청화백자의 제작시기를 비롯하여 생산지 및 제작자 등 15세기 베트남 청화백자에 대한 중요한 몇 가지 정보를 알아낼 수 있다. 첫째로 명문의 대화 8년(1450)에서 베트남에서 1450년에 양질의 청화백자를 생산한 사실이다. 1450년 즉 14세기 중엽에 아시아권에서 청화백자를 생산할 수 있었던 곳은 한국, 중국, 베트남 3곳에 한정한다. 이중 동남아시아 베트남에서 1450년에 양질의 청

〈그림 11〉 터키 톱카피 박물관 소장, 베트남 청화백자병(1450년)

〈그림 12〉 그림 11의 어깨 부분의 칠보문

〈그림 13〉 이집트 푸스타트유적 출토의 베트남 청화백자

화백자를 생산했다는 것은 중국 명대의 청화백자의 양상 및 한국의 청화백자의 시원과 발전과정을 연구하는데 매우 중요한 의미를 가지고 있다.[6)]

두번째로 명문의 싸익주(策州)는 15세기 중엽의 베트남 청화백자의 제작지로 추정되어, 15세기 베트남 청화백자가 항구에서 가까운 싸익주에서 제작된 사실을 알 수 있다. 싸익주는 앞의 베트남 청화백자의 생산지에서 기술했듯이 베트남 청화백자의 대표적인 요지로 추다우(Chu Dau) 요지를 비롯하여 훙탕(Hung Thang) 요지 등이 있다.

세번째로 도공으로 생각되는 배씨(裵氏)의 존재이다. 배씨에 대하여 존 가이는 그의 논문에서 배씨를 여성으로 보고 있다(Guy 1980, p.128). 만약 배씨가 여성이라는 것이 사실이라면 베트남을 비롯하여 동남아시아 지역에서 역사적으로 도자기(공예품)를 제작하는 것이 여성의 몫이었고 양질의 청화백자 역시 여성이 주로 제작했다는 사실을 알려주고 있다.

이러한 사실은 아프리카나 동남아시아 중남미 등 원시성이 잔존한 지역에서 토기 및 자기의 제작이 여성들에 의해 주도적으로 만들어져 온 사실과 상통하지만 유교의 사상체계에 있었던 15세기의 베트남에서 양질의 베트남 청화백자가 여성에 의해 제작되었다는 것은 베트남의 도자기 제작에서 여성들이 정치, 경제적인 이데올로기에 구애받지 않고 전통적으로 오랫동안 중요한 역할을 해왔던 것으로 해석할 수 있다.

---

6) 조선시대의 청화백자는 경기도 파주 파평윤씨의 묘역에서 출토된 청화백자의 묘지(墓誌)(1456)로 늦어도 15세기 중엽에 생산되어 일상생활 이외 부장용으로 사용된 사실을 확인할 수 있다. 그리고 묘지라는 유물이 당시 상류층의 전유물이었지만 이러한 묘지가 왕족 이외 일반 사대부가 사용했다는 것은 15세기 중엽에 이미 청화백자가 상류층을 중심으로 상당히 유행했다는 것을 알려주고 있다. 이러한 사실로 조선시대의 청화백자는 15세기 중엽에 이미 상류층이 부장용으로 사용될 정도로 대중화된 것을 알 수 있어 실제 조선시대의 청화백자의 출현 및 그 시기는 15세기 중엽 이전인 15세기 전반 내지 14세기 후반으로 소급될 가능성이 있다.

그러나 베트남에서 청화백자가 대량으로 생산되고 그러한 것 중 일부가 서아시아나 인근 동남아시아제국에 무역품으로 수출되는 15세기 이후, 베트남의 청화백자는 양산시스템에서 이루어지게 되고 그러한 체계에서 여성으로서의 도공이 어떤 역할을 수행했는지에 대해서는 아직 밝혀진 것이 없다. 만약 이러한 사실이 해명되면 베트남 지역을 비롯한 동남아 지역에서 공예의 제작과정에서 여성의 역할을 규명하는데 매우 중요한 의미를 가지고 있다고 할 수 있다.

그리고 터키 소장의 1450년의 베트남 청화백자는 형태와 문양에서 중요한 의미를 지니고 있다. 형태는 둥근 원형을 기본으로 사용하고 있다. 병의 저부는 거의 원형에 가깝고 목부분 역시 원통의 형태가 위로 올라가면서 서서히 좁아지는 모습을 보이고 있다.

이 병은 동양에서 원(圓)이 천(天)을 의미하고 각(方)이 땅(地)을 의미한다는「천원지방(天圓地方)」전통적인 우주의 조형원리에 의거하면 제작된 것을 알 수 있고, 베트남이 1450년경 우주의 원리를 충실히 실행하는 유교의 사회였고 도자기를 비롯한 공예품의 제작에서도 유교의 원리를 철저히 반영했다는 것을 알 수 있다.

문양은 주된 문양으로 모란당초문을 사용하고 있다. 모란은 길상(吉祥)문양으로 그 형태가 원말의 청화백자나 명초 특히 홍무시기의 모란문양과 유사하여 원말과 명초의 문양이 15세기 베트남 청화백자의 모델이 되고 있음을 알 수 있다.[7]

---

7) 영락년간에 이루어진 1407년에서 1427년까지 베트남의 점령이 15세기 베트남 청화백자에 어떤 영향을 미쳤는지 구체적으로 15세기 베트남 청화백자에 보이는 영락년간의 청화백자 요소 등은 아직 명확하지 않다.

그리고 모란당초문을 기조로 어깨의 상부에는 원말이나 명초의 짧은 기간에 사용된 칠보문(七寶文)이 시문되어 있다. 칠보문은 중국 및 한국에서 보이는 칠보문보다 양식화되었지만 칠보문의 존재만으로도 15세기의 베트남의 청화백자가 14세기 말이나 15세기 전반의 중국 청화백자로부터 많은 영향을 받았던 사실을 알려주고 있다.[8)]〈그림 12〉

15세기의 베트남 청화백자는 명의 해금정책을 계기로 중국의 무역도자기를 대신하여 동남아 인근을 비롯하여 서아시아 지역까지 수출되기에 이른다. 그리고 이러한 명의 해금정책으로 베트남 청화백자가 부상한 배경에는 중국 남부를 근거지로 동남아시아와 서아시아에서 중계무역으로 막대한 부를 쌓았던 중국상인들이 명의 해금정책으로 대표적인 부가가치 상품이었던 중국 도자기가 무역품으로써 역할을 제대로 하지 못하고, 그로 인하여 엄청난 경제적인 타격을 입게 되면서 중국 도자기의 대안으로 베트남 도자기를 무역품으로 취급한 사실이 있다.

이 시기에 동남아시아 인근에 수출된 베트남 청화백자는 인도네시아를 중심으로 필리핀, 타이 등지에서 발견된다. 이중 인도네시아 자바 마자파히트 왕국(Majapahit 1292~1500)의 유적에서는 당시 수도인 트로우란(Trowulan)을 중심으로 15세기 베트남 청화백자와 궁중의 건설에 사용된 베트남에서 제작된 시유도기가 상당량 발견되고 있다.

그리고 서아시아 지역에서도 이집트 푸스타트 유적을 중심으로 이라크, 이란 등지에서 15세기 베트남 청화백자가 발굴되고 있다. 이집트 푸스타트

8) 칠보문은 원대에 등장하는 문양으로 원말과 명초에 쓰인 주변문양이다. 이러한 칠보문은 15세기 조선청화백자(경기도 도마리요지에서 수습된 청화백자의 접시의 뒤쪽에 칠보문이 시문되어 있다)에도 보이고 15세기 한국, 중국, 동남아시아의 베트남에서 동시에 사용되는 것을 확인할 수 있다.

(Egypt, Fustat) 유적에서 출토된 베트남 청화백자는 질이 아주 좋고 문양이나 코발트의 발색 등이 터키 소장의 1450년 명의 병과 유사하여 15세기 중엽에 베트남 청화백자가 서아시아 지역에 상당량이 반입된 것을 알 수 있다.〈그림 13〉

터키 소장의 병과 동일한 시기의 베트남 청화백자의 대표적인 예로 이란 아르데빌(Iran Ardebil Shrine) 미술관에 소장된 청화백자반이 있다. 이 반은 아르데빌조가 1350년부터 1611년까지 수집한 것에 속하고 화문과 당초문이 내외에 시문되어 있다.〈그림 14〉

〈그림 14〉 이란 아르데빌 미술관 소장의 베트남 청화백자반

〈그림 15〉 필리핀 루손출토의 베트남 청화백자

(2) 16세기

16세기 베트남 청화백자는 마자파히트 왕국의 멸망과 막씨(莫氏)의 왕위찬탈 등으로 전반에는 소강상태에 빠지지만 중반에는 서서히 회복하여 명의 해금정책이 유지되는 후반까지 대량생산이 이루어진다.

16세기 베트남 청화백자는 양산화되면서 15세기 베트남 청화백자에 비하여 전반적으로 질이 좋지 않다. 태토는 거칠고, 백화장을 한 위에 코발트를 발라 코발트의 발색이 흐릿하고 부연하다. 이 시기를 대표하는 베트남 청화백자로 커다란 반(盤)이 있다. 일명 대병(大皿)이라고 불리는 이 반은 서아시아 지역에서 파티 등에서 자주 쓰이는 기종으로 원대 이후 청자나 청화백자로 많은 양이 제작되어 무역품으로 주로 서아시아 지역으로 수출되었다. 그러나 이러한 반이 명의 해금정책으로 서아시아 지역으로 반입되지 못하게 되면서 명의 청자나 청화백자반의 대체품으로 베트남의 청화백자반이 대량으로 만들어지게 된다. 그리고 이러한 베트남 청화백자반은 17세기에는 서아시아뿐만 아니라 서아시아를 통해 유럽에도 전해지게 된다.

그 밖에 16세기의 베트남 청화백자는 실용기 이외 건축용으로 다수 제작되어 인도네시아 자바나 필리핀 등지에 반입된다.〈그림 15〉 특히 자바 마자파히트 왕국을 중심으로 베트남 청화백자로 제작된 타일 등이 집중적으로 발견되고 있고 그 중 1559년 세워진 자바 남부의 만타간 지역의 사원에서 베트남 청화백자타일이 다수 확인되어 자바를 중심으로 16세기 중엽에 타일 등 베트남 청화백자로 만들어진 건축용 자재가 집중적으로 사용된 것을 알 수 있다(Guy 1980, p.146).

(3) 쇠퇴(17~19세기)

17세기에 이르러 유럽인들이 아시아 지역에 진출하면서 동남아 지역은 기존의 중국 상인과 네덜란드들 중심으로 하는 유럽 상인들의 무역 각축장이 된다.

네덜란드 상인들은 인도네시아 자바를 중심으로 상업활동을 하면서 그 활동범위를 베트남을 거쳐 동아시아 지역으로 서서히 확장시켜 나간다. 그들은 1640년 하노이에 상관을 개설하여 명청교체기(1644년)의 정치적 상황 및 청초의 해금정책(1661년)으로 부족했던 중국 도자기의 대체품으로 베트남 도자기를 본격적으로 취급하였다.

네덜란드 상인들이 베트남 도자기를 처음으로 다룬 것은 1631년으로 이후 145만개의 도자기를 무역품으로 취급하기에 이른다(Guy 1980, 149). 그리고 17세기 중엽에는 네덜란드 동인도회사의 선박은 일본 데지마(出島)에서 일본의 도자기를, 베트남 동킨(東京)에서 베트남 청화백자를 실어 인도네시아를 거쳐 유럽에 반입하는 해상 무역의 네트워크를 확립하게 된다. 그리고 이러한 해상 네트워크에서 인도네시아 바타비아(Batavia)는 무역중계지로서 대단한 역할을 수행한다.

그러나 청의 해금청책이 1684년에 풀리고 1683년 중국 무역도자기의 본산인 경덕진이 유럽을 대상으로 한 도자기의 수출을 재개하면서 베트남의 무역도자기의 제작은 급격한 소강상태에 이르게 된다. 이러한 환경에서 베트남의 청화백자는 국외보다 국내시장에서 많은 점유율을 차지하기에 이른다.

이 시기의 베트남 청화백자는 사원에서 사용하는 향로 등 제기가 중심을 이루게 된다. 대표적인 것으로 영수(永壽, 1658~1661)과 영치 2년(永治, 1677)의 향로가 있다.〈그림 16, 16-1〉 이러한 향로는 길쭉한 형태로 태토나 유약은 좋지 않지만 따로 만든 장식이 많이 부착되어 매우 화려한 점이 특징이다.

베트남 청화백자는 14세기 중, 후반에 제작되어 원명교체기와 명의 해금정책이 이루어진 15세기에는 무역품으로 중국 도자기를 대체하기에 이른다. 이 시기의 도자기는 태토와 유약이 매우 좋고, 문양으로 사용된 코발트의 발색이 양호하여 베트남 청화백자의 절정기라고 할 수 있다. 그리고 이 시기를 대표하는 베트남 청화백자의 예로 1450년의 연대를 가진 터어키 톱카피 소장의 베트남 청화백자가 있다.

이러한 베트남 청화백자는 명대의 해금정책이 유지되는 16세기 후반까지 중국 도자기를 대신하여 동남아시아 및 서아시아 지역에서 무역품으로 대활약을 하게 된다. 특히 16세기의 베트남 청화백자는 많은 생산이 이루어지고 서아시아사람들의 생활습관을 반영한 대형의 반들이 집중적으로 제작되기에 이른다.

〈그림 16〉 베트남 청화백자향로, 1677년, 동경국립박물관

〈그림 16-1〉 〈그림 16〉의 세부

그러나 베트남 청화백자는 명대의 해금정책이 풀리는 16세기 후반 이후 중국 도자기에 주도권을 빼앗기게 되어 소강상태에 빠지게 된다. 그리고 베트남 청화백자는 명말 청초의 전환기 나아가 1661년에 시행된 청대의 해금정책으로 잠깐 동안 다시 부활하지만 청대의 해금정책이 풀리고 경덕진에서

다시 무역도자기를 재개한 1683년 이후 베트남 청화백자는 다시 쇠퇴하기에 이른다.

이와 같이 베트남 청화백자는 중국 도자기가 무역품으로 제대로 역할을 하지 못했던 원,명 및 명,청의 교체기 및 명,청의 해금시기에 중국 도자기의 대체품으로 가깝게는 인근의 동남아시아를 비롯하여 중국, 일본 등의 동아시아, 멀게는 이집트, 이란, 이라크 등의 서아시아와 유럽 각지에 반입되어 고부가가치의 무역품을 넘어 각 지역에 베트남 문화권의 형성과 확장에 절대적인 기여를 하게 된다.

Ⅸ 베트남 중부지역과 무역도자기

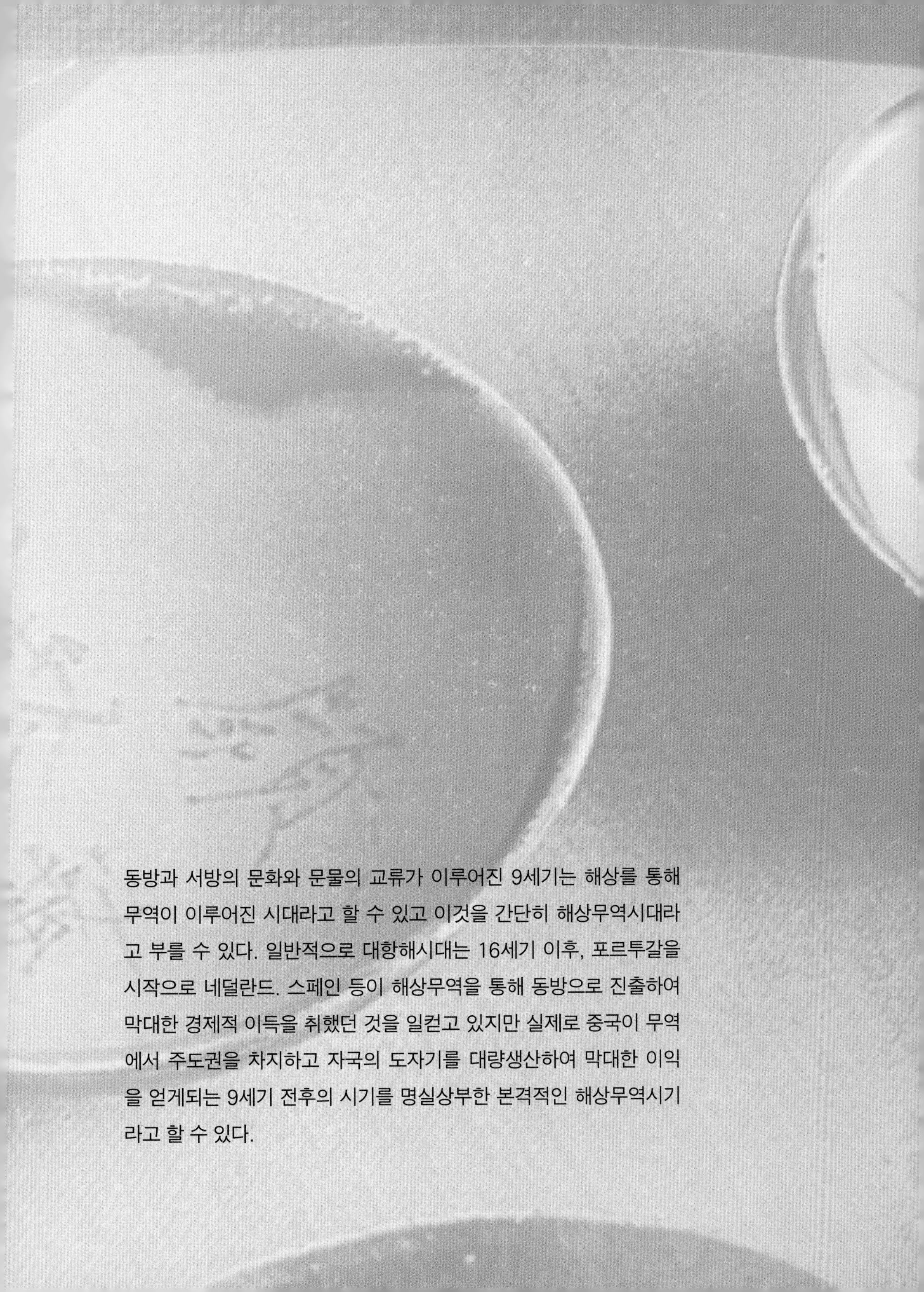

동방과 서방의 문화와 문물의 교류가 이루어진 9세기는 해상를 통해 무역이 이루어진 시대라고 할 수 있고 이것을 간단히 해상무역시대라고 부를 수 있다. 일반적으로 대항해시대는 16세기 이후, 포르투갈을 시작으로 네덜란드. 스페인 등이 해상무역을 통해 동방으로 진출하여 막대한 경제적 이득을 취했던 것을 일컫고 있지만 실제로 중국이 무역에서 주도권을 차지하고 자국의 도자기를 대량생산하여 막대한 이익을 얻게되는 9세기 전후의 시기를 명실상부한 본격적인 해상무역시기라고 할 수 있다.

인류의 문명이 발전하면서 각 지역의 특산품은 육지나 바다의 길을 통해 다른 지역으로 반입된다. 고대 인류문명의 발상지 중의 하나이고 동시에 동양 문명의 시원지인 중국의 문화는 한대(漢代) 이후부터 아시아 및 유럽 등에 이입되어 각 지역의 문화에 많은 영향을 미치게 된다.

이것은 한대 무제가 팽창정책을 실시하면서 한대의 영향력이 동쪽의 한국, 서쪽의 우크라이나, 남쪽의 베트남 등에 이르게 되면서 한대의 문화가 범아시아와 유럽의 영역을 넘어 폭넓은 문화권을 형성했던 배경이 있다.[1]

한대의 문화가 아시아 전역으로 확대되는 과정은 평양지방을 중심으로 하는 낙랑유적의 발굴 및 베트남 북부지방에서 대량으로 출토되는 한대유물 그리고 최근 우크라이나 유적에서 발굴된 한대 칠기 등을 통해 그 전모의 일부가 밝혀지고 있지만 아직 해로를 통해 한대 유물이 다른 나라로 이입되는 과정은 아직 불투명한 단계라고 할 수 있다.

중국 문명과 문화가 해로를 통해 본격적으로 동아시아, 동남아시아, 서아시아에 전해진 것은 9세기에 이루어진다. 9세기 전반과 중엽 중국의 무역도자기가 대량으로 제작되어 그 일부가 바다의 길을 통하여 동남아시아를 거쳐 서아시아 지역에 반입되면서 중국의 문화 및 중국 취미가 서방으로 전해지는 계기를 마련하게 된다. 그리고 이 시기에는 동방의 문물만이 아닌 서방의 유물이 해로를 통해 전해진다. 즉 서아시아에서 제작된 녹유도기와 유리기가 동남아시아와 동아시아 전역에 반입되기에 이른다.

이와 같이 동방과 서방의 문화와 문물의 교류가 이루어진 9세기는 해상를 통해 무역이 이루어진 시대라고 할 수 있고 이것을 간단히 해상무역시대라고 부

1) 최근 한대 칠기가 우크라이나에서 발견되어 그에 대한 전시가 일본 나고야박물관에서 개최되었다. (奈良國立博物館, 特別展示修復完成記念, 『シルクロードを旅した漢代漆器』, 2011)

를 수 있다. 일반적으로 대항해시대는 16세기 이후, 포르투갈을 시작으로 네덜란드. 스페인 등이 해상무역을 통해 동방으로 진출하여 막대한 경제적 이득을 취했던 것을 일컫고 있지만 실제로 중국이 무역에서 주도권을 차지하고 자국의 도자기를 대량생산하여 막대한 이익을 얻게 되는 9세기 전후의 시기를 명실상부한 본격적인 해상무역시기라고 할 수 있다.

1. 해상 무역과 도자기 수출

아시아는 9세기 전후로 해상무역시대에 들어간다. 이 시기에 당대(唐代)는 아시아 전역에서 전개된 중국 취미의 유행과 이에 따른 중국 문화권 확대의 기조에서 해상무역을 통한 도자기 판매를 통하여 경제적인 번영을 이룬다. 서아시아 아파스 왕조 역시 당(唐)에 버금갈 정도로 장거리 무역을 통하여 왕조 번영의 기반을 쌓게 된다. 9세기 전후에는 당과 아파스왕조가 해상무역을 주도하기에 이른다.[2)]

9세기 이후 해상무역시대의 주요 아이템인 중국 도자기는 몬순기후나 계절풍을 이용하여 인도양을 지나가는 바다의 길을 통하여 광동에서 바스라, 시라프까지 약 6개월 정도 걸쳐 서아시아 지역으로 반입된다.[3)]

이러한 바다의 길을 통해 아시아 전역에 전해진 당대도자기는 중국과의 교류에 관한 문헌이 충실하지 않고, 남아있을지라도 단편적인 사료에 그치고 있는 동남아시아 베트남, 인도네시아, 타이 등의 역사와 문화를 연구하

2) 佐々木達夫,「Ceramic Trade via the Oceans」,『金大考古』67, 2010, p.30

는데 중요한 의미를 지니고 있다. 그리고 동남아시아에서 출토되고 있는 중국 도자기는 각 지역에 따라 약간 다른 경향을 보이지만, 전반적으로 당대(唐代), 원대(元代), 청대(淸代)의 도자기가 압도적으로 많아 무역의 주축을 이루고 있다.

그리고 16세기 이후에는 포르투갈 및 네덜란드 등이 아시아의 자원을 손에 넣기 위하여 아시아에 진출한다. 이 시기에 포르투갈은 아시아의 주요 항과 도시들을 공격하여 무역거점을 구축하여 이후 네덜란드, 영국, 스페인, 프랑스 등이 아시아에 진출하는 계기를 마련하게 된다.

스페인은 1571년 필리핀을 정복하여 18세기 중엽까지 마닐라를 거점으로 대량의 중국 도자기를 멕시코 등지에 반입시켜 해상무역에 의한 도자기의 수출은 아시아와 유럽을 넘어 아메리카대륙에서도 이루어지게 된다. 그리고 이러한 사

---

3) Hourani, G.F., "Arab Seafaring in the Indian Ocean in Ancient and Early Medieval Times", Princeton Oriental Studies, Vol.13, New York: Princeton University Press, 1951, pp.63~68
중국 도자기가 서아시아 지역으로 반입된 무역루트에 대해서는 10세기 경, 서아시아에서 출판된 슐레이만(Sullayman)과 아부 자이드(Abu Zayd)에 의해 쓰여진 Akhbar al-Sin wal-Hind와 부즈르크 이븐 샤후리야르가 저술한 Kitab Ajaib al-Hind 라는 책을 통하여 알 수 있다. 이러한 책을 통해 서아시아 사람들이 이용했던 인도양의 루트는 여러개가 사용된 것을 알 수 있고 이 중 도자기와 밀접한 관계를 가진 중국 광동(廣東)에 이르는 노선은 아래와 같다. 쥬다(Juda)를 출발하여 시라프(Siraf)를 거쳐 스하루(Suhar), 마스카트(Musqat)에서 티즈 마크란(Tiz Makran), 데이불(Day bul), 칸바라(Kanbara), 세이머(Saymur), 타나(Tana), 크람 마네이(Kulam Malay)에 도착하는 코스, 또는 스하루, 마스카트에서 크람마네이에 직항 내지 마스카트로부터 라스 알 하드(Ras al-Hadd)를 우회해서 아텐(Adan) 등 남아랍지방의 여러 항을 거친 후 인도양을 횡단한다. 그리고 알 디바제트(al-Dibajat)를 경유해서 스리랑카 북부교역항 만타이(Manthai)에 도달한다. 페르시아에서 인도로 진입하는 길은 2가지 있다. 하나는 인도양 횡단항로로 아리비안 반도의 아덴 근처에 출발해서 아라비안을 넘어 남인도 마라바-루해안에서 도착한다. 또 하나는 연안항로이다. 페르시아 만을 출발해서 인도의 서해안을 북방해서 파키스탄의 인더스강의 하구에 도착한다. 현재 카라치의 동방에 밤볼항이 있다. 그리고 서남인도의 마라바-루 해안에 도착한다. 그리고 알 디바제트(al-Dibajat)를 경유해서 스리랑카 북부교역항 만타이(Manthai)에 도달한다. 그리고 마나류(Mannar)해엽을 통과해서 말레지아 반도의 카라바(Kalahbar), 마라카해엽의 샤라트(Shalaht) 스마트라(Sumtra), 라무이(Ramui), 사마쟈(Sarbaza), 자바이(Zabaj), 티유마(Tiyuma) 등을 경유해서 칸드란(Kandranj), 쿠말(Qumar), 슌다(Sundar), 프라트(Fulat), 바발신(Babal-Sin)을 거쳐 광동(廣東)에 이르게 된다. (三上次男, 『陶磁の道』, 中央公論美術出版, 2000, pp.150~151)

실은 최근 멕시코 아카풀코(Acapulco)의 도시건설과정에서 많은 양의 중국 도자기가 발견됨으로써 16세기 후반 이후 도자기의 교역를 통한 동, 서양의 문화교류를 연구하는 중요한 지표가 되고 있다.

이와 같이 해상무역에 의한 중국 도자기의 수출은 각 시대에 따라 도자기의 생산지, 도자기를 운반한 선박, 그리고 도자기를 수입한 나라의 3개의 다른 영역에서 이루어진 것으로 당시 경제적 이익을 배경으로 자연스럽게 전개된 문화교류를 이해하는데 매우 중요한 의미를 가지고 있다.

2. 베트남 중부지역 출토 무역도자기

베트남 중부지역의 역사는 기원전까지 올라간다. 이 지역에서는 기원전 4세기부터 2세기에 걸쳐 꽃을 피웠던 고대 동남아시아의 해양문화인 사후인(Sa Huynh)문화가 전개되었고, 2세기 이후 참빠왕국의 터전이 되어 중국과 서아시아 상인들이 자국의 무역품이나 동남아시아 특산물을 구입하거나 팔기 위해 들르는 중계무역의 중심지가 되어 활발한 동서문화의 교류의 장이 된다.

현재 이 지역에는 투본(Thu Bon)강 연안을 중심으로 참빠왕국의 수도였던 짜끼에우(Tra Kieu, 茶蕎) 유적을 비롯하여 수 많은 유적들이 남아있다. 각 유적에서는 중국 도자기 및 서아시아 녹유도기나 유리기가 출토되어 베트남 중부지역이 중국과 인도 그리고 서아시아를 연결하는 중계무역항이었다는 것을 증명한다. 베트남 중부지역의 주요 유적과 이 유적들에서 나온 무역도자기는 다음과 같다.

1) 베트남 중부지역의 유적

베트남 중부지역의 유적은 호이안의 투본강과 참빠유적 그리고 무역항으로 중요한 역할을 한 꾸라오 짬(Cu Lao Cham) 섬 등이 있다.〈지도 1〉

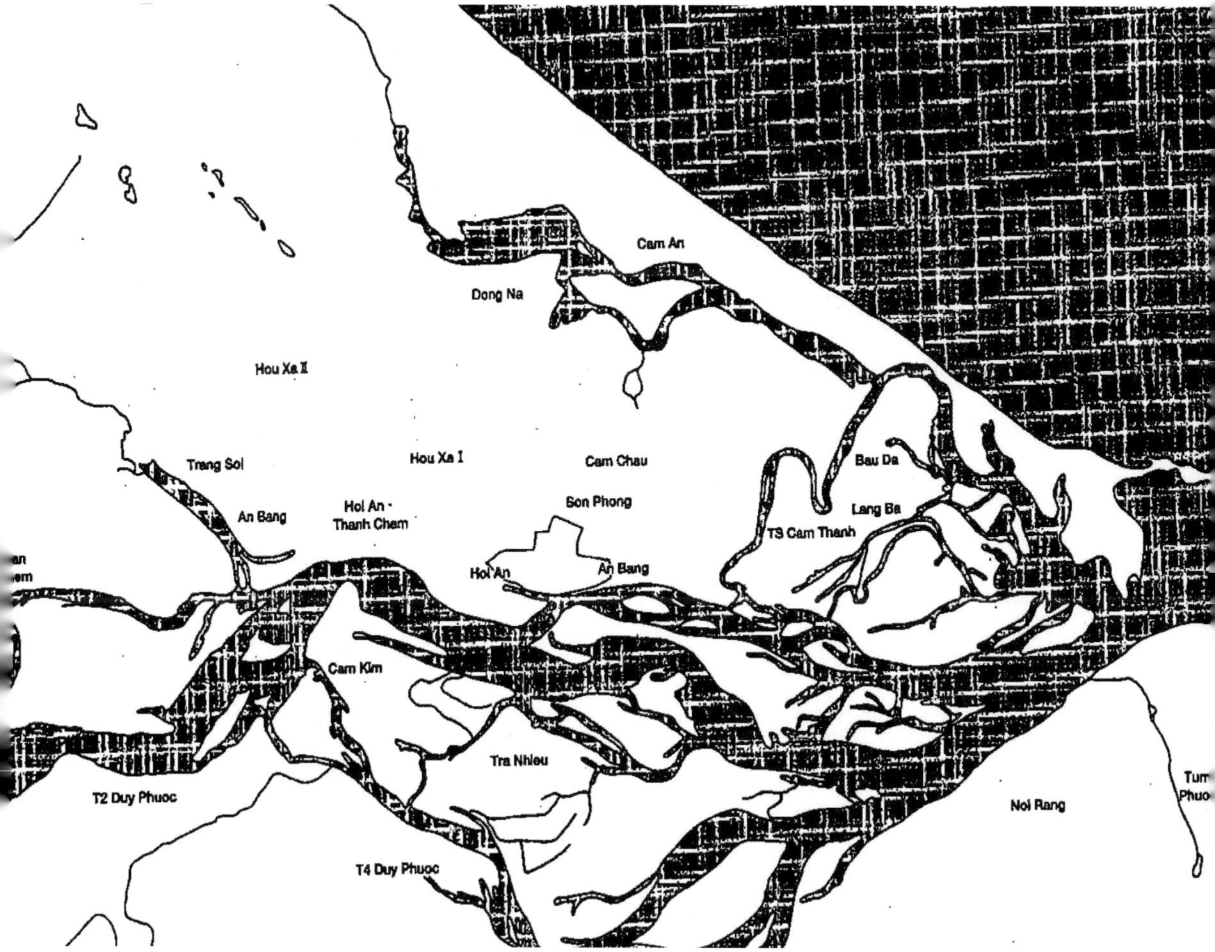

〈지도 1〉 베트남 중부 주요 유적

(1) 호이안 투본강(Thu Bon River)

기원전 4세기부터 기원후 1세기까지 3백여년 동안 호이안을 중심으로 사후인(Sa Huynh)문화가 전개된다.[4] 사후인문화 유적은 호이안 투본강의 모래 언덕에 분포하고 있다. 대표적인 유적으로 호우사(Housa), 안반(An Bang) 등이 있고 유적의 대부분은 옹관묘로 구성되어 있다.

이러한 유적군에서는 중국 동전인 화천(貨泉)[5] 및 동경 등 한대 전후의 유물들이 출토되어 중국 남부와 교류가 있었던 것으로 생각되고 방사능탄소 C14 측정연대는 2260±90B.P이다.[6]

(2) 호이안 참빠유적

호이안 참빠유적은 짱쏘이(Trang Soi), 호우사, 캄포, 바우다 등으로 투본강 왼쪽의 모래언덕과 하구 왼쪽의 모래언덕으로 분포하고 있다. 짱쏘이 유적을 시작으로 9세기 월주요 청자와 장사요 청자 및 서아시아도기, 유리기 등이 출토되고, 하구 부근에서는 베트남 북부(大越)와 송대가 대치하는 동안 베트남 중부지역을 거점으로 송과 활발한 무역을 하였던 참빠왕국의 활약으로 12~13세기의 중국 유물이 지속적으로 출토된다.

그리고 이 지역은 송사(宋史)의 기록에 점성(占城, 참빠)으로부터 유리기가 헌상되었다는 기록을 확인할 수 있어 이 지역이 서아시아의 유물이 동아시아로

---

4) 사후인문화는 1923년 베트남 꽝응아이(Quang Ngai) 성(省)의 사우인 해안에서 이루어진 발굴을 계기로 세상에 알려졌고 기원전 2세기~기원후 2세기에 걸쳐 서쪽의 캄보디아 톤래샵(Tonle Sap), 중부 타이, 동쪽의 필리핀 등지에 퍼졌던 토기와 유리기 등의 장신구가 유명하다.

5) 화천(貨泉)은 중국 신대(新代)의 동전으로 천봉(天鳳) 1년(기원 14)에 처음 주조되었다.

6) 阿部百里子・菊池誠一,「ホイアン地域の遺跡分布調査」,『昭和女子大学国際文化研究所紀要』8, p.54

반입되는 중계지역으로 중요한 역할을 했던 것을 알 수 있다.[7)]

그러나 호이안 지역은 참빠왕국이 멸망한 1471년과 광남원씨(廣南阮氏)가 수도를 남쪽으로 옮기는 1558년에는 대월(大越)지역으로 편입되어 이 시기의 유적과 유물은 눈에 띄게 감소하여 이 지역은 중계무역지로써 제대로 역할을 하지 못한 것을 알 수 있다.

이후 명의 해금정책이 해소되고 중국의 민간 무역이 활성화되면서 16세기 말과 17세기에 이르러 호이안 지역에는 투본강 유역을 중심으로 많은 유적이 형성된다. 대표적인 유적으로 안반, 호우싸, 짱쏘이, 돈나, 꾸라오짬 등이 있다.

(3) 꾸라오 짬 (Cu Lao Cham) 섬

호이안에서 동북쪽으로 20km 지점에 있는 꾸라오 짬섬은 지정학적으로 베트남 중부의 주요 중계 무역항으로 중국 상인들이 서아시아로 진출하거나, 서아시아 상인들이 중국 남부에 진입할 때 반드시 통과하는 곳이었다.

이 섬은 베트남 대륙쪽은 해안이 펼쳐져 있고 중앙 부분을 중심으로 촌락이 형성되어 있다. 반대쪽은 험난한 산으로 이루어졌고 중국 남부 해안을 감시하기 위한 군사시설이 설치되어 있다. 이 섬에 대한 고고학적인 발굴은 1990년 이후 하노이대학, 호이안 유적 보존관리센터에 의해 이루어졌다.

2) 베트남 중부지역 출토 9, 10세기 무역도자기

베트남 중부 유적에서 출토된 무역도자기는 중국 도자기, 서아시아의 것으로 나눌 수 있다. 중국 도자기는 한대의 것이 일부 확인되고 있지만 본격적인 무역

7) 점성에서 송에 유리기를 바친 기록은 『宋史』 489 列傳 248 占城에서 보인다. 후주 현덕(後周 顯德) 년간(954~960) 용기로 쓰인 유리병, 건륭(建隆) 2년(961) 공물로 바쳐진 대식병(大食瓶) 20개, 희령(熙寧) 원년(1068) 유리산호주기(瑠璃珊瑚酒器) 등이 보이고 있다.

도자기의 반입은 9세기에 이루어진다.

베트남 중부에서 출토되는 9, 10세기 무역도자기는 중국의 월주요 청자, 장사요 청자, 형요백자와 서아시아의 녹유도기와 유리기가 대표적이라고 할 수 있다. 그리고 일부이지만 송대도자기로 요주요 청자, 정요백자, 광동지역의 백자, 경덕진요의 청백자 등이 출토되고 있다.

그러나 이 지역은 참빠왕국이 멸망하는 1471년부터 광남원씨(廣南阮氏)가 수도를 남쪽으로 옮기는 1558년 이전까지 외부문화가 일시 두절되면서 중국을 비롯한 무역도자기의 반입이 어려워진다. 이러한 외래문화의 두절과 무역도자기의 소강은 명대의 해금정책의 시기와 일치하는 것으로 베트남 중부의 유적뿐만아니라 동남아시아 유적에서 보이는 공통적인 현상으로 해석할 수 있다. 이후 이 지역은 명대 해금정책이 해소되는 16세기 후반부터 중국 도자기의 상당량이 반입되기에 이르고 17세기 전반에는 절정에 이른다.

(1) 중국 도자기

베트남 중부지역에서 출토되는 중국 도자기는 월주요 청자(越州窯青磁), 장사요 청자(長沙窯青磁), 형요백자(邢窯白磁) 등이 있다. 월주요 청자는 짜끼에우, 호우싸(Hau Xa), 꾸라오짬섬 유적지에서 출토되었다. 짜끼에우 유적에서는 9세기와 10세기의 월주요 청자가 출토되었다.[8] 9세기 월주요 청자는 무문으로 굽은 해무리형으로 접지면이 넓다.

꾸라오 짬섬에서 출토된 10세기 월주요 청자는 한국이나 일본의 10세기 유적에서 출토된 예와 유사하고 굽의 접지면이 좁고 굽안에는 원형의 도침을 받쳐 구운 흔적이 뚜렷하게 남아있다.〈그림 1〉 유색은 담회갈색이고 문양은 없다.

---

8) 짜끼에우 유적은 다낭성에 위치하고 참빠왕국의 수도로서 11세기까지 유지되었다.

〈그림 1〉 꾸라오 짬섬 출토 월주요 청자

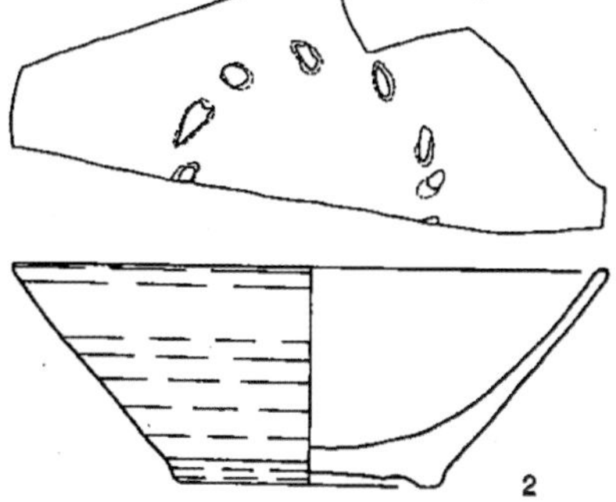

〈그림 2〉 호우싸 출토의 월주요 청자

10세기의 월주요 청자는 베트남 중부 짜끼에우, 호우싸 지역에서도 출토되었다. 문양으로는 완의 내부에 중연판이 시문되었고, 굽의 접지면은 좁아져 윤형이다. 굽안에는 겹쳐 구운 흔적이 링형태로 남아있어 링형의 도침을 사용하여 구운 것을 알 수 있다. 일부 대접의 내부에는 겹쳐 구운 흔적이 10여군데 남아있고 필리핀, 인도네시아, 이란 등지에서 출토되는 10세기 후반의 월주요 청자와 유사하다.〈그림 2, 3〉

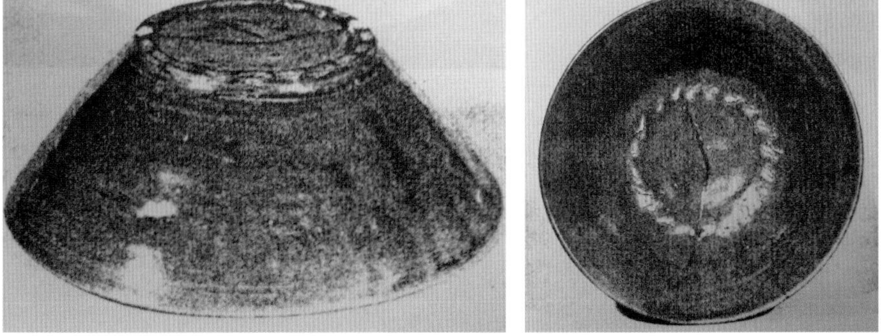

〈그림 3〉 이란 출토 월주요 청자

〈그림 4〉 꾸라오 짬섬출토 장사요 청자

〈그림 5〉 안압지 출토 장사요 청자완

이와 같이 짜끼에우와 꾸라오 짬섬 등 베트남 중부에서는 9세기 중엽과 10세기 후반의 월주요 청자가 일정량이 반입된 것을 확인할 수 있다. 수량적으로는 9세기 중엽의 것은 적고 10세기 후반의 것이 많다. 9세기 중엽의 월주요 청자는 베트남이외 필리핀과 인도네시아 등 동남아시아 지역에 전반적으로 반입되었다고 예상되지만, 각 유적에서 출토된 예는 아직 미확인 상태이다.

그러나 중국 절강성에서 생산된 9세기 중엽의 월주요 청자가 서아시아 이집트 푸스타트(Egypt, Fustat) 유적에서 출토되어 중계무역지역인 베트남 중부지역에서 9세기 월주요 청자가 출토될 가능성은 높다.

이와 같이 베트남 중부에서 발견된 9, 10세기의 월주요 청자는 생산지에서 가까운 절강성 영파를 출발하여 광주와 복건을 거쳐 베트남 북부지역에

군집한 콩타이(Cong Tay)와 콩돔(Cong Dome) 등의 소형 무역항을 경유하여 반돈(Van Don) 과 하이퐁(Hai Phong)의 베트남 북부 주요 항을 통과하여 중부의 쿠라오 참 등을 거쳐 동남아시아의 전지역과 서아시아로 반입된 것으로 생각된다.

베트남 중부 꾸라오 짬섬에서 출토되는 장사요 청자는 고식인 8세기 후반의 것과 9세기 전반 내지 중엽의 것으로 구분할 수 있다. 8세기 후반의 장사요 청자는 꾸라오 짬섬에서 출토되고 문양은 없고 유약이 담회갈색의 것이 대부분으로 발색이 좋지 않다. 굽은 해무리 형이다.〈그림 4〉

이러한 담갈색의 유색을 가진 조질의 장사요 청자완은 경주 안압지나 일본 등지에서 소량이 보여 8세기 후반의 장사요 청자 일부가 동아시아의 한국과 일본 그리고 베트남 중부지역에 일부 반입된 것을 확인할 수 있다.〈그림 5〉

9세기 전반의 장사요 청자는 꾸라오 짬섬에서 발견되었다. 이 장사요 청자는 소형완으로 갈색으로 채색을 한 것으로 내부에는 진한 갈색으로 문자를 쓴 것도 있다〈그림 6〉. 거의 동일한 예가 일본과 필리핀, 인도네시아 이란 등지에서 발굴되었다. 최근 인도네시아 벨리퉁(Belitung) 해안의 침몰선에서 나온 다량의 장사요 청자가 인양되었고, 이 유물 중에 베트남 꾸라오 짬섬에서 출토된 글씨가 쓰여진 장사요 청자가 인양

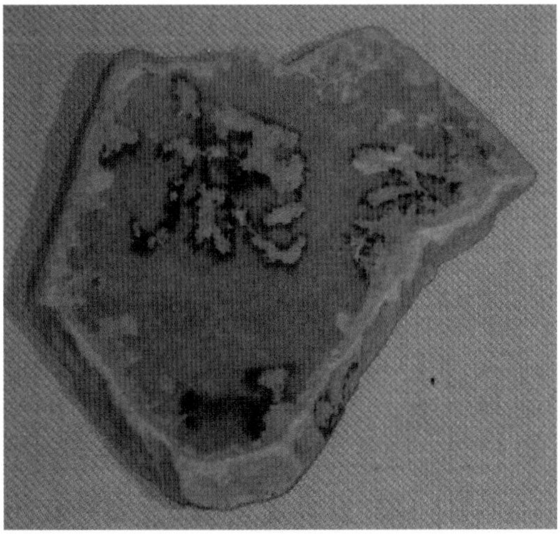
〈그림 6〉 꾸라오 짬섬 출토, 장사요 청자

되어〈그림 7〉, 장사요 청자가 꾸라오 짬섬을 경유하여 인도네시아 해안을 통과한 사실을 알 수 있다.

그리고 베리퉁 해안에서 출토된 장사요 청자에는 보력(寶歷) 2년(826) 7월 16일이라는 연대를 가진 추정할 수 있는 글씨가 나와 이 도자기를 싣고 가던 배가 826년경에 침몰한 사실을 알려주어, 베트남 꾸라오 짬섬과 이란 시라푸(Iran Siraf)유적 등에서 출토된 글씨가 쓰여진 장사요 청자 역시 826년경에 제작된 것으로 아시아 각 지역으로 반입된 것으로 여겨져, 9세기 전반의 중국 도자기의 편년과 무역로를 추적하는 데 매우 중요한 위치를 차지하고 있다.[9)]

〈그림 7〉 인도네시아 벨리퉁출토, 장사요 청자

〈그림 8〉 꾸라오 짬섬 출토, 형요백자

9) 경주지역에서는 826년경에 제작된 장사요 청자완이 발견되지 않았지만 인도네시아 베리퉁 해안 침몰선에서 826년의 완과 함께 인양된 장사용 주전자가 경주 동천동유적에서 발견되고 있어 826년에 제작된 장사요 청자가 경주지역에 반입되었을 가능성이 높다.

베트남 중부에서 출토되는 형요백자는 소량으로 짜끼에우 유적 및 꾸라오 짬섬에서 보이고 있고 굽은 해무리형이다.〈그림 8〉 이 형요백자는 동아시아의 한국이나 일본 그리고 동남아시아와 서아시아의 9세기 유적에서 출토되는 당대도자기로서 월주요 청자, 장사요 청자와 함께 중국 초기무역도자기의 3개의 세트를 이룬다. 이 밖에 베트남 중부 짱쏘이유적에서는 12세기 광동 서촌요(廣東 西村窯)에서 제작된 봉황의 머리를 한 병이 출토되고 있어 베트남과 광동지역 해상무역의 실태를 알려주고 있다.[10)]

(2) 서아시아 도자기와 유리기

베트남 중부지역에는 짜끼에우를 비롯하여 꾸라오 짬섬 등에서 연유도기의 일종인 서아시아에서 제작된 녹유도기가 출토되고 있다. 연유도기는 산화연을 매용제로서 산화철과 산화동 코발트 망간 등을 넣어 갈유, 녹유, 홍유, 람유 등을 발색시킨 것으로 녹유도기는 연유도기의 일종으로 매용제로써 산화동을 넣은 것이다.

동아시아에서 연유도기가 활발하게 된 것은 한대(漢代)이다. 한대 연유(녹유)도기 탄생의 배경에는 중국자생설과 로마시대 연유도기의 영향설이 있다. 유바타다노리(弓場紀知)는 한대의 연유도기가 중국이 자체적으로 발명했을 가능성을 제시하고 있다. 그 이유로 전국시대 이래 화북지역에서 연바륨글라스가 제작된 것 그리고 서아시아의 연유도기의 기종과 중국의 연유도기의 기종이 다르다는 사실을 제시하고 있다.[11)]

그러나 최근 페르시아 바레인의 기원전후의 묘에서 로마시대의 녹유도기의 호, 병, 완과 로마글라스가 대량으로 출토되고, 베트남 옥에오(Oceo)유적에서

10) 阿部百里子 · 菊池誠一, 「ホイアン地域の遺跡分布調査」, 『昭和女子大学国際文化研究所紀要』 8, 2003, pp.11~57

11) 弓場紀知, 『中国の陶磁 三彩』, 平凡社, 1995

로마 금화가 발견되어 로마의 녹유기술이 서아시아를 거쳐 중국의 연유도기의 제작에 영향을 주었을 가능성은 부정할 수 없다.[12)]

이와 같이 기원 전후 유럽과 서아시아에서 오랫동안 제작된 녹유도기는 베트남 중부 유적에서 확인할 수 있다. 짜끼에우 유적에서는 서아시아에서 제작된 녹유대호의 구연부가 출토되고 있다. 그리고 꾸라오 짬섬에서도 1990년에 이루어진 답사와 1998과 1999년의 발굴로 녹유도기가 출토되었고 현재는 호이안 무역도자박물관에 전시되어 있다.〈그림 9〉 출토된 녹유도기는 호의 구연부로 손잡이의 일부가 남아있다. 그 밖에 짱쏘이(Trang Soi) 등에도 녹유도기가 출토되었지만 상세한 정보는 알 수 없다.[13)]

〈그림 9〉 꾸라오 짬섬 출토 녹유도기(좌)와 실측도

12) 今村啓爾, 「都市 · 国家 · 貿易」, 『日本と南海の考古学』, 季刊考古学 66, 1999, p.49

13) 岡野智彦, 「9~10世紀のイスラム陶器の東西交流」, 『考古学ジャーナル』 464, 2000, p.27

베트남에서 출토되는 녹유도기는 커다란 호가 대부분으로 무역품이 아닌 무역품을 넣기 위한 용기로 사용된 것으로 추정된다. 베트남 이외 동남아시아에서 녹유도기는 타이, 필리핀 등지에서 발견된다. 타이 고고 카오(Koh Kho Khao)섬에서는 백유람채와 함께 약 30여점의 녹유도기의 일부가 발굴되었다. 필리핀 바랑가이(Balanghai)유적에서는 서아시아 청유도기대호 파편이 1점 발굴되었고, 민다나오 암바고(Ambago)지구 유적에서 서아시아 대호파편이 출토되었다.[14)]

그리고 녹유도기는 동아시아 중국과 일본에서 확인되고 있다. 중국 출토의 서아시아 녹유도기는 복건성과 강소성에서 확인되었다. 복건성 복주시의 유화(劉華)묘에서 묘지(墓誌)와 함께 이슬람 도기, 중국 도자기와 서아시아 도기가 발굴되었다. 묘지에 의하면 묘주인 유화는 장흥원년(長興元年, 930)에 사망했다. 부장품으로 서아시아에서 제작된 녹유도기대호가 3점이 발굴되었다. 유약은 두껍고 태토는 붉은색이다.[15)]〈그림 10〉

그리고 1965년 강소성의 양주(揚州)에서 서아시아의 녹유대호가 발굴되었다.[16)] 이 호는 높이 38cm, 저경 10cm로 2개의 손잡이가 목에서 어깨부분에 놓여있다. 유약은 전면에 시유되었고, 태토는 황색이다. 문양은 파도문이 주를 이루고 있고 목부분에는 불규칙적인 파도문이 2중으로 돌아가고 있다.〈그림 11〉

---

14) 山本信夫, 「日本・東南アジア地域において9~10世紀の貿易とイスラム陶器」, 『国立歴史民族博物館研究報告』, 2002, p.95

15) 福建省博物館, 「五代閩國劉華墓發掘報告」, 『文物』 1975-1, 1975, pp.62~73

16) 양주는 당대 국제무역이 활발하게 이루어진 곳으로 대식(大食, 아랍인) 등 많은 나라의 외국상인이 상주했다.

〈그림 10〉 유화묘 출토 녹유도기

〈그림 11〉 양주출토 녹유도기

한국 안압지에서도 서아시아의 녹유도기가 출토되고 있다.〈그림 12〉 이 녹유도기는 항아리의 일부분으로 생각되고 한국의 녹유에서 보이는 박락현상이 거의 보이지 않아 중국 녹유도기일 가능성이 높다. 진한 초록색의 유색 역시 타이, 베트남 지역에서 출토되는 녹유도기의 유색과 유사하다. 나아가 이 녹유도기는 월주요 청자, 형요백자, 장사요 청자와 함께 출토되어 9세기 전반 내지 중엽 경에 경주지역에 반입된 것으로 여겨진다.

일본에서 서아시아 녹유도기는 코로우칸, 다자이후의 주변유적에서 출토되고 있다. 코로우칸은 외국과의 교류를 위한 공관의 터로 9세기와 10세기의 중국 무역도자기가 대량으로 출토되었다. 이 유적의 SB11, SK02, SK75층 위에서 40여점의 녹유도기가 출토되었고 9세기 말이 상한이다.[17] 〈그림 13〉 이 중 SK02 유적에서는 녹유도기와 함께 유리기도 출토되고 이러한 동반은 베트남 꾸라오 짬섬 및 경주 유적에서 확인할 수 있다.[18]

이 밖에 하카다(博多)유적과 하라노쯔지(原の辻)유적에서도 녹유도기가 출토되고 있으나 대부분이 작은 파편으로 일본의 토기와의 공반을 통해 12세기의 것으로 추정하고 있으나 정확한 연대 추정은 불가능하다.[19]

〈그림 12〉 안압지 녹유도기

〈그림 13〉 일본 코로우칸 출토녹유도기

그리고 베트남 중부 꾸라오 짬섬에서도 녹유도기와 함께 서아시아에서 제작된 9세기의 유리기가 확인되고 있다. 베트남에서 유리기의 존재는 송사 (宋史) 중에 참빠에서 유리기를 바쳤다는 기록을 통해 알 수 있다.[20]

---

17) 山本信夫, 「日本 · 東南アジア地域において9~10世紀の貿易とイスラム陶器」, 『国立歴史民族博物館研究報告』, 2002 p.90

18) 山崎純男, 「鴻盧館跡」, 『福岡市埋藏文化財調査報告書第 270集』, 福岡市教育委員會, 1991

19) 山本信夫, 「日本 · 東南アジア地域において9~10世紀の貿易とイスラム陶器」, 『国立歴史民族博物館研究報告』, 2002, p.98

20) 주 6 참고

이러한 사실은 최근 꾸라오 짬섬에서 중국의 월주요 청자, 장사요 청자, 형요 백자, 서아시아의 녹유도기와 함께 서아시아에서 제작된 유리기가 발굴되어, 〈그림 14〉 서아시아에서 제작된 유리기가 중국을 비롯한 한국 일본 등 동아시아 지역으로 반입되는 과정에서 베트남 꾸라오 짬섬을 비롯한 베트남 중부지역이 중계의 역할을 한 것을 알 수 있다.

그 밖에 9세기의 유리기가 타이 중부서안 고 고 카오(Koh Kho Khao)와 동쪽해안 렘포(Laem Pho) 등에서 발굴되어,[21] 서아시아에서 제작된 유리기가 타이와 베트남 중부 꾸라오 짬섬 등을 거쳐 양주 그리고 부산 그리고 일본 서부지역으로 반입된 것으로 여겨진다.

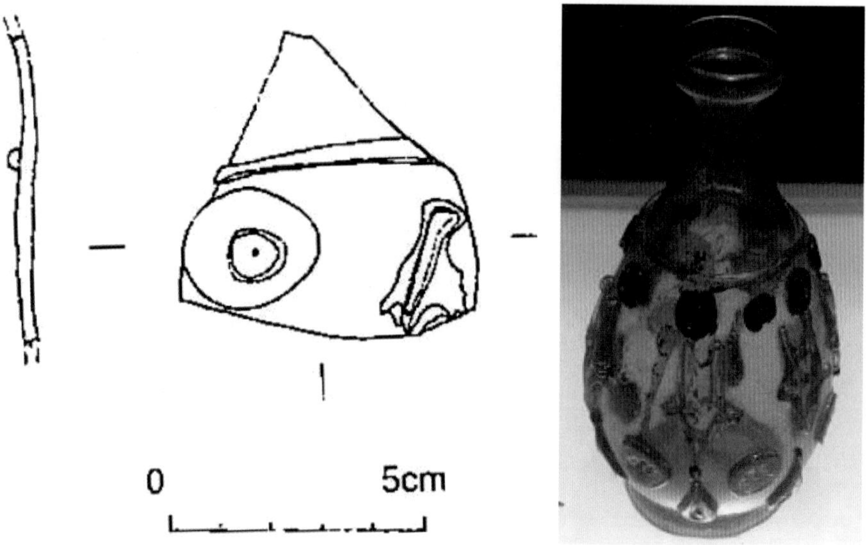

〈그림 14〉 쿠라오 참섬 출토 서아시아 유리기(좌)와 중국 법문사 출토 유리기(874년경)

21) Bronson. B., "Chinese and middle Eastern Trade in Southern Thailand During the 9th Century A.D"., Ancient Trade and Cultural Cintacts in Southeast Asia, 1996

위에서 언급한 것처럼 베트남 중부지역에서 출토된 중국 초기무역도자기인 월주요 청자, 장사요 청자, 형요백자의 존재를 통하여 중국의 도자기가 베트남 중부지역을 경유하여 인도네시아, 인도를 거쳐 서아시아로 수입한 것을 알 수 있다. 그리고 베트남 중부지역에서 발굴된 서아시아의 녹유도기와 유리기를 통하여 서아시아의 무역도자기와 유리기가 베트남을 경유하여 중국 그리고 한국과 일본으로 반입된 것으로 간주된다. 이러한 사실은 한국 경주와 일본 서부에서 출토되는 9, 10세기의 유리기의 기종과 형태 그리고 제작기법이 베트남 중부에서 출토된 유리기와 동일한 것에 유추할 수 있다.

이와 같이 중국 · 한국 · 일본에서 출토되는 서아시아에서 제작된 녹유도기와 유리기는 베트남 중부지역에 반입된 후 베트남 북부지역을 거쳐 중국 남부의 광주, 천주, 명주, 항주 등 무역항에 전해져 동아시아의 무역로를 추정하는 데 도움이 된다.

그리고 중국에 전해진 서아시아의 녹유도기와 유리기는 당시 중국에 거주하면서 신라와의 무역에서 주도권을 가진 신라상인에 의하여 한국과 일본 등지로 다시 반입된 것으로 추정된다. 신라상인이 중국에서 한국과 일본에 대한 무역에서 주도권을 차지했던 것은 8세기에서 9세기 초반의 시기이다. 이 시기에 이정기(李正己), 이납(李納), 이사고(李師古), 이사도(李師道)가 산동반도에서 해상권을 장악하였고, 9세기 전반 대상(大商)인 장보고가 일본 다자이후에 대한 공적인 무역을 요구하고 찌쿠젠(筑前) 훈야노미야타마로(文室宮田麻呂)가 장보고와 교역관계를 맺게 되어,[22] 8세기와 9세기에 걸쳐 이씨 일가와 장보고 등 신라상인이 중국을 거점으로 한국과 일본을 상대로 한 무역에서 주도권을 차지하

22) 榮原永遠男, 「古代の難波をめぐる国際交易ネットワーク」, 『都市文化研究』Vol. 8, 2006 p.64

고 이러한 배경에서 그들이 중국에 전해진 녹유도기와 유리기를 다시 한국과 일본에 반입한 것으로 여겨진다.[23)]

베트남 중부지역인 투본강이나 호이안 꾸라오 짬섬 지역은 기원전후 사후인문화를 꽃피웠던 곳으로 9, 10세기에 이르면 중국 초기 무역도자기인 장사요 청자, 월주요 청자, 형요백자와 서아시아의 녹유도기와 유리기 등이 반입되기에 이른다.

베트남 중부의 대표적인 유적지인 꾸라오 짬섬에서는 9, 10세기 초기무역품인 5세트 즉 중국의 장사요 청자, 월주요 청자, 형요백자 및 서아시아의 녹유도기와 유리기가 출토되어 베트남 중부지역이 동아시아와 서아시아를 잇는 9, 10세기 무역의 요충지였던 것을 알 수 있다.

꾸라오 짬섬에서 발견된 장사요 청자완의 내부에는 글씨가 갈색으로 새겨져 있고 동일한 예가 826년경 인도네시아 베리퉁 해안에서 침몰된 선박에서 인양된 유물을 비롯해서 일본 서부지역 및 이란 등 서아시아 지역의 유적에서 발견되어 중국 초기해상무역품인 9세기 전반의 장사요 청자가 동아시아와 서아시아 지역에 널리 반입된 것을 알 수 있다.

나아가 짜끼에우 및 꾸라오 짬섬 등 베트남 중부지역에서는 조질로 문양이 없는 고식의 장사요 청자가 보여 초기무역품으로써 장사요 청자는 늦어도 9세기 전반 이전인 8세기 후반부터 무역품으로 유통된 것을 알 수 있다.

그리고 중국 초기 무역도자기였던 월주요 청자는 동아시아의 한국, 일본 그리고 서아시아의 이집트, 이라크 사마라(Egypt, Samarra) 등에서 형요백자와 함께 출토된다. 한국 익산 미륵사지 유적에서 월주요 청자와 형요백자와 함께

23) 중국에서 신라상인의 집단거주지인 신라방은 금주(楚州), 연수현(漣水縣)을 비롯하여 적산촌(赤山村), 유산포(乳山浦), 소산초(邵山村), 해주(海州), 밀주(密州)에서 확인된다.

대중 12년(855)명의 토기가 발굴되어 중국으로부터 반입된 초기무역도자기인 월주요 청자와 형요백자가 9세기 중엽에 한국에 반입된 것으로 추정된다.[24] 이러한 것을 감안하면 중국 초기무역도자는 9세기 전반과 중엽에 동아시아 및 서아시아에 집중적으로 반입된 것을 알 수 있다.

나아가 9, 10세기 초기 해상무역시기에는 서아시아에서 제작된 녹유도기와 유리기가 동남아시아와 동아시아에 반입된다. 베트남 중부지역 꾸라오짬섬에서 중국 초기무역도자기와 함께 서아시아의 녹유도기와 유리기가 일정량이 발견되어, 서아시아 녹유도기가 베트남 중부지역을 거쳐 중국 양주지역 등에 반입된 것으로 여겨진다. 그리고 중국에 반입된 서아시아의 녹유도기는 중국 초기무역도자기와 함께 한국이나 일본지역으로 다시 반입된 것으로 생각된다.

이와 같이 베트남 중부지역은 9, 10세기 동 · 서아시아의 무역품인 도자기와 유리가 출토되고 있어 서아시아의 무역품이 동아시아로 반입되는 중요한 무역의 요충지였다는 것을 알 수 있다. 그리고 최근에 베트남 각 유적지에서 서아시아에서 제작된 유리가 다량으로 출토되고 있어 서아시아 무역품이 동아시아로 반입되는 과정에서 베트남 지역 특히 중부지역이 어떤 역할을 했는지에 대해서는 앞으로 베트남 중부지역에서 출토되는 유리기를 통하여 분명하게 밝혀질 것으로 생각된다.

---

24) 김인규, 『월주요 청자와 한국 초기청자』, 일지사, 2007, p.231

X 필리핀 유적 출토 중국 도자기

산타아나 무덤군에서 출토된 중국 도자기는 원대(元代)의 것이 대부분으로 청자는 용천요 청자(龍泉窯青磁)가 주를 차지하고 있다. 백자는 청백자, 백자, 청화백자로 구분할 수 있다. 청백자와 청화백자는 기형이 거의 동일하여 필리핀 유적에서 출토되는 청백자와 청화백자는 같은 시기에 제작되었을 가능성이 있고 이 사실은 원대 청화백자의 출현 시기가 기존의 14세기 중엽보다 이른 청백자가 주로 제작된 14세기 전반까지 소급될 가능성을 제시하고 있다.

동양문명이 시작된 은대(殷代) 이후 지속적으로 제작된 중국 도자기는 국내에 머무르지 않고 동아시아(한국, 일본), 동남아시아를 거쳐 서아시아까지 반입되어 동서문화 교류의 상징이 된다.

중국 도자기의 해외 반입은 도자기가 양산되어 교역품으로 등장하는 9세기 이후에 본격화된다.[1] 아시아를 비롯하여 아프리카, 유럽 등지에 반입된 중국 도자기는 당대(唐代), 송대(宋代), 명대(明代), 원대(元代), 청대(淸代)의 것으로 크게 구분할 수 있고, 당대, 원대, 청대의 도자기는 무역품으로 대량 생산되어 중국에 막대한 경제적 이득을 가져다 주는 한편 중국 도자기를 수입한 나라들은 자국의 문화발전의 토대로 삼았다.

최근 무역품으로 아시아 각국에 전해진 중국 도자기는 동남아시아 각 지역에서 확인되고 있다. 필리핀 유적에서는 당대 도자기를 시작으로 원대, 명대, 청대의 도자기가 발굴되고 그 일부는 연대를 알 수 있어 중국 고대문화의 실재와 파급 및 무역품으로써 중국 도자기의 역할과 위상 나아가 무역품으로 중국 도자기의 루트 등을 추적하는 데 도움이 된다.

필리핀에서 출토되는 중국 도자기는 9세기부터 16세기까지 폭넓게 분포하고,[2] 특히 필리핀 산타아나(Santa Ana, Manila City) 무덤, 아비오구(Abiog Cave, Palanwan Island) 동굴, 바랑가이유적(Balanghai, Bultuan Ste) 등에서 시대를 달리하는 다양한 중국 도자기가 집중적으로 출토되어 필리핀 지역이

---

1) 고부가치품으로 동아시아, 동남아시아, 서아시아에 수출된 중국 도자기가 9세기에 이르러 무역품으로 급부상했던 이유는 무엇일까? 이러한 소박한 의문에는 차도의 유행으로 금속기가 부족하여 금속기를 대신하여 도자기를 만들었던 사실이 있다. 그리고 중국에서 청자의 양산과 더불어 중국의 청자를 흠모하는 청자문화권이 형성되면서 중국 도자기의 수요가 아시아 전역으로 확대되었던 배경이 있다.

2) Beyer, H.O., Ourline Review of Philippine Archaeology by Island and Provinces, Philippine Journal of Science, Vol.77, 1947, pp.205~374

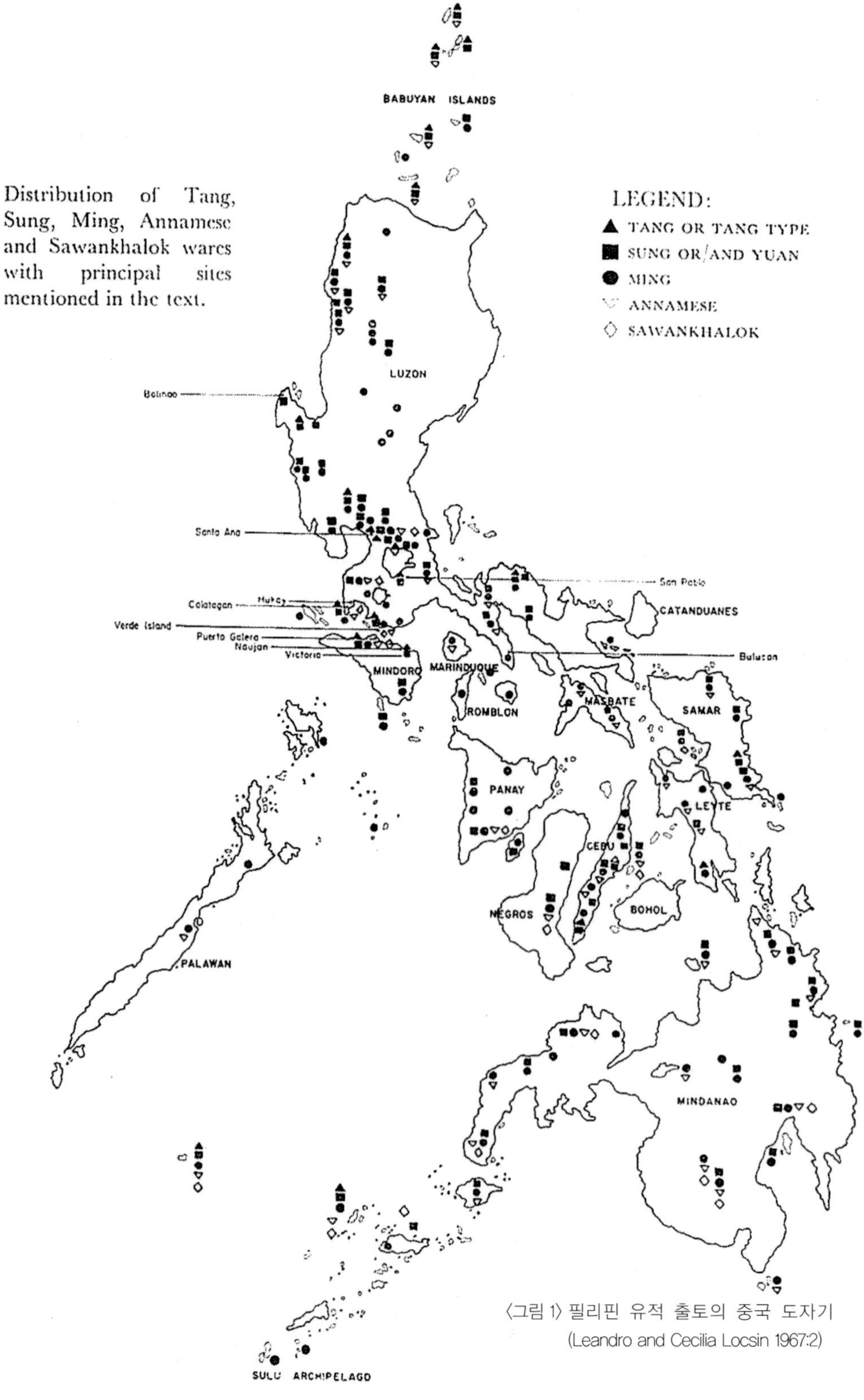

〈그림 1〉 필리핀 유적 출토의 중국 도자기
(Leandro and Cecilia Locsin 1967:2)

중국과 활발한 교역을 했다는 것을 설명하고 있다.〈그림 1〉

산타아나 무덤군에서 출토된 중국 도자기는 원대(元代)의 것이 대부분으로 청자는 용천요 청자(龍泉窯靑磁)가 주를 차지하고 있다.〈그림 2〉 백자는 청백자, 백자, 청화백자로 구분할 수 있다. 청백자와 청화백자는 기형이 거의 동일하여 필리핀 유적에서 출토되는 청백자와 청화백자는 같은 시기에 제작되었을 가능성이 있고 이 사실은 원대 청화백자의 출현시기가 기존의 14세기 중엽보다 이른 청백자가 주로 제작된 14세기 전반까지 소급될 가능성을 제시하고 있다.[3]

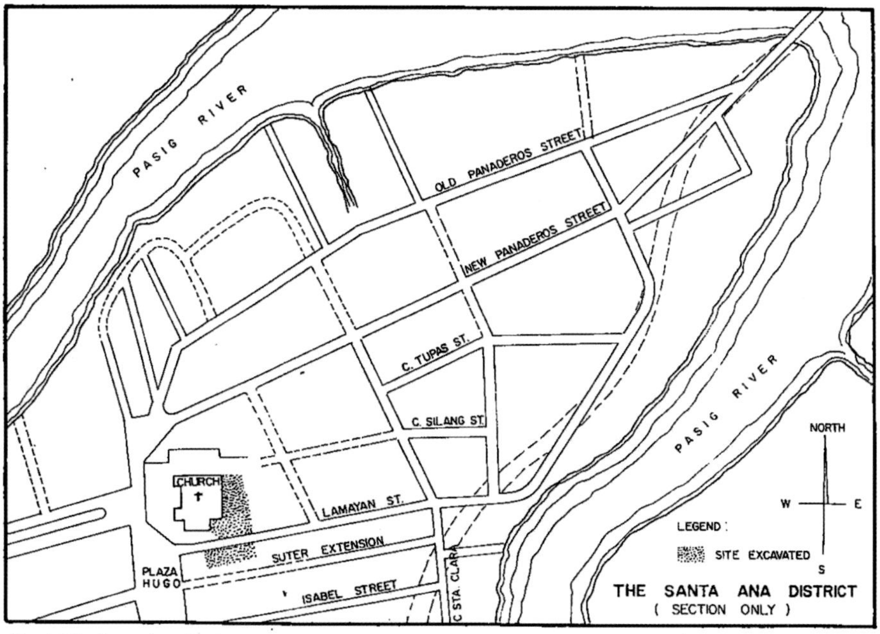

Fig. 4. The Santa Ana district (section only).

〈그림 2〉 산타아나 유적(Leandro and Cecilia Locsin 1967:35)

그리고 필리핀 유적에서 발굴된 원대 청화백자는 소형이 많고 대부분이 무덤

3) Ayer, John., Some Characteristics Wares of the Yuan Dynasty., T. O. C. S., 1956, Vol. 29

의 부장용으로 사용되어 일상생활에서 직접 청화백자를 사용한 서아시아 지역과는 용도와 질적인 면에서 차이가 있다.

1. 필리핀 유적 출토 무역도자기

도자기의 무역은 850년경 중국 절강성(浙江省) 일대에서 제작된 월주요 청자(越州窯青磁)가 한국, 일본 그리고 베트남, 필리핀, 인도네아 및 서아시아 이란, 이라크, 이집트 지역까지 반입되면서 본격적으로 시작된다.

무역품으로 중국 도자기는 현재의 반도체와 같이 저비용 부가가치 상품으로 많은 이익을 창출하는 마법의 항아리와 같이 엄청난 경제적 이익과 가치를 따질 수 없는 무형의 중국취미 내지 중국문화의 동경 즉 시누아즈리(중국취미, Chinoiserie)라는 풍조를 세상에 만들어 내었다.

필리핀 유적에서 출토된 무역도자기는 중국, 한국, 일본 도자기 및 베트남, 태국 도자기 등으로 구분할 수 있다. 중국 도자기는 800년 전후에 등장하여 1800년도까지 거의 1000여년 동안 무역도자기로써 최고의 자리에 군림하게 된다. 한국 도자기는 전 세계로부터 높은 평가를 받았던 12세기 중엽의 고려청자와 명대 해금(海禁) 정책으로 중국의 무역도자기가 제대로 역할을 하지 못했던 15세기에 제작된 분청사기 등이 필리핀 지역으로 반입된다. 일본 도자기는 필리핀 인트라무로스(Intramuros) 유적에서 17세기 후반의 것이 주로 발견된다. 동남아시아의 베트남, 태국 도자기 역시 15세기, 16세기 중국 도자기의 대용품으로 필리핀에서 반입되어 중계매매된다.

필리핀 유적에서 출토된 중국 도자기는 당대(唐代), 송대(宋代), 원대(元

代), 명대(明代), 청대(淸代)로 구분할 수 있다. 당대도자기는 장사요 청자(長沙窯靑磁), 월주요 청자, 형요백자(邢窯白磁) 등이 있다. 장사요 청자는 대부분이 접시로 형태와 문양이 인도네시아 벨리퉁(Belitung, 826년경 침몰)에서 출토된 것과 동일하여 늦어도 826년경에 필리핀 지역에 반입된 것으로 여겨진다. 접시의 중앙에는 초화문이 커다랗게 장식되었고 세 귀퉁이에는 산화철로 세 귀퉁이를 직선으로 색칠하여 소박하면서 과감한 문양을 만들어 내고 있다.〈그림 3, 4〉

이러한 장사요청자는 한국과 일본 그리고 베트남, 필리핀, 인도네시아를 거쳐

〈그림 3〉 필리핀 출토 장사요 청자

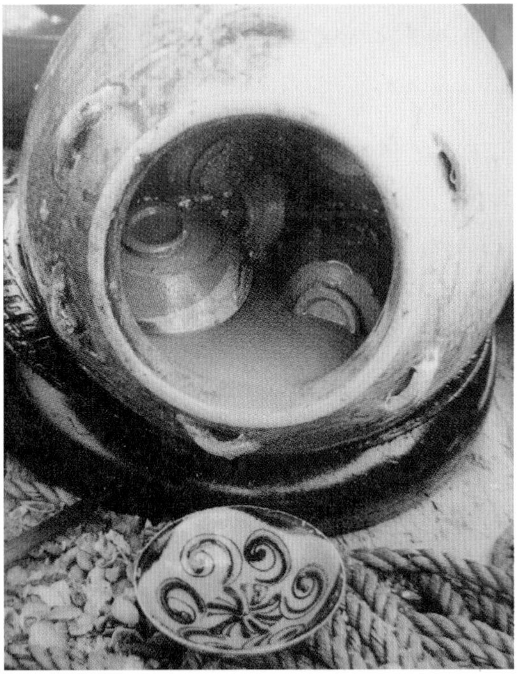

〈그림 4〉 인도네시아 베리퉁 출토 장사요 청자(826년경)

이란 등 서아시아 지역까지 수출되어 무역도자기로 당대도자기의 존재 및 무역루트를 보다 명확하게 제시하고 있다.

송대(宋代)의 도자기는 필리핀 민다나오 브투안(Mindanao Butuan) 유적에서 주로 출토되고 있다. 이 시기의 중국 도자기는 북송과 남송의 것으로 구분할 수 있다. 북송시대의 도자기로 월주요 청자는 10세기 후반의 것이 대부분을 차지하고, 그릇의 외부에는 연판문이 새겨져 있다. 같은 시기의 백자로는 하북성(河北省)에서 생산된 정요백자(定窯白磁)가 소량 출토되고 있다. 월주요 청자와 마찬가지로 외부에 연판문이 입체적으로 새겨져 있다. 남송시대의 도자기는 복건성 동안요(同安窯) 계청자와 천주요(泉州窯)에서 제작된 황색과 녹색의 유약을 사용한 도기(陶器)가 있다.

원대도자기는 절강성 용천요(龍泉窯) 청자와 강서성 경덕진요(景德鎮窯)에서 제작된 청백자와 청화백자가 있다. 용천요 청자는 대형의 반(盤)과 향로(香爐) 등이 중심을 이루고 있다. 반의 중앙에는 물고기 두 마리가 서로 마주보고 헤엄치는 모습이 시문되어 있다. 그리고 향로에는 원의 도자기에서 보이기 시작하는 팔괘(八卦)의 문양이 시문되어 있다.〈그림 5〉 이 문양은 기본적으로 조상의 은덕을 기리고, 혼란한 현세를 우주의 원리와 질서를 도형화한 팔괘를 통해 꿋꿋이 헤쳐나가려고 했던 당시 사람들의 모습을 헤아릴 수 있다.

필리핀 출토의 원대도자기는 대부분이 14세기 전반의 것이고 기형과 문양 등이 한국 신안(新安) 앞 바다 침몰선에서 나온 중국 도자기와 매우 흡사하여 14세기 전반의 중국의 청자 및 경덕진의 청백자의 연구에 매우 중요하다.

나아가 이 시기의 유물이 동아시아는 물론 동남아시아, 서아시아 등에서 널리 보여 당시의 무역루트를 파악하는데도 매우 중요한 역할을 할 것으로 생각된다.

필리핀 산타아나(Santa Ana) 유적에서 집중적으로 나온 원대 청화백자(靑花白磁)는 대부분이 소형으로 호, 주전자 등이 있고 문양은 국화문이 주를 이루고 있다.〈그림 6〉 필리핀에서 출토된 소형 위주의 기형에 간략한 문양이 시문된 청화백자는 서아시아에서 발굴된 대형의 빽빽한 문양을 가진 청화백자와 달리 약간 이른 시기인 14세기 전반에 제작된 것으로 여겨진다.

〈그림 5〉 필리핀 출토 용천요 청자향로

〈그림 6〉 필리핀 산타아나 유적 출토 청화백

명대도자기는 바탄가스 칼라타간(Batangas Calatagan) 유적과 필리핀 인근 바다에 침몰된 판다난(Pandanan) 및 네라쇼올(Lena Shoal), 산타 크르즈(Santa Cruz), 샌디에고(San Diego) 선박 등에서 출토되었다.

샌디에고 침몰선에서 인양된 도자기는 명말청초 전환기 및 경덕진요가 폐쇄되는 1620년 이전의 도자기 제작과정을 보여주는 자료로써 매우 귀중하다. 기형으로 호, 병, 대접, 접시 등이 있고 반의 저부에는 약간 굵은 모래를 받쳐 구운 것을 확인할 수 있어 제작지의 추적에 매우 유용하다.〈그림 7, 8〉

필리핀 유적에서 나온 청대도자기는 스페인 유적인 인트라무로스에서 폭넓게 출토되고 17세기 후반의 청화백자와 색회자기가 대부분을 차지하고 있다. 출토된 청대의 도자기는 경덕진, 복건, 광동지역 등에서 주로 제작되었다.

〈그림 7〉 샌디에고 침몰선 출토 청화백자병

〈그림 8〉 반(1600년경)

필리핀에서 출토된 한국 도자기는 고려청자와 분청사기로 나뉜다. 고려청자는 약 10점이 팡가시란 볼리나오(Pangasinan Bolinao)에서 출토된 것으로 전해지고 그 중 2점이 현재 일본 토야마(富山)의 사또(佐藤)공예미술관에 소장되어 있다. 한 점은 12세기 전반의 것으로 문양이 없고 규석을 받쳐 구웠다.〈그림 9〉 다른 한 점은 12세기 후반의 것으로 찍어서 문양을 만들었다.

필리핀에서 출토된 조선시대의 도자기로는 15세기에 제작된 인화기법의 분청사기가 있다. 동종의 도자기가 하까타(博多) 유적 등 일본 서부지역에서 출토되고 있어 일본 서부에 전해진 분청사기의 일부가 오키나와를 거쳐 필리핀 지역으로 반입된 것으로 여겨진다.

필리핀에서 출토된 일본 도자기는 마닐라 인트라무로스(Intramuros) 유적에서 일정량이 확인되고 17세기 중엽에 보이기 시작하여 17세기 후반에는 양이 늘어난다. 출토된 일본 도자기는 대부분이 청화백자로 아리타(有田)와 그 인근에서 제작된 것으로 여겨진다.

출토된 일본 도자기 중에는 그 생산지를 정확히 밝힐 수 있는 것이 있고, 그 대표적인 예로 나가사키 하사미(長崎 波佐見)에서 제작된 청화백자의 존재가 있다.[4] 이 청화백자는 접시의 중앙에는 바닥에 닿는 면이 넓은 이른바 해무리굽의 백자나 청화백자를 구운 흔적인 둥근 원형이 보인다.〈그림 10〉

〈그림 9〉 필리핀 출토 고려청자

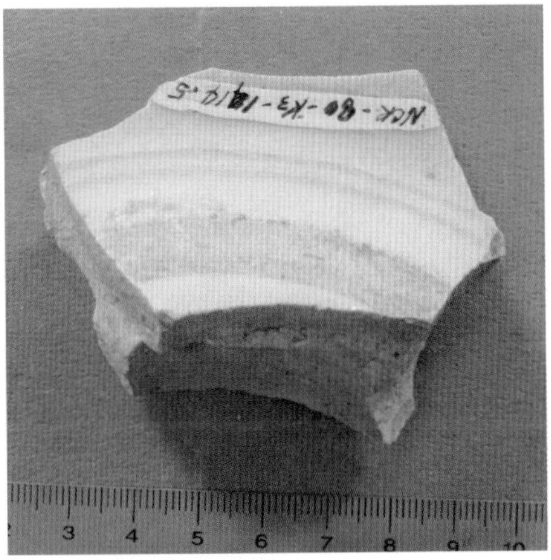

〈그림 10〉 필리핀 인트라무로스 출토 일본 청화백자

이러한 해무리굽을 가진 백자는 한국에서 17세기 후반의 백자에 주로 보여 필리핀에서 출토된 일본 하사미에서 제작된 청화백자는 조선백자의 영향을 받

4) 일본 하사미 도자기의 원조는 임진왜란 때 강제 연행되었던 이우경(李祐慶)이다. 그는 1598년 하사미 히가시소노기군에서 한국식 등요를 만들어 도자기를 생산하였고 이후 대량의 무역도자기를 생산하기에 이른다.

은 것으로 임진왜란 전후에 납치된 조선도공 또는 조선도공이 직, 간접으로 개요(開窯)에 관여한 조선식 가마에서 제작된 도자기로 여겨진다.

즉 하사미를 비롯한 일본 서부에서 제작된 도자기의 상당수는 조선도공 내지 조선식 가마에서 만들어진 것이 포함되어 있고 그러한 것들의 일부가 필리핀에 수출된 것으로 생각된다. 결국 필리핀에서 출토된 일본 서부에서 제작된 도자기는 조선도공 및 조선식 가마에서 제작된 것으로 무역도자기로서 필리핀, 인도네시아, 서아시아를 거쳐 유럽으로 전해진 것으로 생각된다.

이것은 조선백자의 기술을 직접 승계한 일본 서부 지역의 도자기가 무역도자기로서 동남아시아 및 유럽지역으로 확대된 것을 의미하며 넓은 의미로는 조선백자 및 그 기술이 유럽으로 확장된 것으로 해석할 수 있어 세계 및 동양 도자기의 역사에서 조선백자가 차지하는 역할과 위상을 재평가하는 중요한 척도가 될 것으로 예상된다.

필리핀에서 출토된 동남아시아의 도자기는 베트남, 타이, 미얀마의 것으로 구분할 수 있다. 필리핀 유적에서 출토된 베트남 도자기는 일정량이 명의 해금정책이 엄격하게 유지되었던 15~16세기에 반입된 것으로 여러 유적에서 확인되고 있다.

필리핀 출토의 대표적인 베트남 도자기는 판다란 침몰선에서 확인할 수 있고 소형의 작은 호를 비롯하여 대형의 반, 주전자 등 다양하다. 타이의 도자기는 청자가 중심을 이루고 있고 두 개의 귀를 가진 호나 반 등이 있고 판다난 침몰선 및 필리핀 국립박물관 소장의 베이어(H. Otley Beyer) 컬렉션에도 보인다. 미얀마 도자기는 마르타반호(Martaban Jar)와 청자로 구분할 수 있다. 마르타반호는 민다나오지역에서 주로 출토되고 청자는 산타 크르즈(Saint Cruz) 침몰선에서 일부 확인되고 있다.

2. 필리핀 산타아나 유적 출토 원대 청화백자

필리핀에서 출토된 중국 도자기에 대한 연구는 고고학자인 오틀리 베이어(H. Otley Beyer)에 의해 1940~50년대에 이루어졌다. 그는 필리핀의 역사를 체계화하면서 9세기에서 16세기까지를「도자기의 시대」로 명명하면서 필리핀 각지에서 출토되는 중국 도자기를 조사하여 발표한 바 있다.[5)]

스웨덴 고고학자 얀세(Olov R. T. Janse)는 루손 카라타간(Calatagan) 반도를 조사하여 대량의 도자기를 채집했다. 그리고 베이어의 지도를 받은 폭스(Robert. B. Fox)가 바가우, 카이, 토마스 지역의 무덤을 조사하여 출토된 도자기에 대한 상세한 보고서를 발표했다.[6)]

필리핀에서 중국 도자기의 조사와 발굴은 마닐라 국립박물관이 주최가 되어 바탄가스 카라타간 묘지군(Calatagan, Batangas), 산타아나(Santa Ana) 묘지군 등 여러 유적에서 이루어졌다.

필리핀 산타아나 유적에서 출토된 중국 도자기의 대부분은 원대의 것이 차지하고 있다. 산타아나 유적은 마닐라시 산타아나 지구 산타아나 교구 교회부지에 마련된 묘지로, 이 유적에서는 1800여점의 중국 도자기와 함께 중국 동전인 함평원보(咸平元宝(998), 희녕원보(熙寧元宝, 1068), 숭령통보(崇寧通宝, 1102), 지대통보(至大通宝, 1310) 등이 출토되어 유적의 하한은

---

5) Beyer, H.O., Ourline Review of Philippine Archaeology by Island and Provinces, Philippine Journal of Science, Vol.77, 1947, pp.205~374

6) Fox, R. B., The Calatagan Excavation: Two 15th Century burial Site in Batangas, Philappine, Philippine Studies, Vol. 7, No. 3,1959, pp.325~390
Fox, R. B., The Archaeological Record of Chinese Influence in the Philippine, Philippine Studies, Vol, 15, No.1 1962, pp.41~62

14세기 전반으로 생각할 수 있다.[7)]

그리고 이 유적에서 출토된 중국 도자기는 청자, 청백자, 백자, 청화백자, 유리홍 등이 있다. 청자는 용천요, 청백자, 백자, 그리고 청화백자는 경덕진요에서 생산된 것으로 한국 전라남도 신안군에서 침몰한 중국 선박에서 인양된 청자나 청백자와 유사하여 제작지와 제작시기가 동일한 것으로 생각된다.

그러나 산타아나 유적에서는 신안 침몰선에서 한 점도 출토되지 않았던 청화백자와 유리홍(백자)가 출토되어 이 유적에서 출토된 도자기는 신안 침몰선에서 나온 중국 도자기(1323년경)보다 약간 시기가 내려갈 가능성이 있지만, 산타아나 유적에서 출토된 청자, 청백자, 청화백자의 기형이 신안 침몰선에서 나온 도자기와 유사하여 산타아나 유적에서 나온 원대도자기의 제작시기는 신안 침몰선의 도자기와 거의 동일하거나 시기 차이가 나더라고 크지 않을 것으로 생각된다.

그리고 필리핀 산타아나 유적에서 확인되는 원대 초기 청화백자와 유리홍은 일본 서부 및 오키나와나 지역에서도 일부 확인되어 이 시기의 중국 도자기가 일본을 거쳐 필리핀 지역으로 반입된 것으로 추정할 수 있어 14세기 전반과 중엽에 아시아 지역에서 이루어진 중국 도자기의 무역루트를 구체적으로 해명하는 계기를 마련하고 있다.

원대 청화백자는 백색의 태토에 파란색을 내는 코발트(Cobalt)의 안료를 사용하여 용이나 꽃 등을 화려하게 장식한 것으로 14세기의 시대적인 아이콘(ICON)이 되었다.[8)] 이러한 14세기의 원대 청화백자는 화려하고 빽빽한 문양

---

7) 青柳洋治, 「9～10世紀のフィリピン貿易陶磁に基づく編年的枠組」, 『上智アジア学』 10, 1992, pp.148～152

8) 청화백자의 본격적인 등장은 지정(至正) 11년(1351)의 청화백자병의 존재로 지정년간으로 여겨지고 있다. 그러나 지정 양식의 병은 최성기의 것으로 원대 청화백자의 이른 시기의 모습을 전적으로 대변한다고 할 수 없다.

구조에서 알 수 있듯이 충진(充塡)의 미의식에서 제작된 것으로 공백(空白)을 중시하는 동양적인 미학과는 다른 서방적인 요소를 갖고 출발했다는 것을 자연스럽게 보여주고 있다.

원대 청화백자는 무역도자기로서 코발트의 산지였던 서아시아 터키, 이집트, 이란을 중심으로 상당량이 남아있고 일부는 중계무역지인 필리핀이나 인도네시아 유적에서도 확인되고 있다.

산타아나 유적에서 출토되는 청화백자는 소량(출토된 도자기의 1.9%)으로 대부분의 기형은 작은 것이 특징이다.(Leandro and Cecilia Locsin, 1967, p.98) 태토는 하얀색으로 약간 붉은 기운이 있다. 문양은 대부분이 국화문이다.[9)]

이 유적에서 출토되는 원대 청화백자는 호, 주전자, 반 등 다양하다. 호〈그림 11〉는 높이 6~7cm의 소형으로 동일한 형태의 호가 청자, 청백자, 유리홍백자에도 보인다. 문양은 동체의 중심부에 국당초가 시문되고 동체의 윗부분에는 원대 전형적인 당초문이 간략하게 시문되어 있다. 국당초문은 형태와 진행방향이 경덕진 인근에서 발굴된 무자(戊子, 1348)년 이전에 제작된 청화백자호〈그림 12〉에 보이는 국당초문과 유사하여 늦어도 14세기 중엽 경의 것으로 생각된다.

그리고 필리핀에서 발견되는 청화백자에 보이는 국당초문은 영국 펄 데이비드 소장의 지정 11년(1351)의 청화백자를 비롯하여 14세기 중엽 청화백자의 문양이 용, 어문, 고사인물문, 원곡(元曲)의 일부를 차용한 것이 많고 국화문이 거의 없어, 산타아나 유적에서 출토된 국당초문의 청화백자

9) Leandro and Cecilia Locsin., Oriental Ceramics Discovered in the Philippines, 97, Rutland, Vermont and Tokyo, Japan:the Charles E. Tuttle Company, 1967, p.98

〈그림 11〉 산타아나 출토 청화백자(Leandro and Cecilia Locsin 1967, p.104)

〈그림 12〉 경덕진 1348년 청화백자(黃雲鵬 1983, p.114)

〈그림 13〉 1351년 청화백자(吳水存 1992, p.94)

〈그림 14〉 철화백자호 1337(長谷部樂爾 1990, p.213)

는 전성기인 지정양식의 원대 청화백자보다 이른 14세기 전반으로 소급될 가능성이 있다.

이러한 가능성은 지정 8년(1348)에 죽고 지정 11년(1351)에 매장된 호북무혈서씨묘(湖北武穴舒氏墓)에서 출토된 청화백자향로〈그림 13〉에 시문된 국화문을 통하여 입증할 수 있다.[10] 나아가 1337년에 제작된 국당초문이 시문된 철화백자호〈그림 14〉가 중국 광동성 뇌주(廣東省 雷州) 반도에서 출토되어 산타아나에서 출토된 국화문을 가진 청화백자는 제작 연대가 1337년까지 소급될 수 있다.[11]

나아가 14세기 전반의 청화백자에 보이는 국당초문은 14세기 중, 후반에 출현한 베트남 초기 청화백자의 국당초문에 많은 영향을 주게 된다. 베트남 청화백자에서 국당초문은 초기단계에서 주로 보이고 발전단계인 15, 16세기에는 거의 보이는 않는다. 이러한 사실은 베트남 초기 청화백자에서 보이는 국당초문은 지정년간 이전의 국당초문으로부터 영향을 받아 출현했음을 명확하게 보여주고 있다. 베트남 도자사학자인 일본 모리모토 아사코(森本朝子)씨는 국당초문을 가진 베트남 청화백자를 14세기 후반으로 설정하고 있다.[12]

산타아나 유적에서 출토된 청화백자 주전자〈그림 15〉는 대마디의 형태로 동체의 맨 위부분에는 스님의 모자와 유사한 장식이 달려있다. 동일한 장식이 청백자〈그림 16〉에도 보여, 원대 청백자가 청화백자의 기형에 많은 영향을 준 것을 알 수 있고 필리핀에서 출토된 청화백자는 청백자와 거의 동시기인 14세기 전반에 제작되어 필리핀 지역에 반입된 것을 알려주고 있다.

---

10) 吳水存, 「江西九江發現元代靑花瓷器」, 『文物』 1992~6, 1992, p.94

11) 長谷部樂爾, 『インドジナ半島の陶磁』, 瑠璃書房, 1990, p.213

12) 森本朝子, 「ベトナムの貿易陶磁 –日本出土のベトナム陶磁を中心に」, 『上智アジア学』 11, 1993, p.51

〈그림 15〉 산타아나 출토 청화백자

〈그림 16〉 산타아나 출토 청백자(Leandro and Cecilia Locsin 1967, p.92)

필리핀 산타아나 출토된 청화백자가 기형에서 청백자와 유사한 것은 표형 주전자의 예를 통해서도 알 수 있다. 이 유적에서 출토된 청화백자 표형주전자〈그림 17〉는 기형이 청백자나 반점을 가진 청백자와 동일하여 청화백자 표형주전자가 청백자의 기형을 토대로 제작된 것을 알 수 있고 청백자(갈색반점) 표형주자와 청화백자 표형주자가 동시에 제작되었을 가능성을 보이고 있다.

나아가 산타아나 유적에서 출토된 갈색 반점을 가진 청백자 표형주전자〈그림 18〉가 한국 신안 침몰선에서 인양된 청백자 표형주전자〈그림 19〉와 형태와 문양이 동일하여, 산타아나 유적에서 나온 청화백자 표형주전자는 신안 침몰선의 청백자 표형주전자와 거의 동시기(1323년)에 제작된 것으로 간주된다.

그리고 갈색 반점을 가진 청백자가 전라남도 신안 침몰선과 필리핀 산타

〈그림 17〉 산타아나 출토 청화백자(필리핀 국립박물관 필자사진)

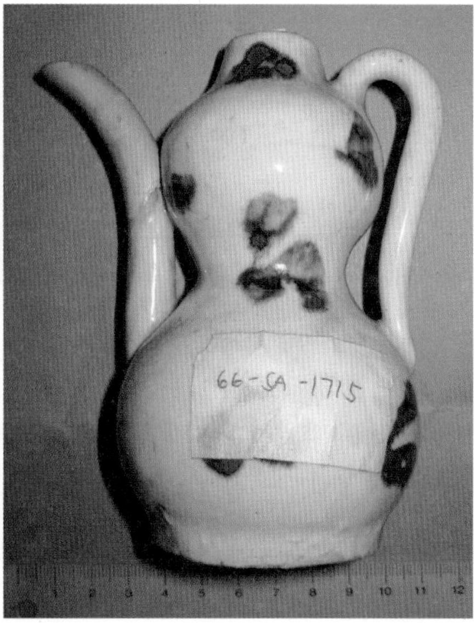

〈그림 18〉 산타아나 출토 갈색반점 청백자

〈그림 19〉 신안출토 청백자(新安海底引揚文物 1983, p.25)

아나 유적에서 일정량이 확인되지만 일본 유적에서는 거의 출토되지 않아 신안 침몰선은 일본이 최종목적지가 아니고 적어도 일본을 거쳐 필리핀까지 운항되었을 가능성이 있다.

그리고 기형에서 청백자와 청화백자의 유사성은 필리핀 산타아나 유적에서 나온 작은 쟁반에서도 확인할 수 있다. 이 유적에서 출토된 청화백자 작은 반〈그림

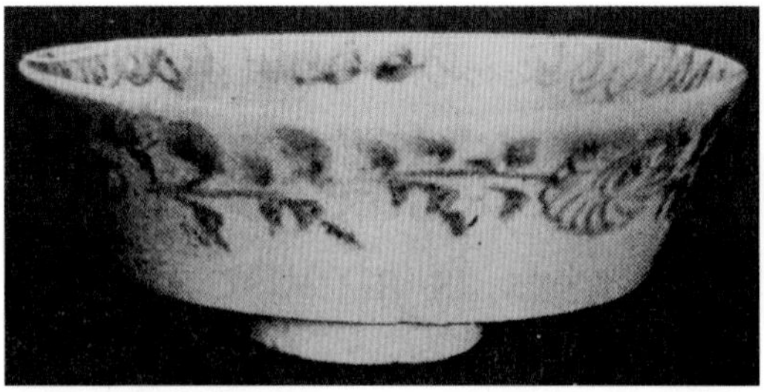

〈그림 20〉 필리핀 산타아나 청화백자(Leandro and Cecilia Locsin 1967, p.100)

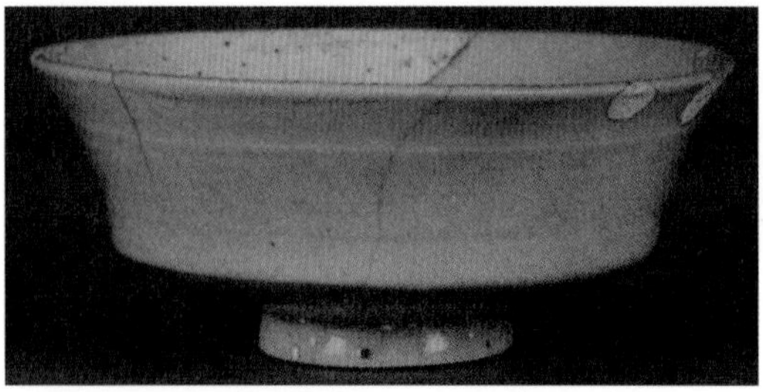

〈그림 21〉 경덕진 출토 청백자(東洋陶磁學會2002, p.95)

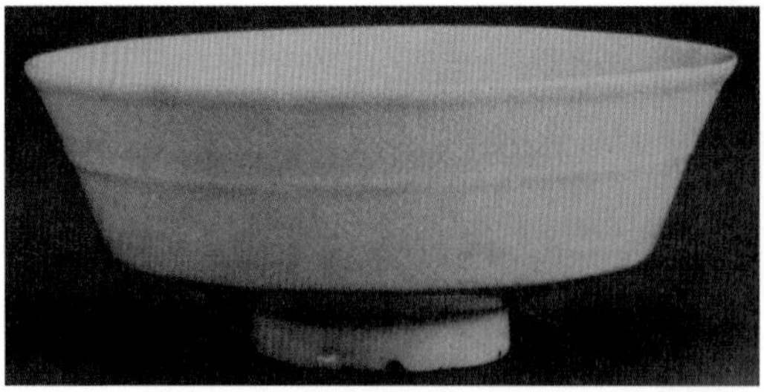

〈그림 22〉 신안 출토 청백자(新安海底引揚文物 1983, p.58)

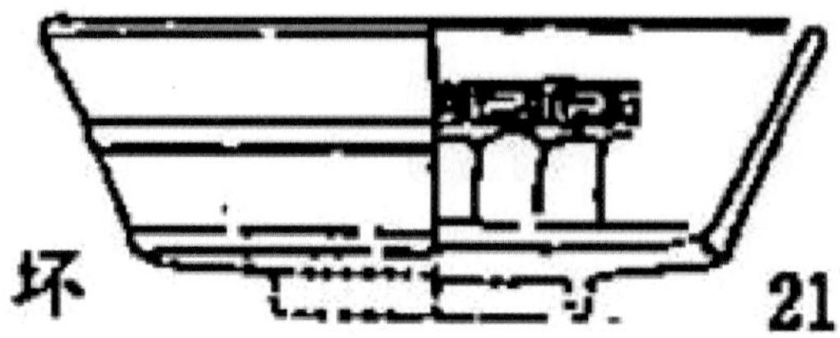

〈그림 23〉 일본 다자이후 출토 청백자(山本信夫 1997, p.157)

20〉은 입의 지름이 12cm, 높이는 5cm 이하의 것이 대부분을 이루고 있다. 거의 동일한 형태와 크기(입지름 12cm) 쟁반이 중국 강서성 경덕진 시내 유적의 원대층위〈그림 21〉와 신안 침몰선〈그림 22〉 및 일본 규슈 다자이후(大宰府) 유적에서 발굴된 청백자〈그림 23〉에서 보여,[13] 필리핀 산타아나에서 출토된 청화백자 작은 쟁반은 청백자의 기형을 모델로 만든 것으로 생각되고 제작 연대 역시 신안 해저에서 발견된 청백자와 거의 동일 시기인 1323년경으로 간주된다.

이와 같이 산타아나 무

13) 山本信夫, 「新安海底遺物」, 『考古学による日本歴史 1 0対外交渉』, 雄山閣, 1997, p.157

덤군에서 출토된 청화백자는 기형면에서 경덕진 시내의 유적 및 신안 침몰선에서 나온 청백자, 일본 규슈에서 출토된 14세기 전반의 청백자와 유사하여 산타아나에서 출토된 청화백자는 신안 침몰선에서 나온 청백자의 제작시기인 1323년경까지 소급될 가능성이 있고, 이것은 산타아나 무덤군에서 출토된 청화백자의 제작 연대가 기존 원대 청화백자의 출현시기인 1351년경보다 20여년 이른 14세기 전반일 가능성을 시사한다.[14)]

그리고 필리핀 산타아나 무덤에서 출토된 원대 청화백자는 문양과 문양기법에서 청백자와 유사성을 갖는다. 이 유적에서 출토된 원대 청화백자의 문양으로는 앞에서 설명한 국당초문 이외 국당초문의 주변문양으로 뇌문(雷文)이 보인다. 뇌문은 신안 침몰선 및 일본 카마쿠라(鎌倉), 하카타(博多), 다자이후 유적에서 출토된 청자와 백자의 주변 문양으로 사용되고 있어 산타아나 유적에서 출토된 청화백자의 뇌문 역시 신안 침몰선 및 14세기 전반 일본 유적에서 발굴된 청백자나 백자와 동시대성를 갖는다.

청백자, 청화백자, 유리홍에 시문된 문양의 유사성은 필리핀에서 출토된 유리홍백자 편구(片口)에 새겨진 토끼문〈그림 24〉을 통하여 알 수 있다.[15)] 이 토끼문은 귀가 크게 표현된 것이 특징이고, 토끼의 모티프와 그 구체적인 묘사가 신안 침몰선에서 나온 청백자〈그림 25〉와 유사하여, 산타아나 유

14) 신안 침몰선에서 출토된 중국 도자기 중에 청화백자가 없다는 사실은 원대 청화백자의 출현시기를 결정하는 데 중요한 의미를 가지고 있다. 대부분의 학자들이 신안 침몰선에 청화백자가 없고, 기년명 원대 청화백자중에 가장 이른 지정 11년(1151)의 지정양식의 청화백자병을 근거로 원대 청화백자의 출현이 지정년간에 이루어졌을 가능성을 제시한 바 있다. 그러나 필리핀에서 출토된 원대 청화백자와 신안 침몰선에서 나온 청백자를 비교해 본 결과 청화백자의 형태가 청백자의 것과 흡사하여, 필리핀에서 출토된 원대 청화백자를 비롯하여 원대 청화백자의 출현은 늦어도 신안 침몰선의 시기인 14세기 전반에 제작되었을 가능성이 높다고 생각한다.

15) 편구는 원대에 등장하는 기형으로 이전 송대 이후 명대에는 거의 보이는 않는다.

적에서 출토된 토끼문이 시문된 유리홍이 신안 침몰선의 시기에 제작되었을 가능성을 보여주고 있다고 할 수 있다.

〈그림 24〉 필리핀 출토 토끼문 유리홍백자(フリピンにフわたったやきもの 1999, p.67)

그리고 신안 침몰선의 청백자에서 보이는 토끼문과 거의 유사한 것이 안휘성 박물관 소장의 청화백자토문병〈그림 26〉에서 보여, 유리홍과 청화백자에서 보이는 토끼문의 기원이 청백자의 토문에서 유래한 것을 알 수 있다. 나아가 안휘성 박물관소장의 토끼문이 그려진 병은 대좌 위에 올려진 형태로 신안에서 출토된 대좌 위에 놓인 청백자병〈그림 27〉의 형태와 흡사하여, 산타아나 유적에서 출토된 대좌 위에 놓여 있는 청화백자병은 청백자를 모델로 만들어진 것을 확인할 수 있다.

〈그림 25〉 신안 출토 토끼문 청백자(施靜菲 2009, p.22)

그 밖에 필리핀 산타아나 유적에서 출토된 청화백자에는 비즈(구슬)장식 기법이 사용되고 있다. 비즈기법은 구슬을 끈으로 엮어 만든 선을 이용하여 도자기의 표면에 장식하는 방법으로 주로 청백자, 청화백자, 유리홍(백자)에 사용되고 있다.

〈그림 26〉 안휘성 출토 청화백자병(施靜菲 2009, p.29)

〈그림 27〉 신안 출토 청백자병(新安海底引揚文物 1983, p.73)

비즈기법이 사용된 유리홍의 대표적인 예로 1338년 누각과 하북성 보정시 보장에서 출토된 호[16]와 펄데이비드소장의 호 등이 있어 비즈장식이 청화백자, 유리홍과 함께 동시에 사용된 것은 늦어도 1338년 이전이라는 것을 알 수 있다.[17]

〈그림 28〉 아일랜드 박물관 소장 청백자(長谷川祥子1988~89, pp.14~15)

〈그림 29〉 산타아나 유적 출토 청백자(Leandro and Cecilia Locsin 1967, p.154)

그리고 비즈기법을 대표하는 청백자로는 헝가리 루이대왕(1326~82)의 소유로 전해지고 아일랜드 박물관에 소장된 1325년에 제작된 것으로 추정되

16) 江西省高安縣博物館, 劉裕黑 熊琳, 「江西高安縣發現元青花 釉裏紅等瓷器寶藏」, 『文物』,1982~4, 1982, pp.58~69

17) 영국 도자사학자인 존 에어스는 청백자의 제도기술이 청화백자로 이입되는 과정을 고찰했다. 그리고 비즈기법이 사용된 헝가리 루이대왕(1326-82)이 소장했던 청백자를 참고로 청화백자의 출현시기를 1325~50년경으로 제시하고 있다.(John, Ayers., Some Characteristic Wares of the Yuan Dynasty., T. O. C. S. Vol.29, 1956)

는 병〈그림 28〉이 있다.[18] 이 병에 시문된 여의두문은 그 형태가 1319년 철화백자병 및 산타아나 유적에서 출토된 청백자에 시문된 여의문〈그림 29〉과 흡사하여 산타아나에서 출토된 비즈로 장식된 청백자는 늦어도 1319년에서 1325년 사이에 제작되었을 가능성이 있고, 동일한 비즈기법이 사용된 산타아나 유적에서 출토된 청화백자 역시 청백자의 비즈기법이 유행한 1320년경에 제작된 것으로 여겨진다.

그리고 이러한 사실은 필리핀 산타아나 무덤에서 출토된 비즈장식의 청화백자 역시 비즈장식의 홍리홍와 거의 동시기로 간주되고, 신안 침몰선에서 나온 청백자에서도 비즈장식의 기법이 보여 비즈 기법은 1320~30년대에 널리 사용되고 있다는 것을 알 수 있다.

이와 같이 필리핀에서 출토된 청화백자는 기년명을 가진 청화백자나 유적의 연대를 알 수 있는 자료(신안 1323)의 기형 및 문양의 비교를 통하여 비즈기법이 유행했던 1320~30년에 이미 출현하였을 가능성이 있고, 신안 침몰선의 도자기와 비교하여 알 수 있듯 필리핀 산타아나 유적에서 나온 청화백자가 신안 침몰선에서 나온 청백자의 기형과 비즈기법이 유사하여 필리핀 산타아나에서 출토된 청화백자는 1323년까지 소급될 가능성이 충분히 내재한다고 생각된다. 이러한 사실을 종합하여 추론해 보면 필리핀을 비롯하여 동남아시아에서 출토되는 원대 청화백자는 1320~30년대에 제작된 것으로 판단할 수 있다.

그 밖에 필리핀 산타아나 유적에서는 중국 도자기로는 청화백자, 청자, 백자,

18) 이 병은 헝가리 루이대왕(1326-82)의 소유로 전해지고 문장(紋章)이 들어있는 금속제 주구(注口)와 손잡이, 뚜껑이 붙어있는 모습으로 그려진 그림이 있다는 것을 근거로 이 병의 제작시기를 1325년경으로 추정했다(Ayers, John., Buddist Porcelain Figures of the Yuan Dynasty, Victoria and Albert Museum, No.1, 1969, London: Phaidon)

색회자기 등이 출토되고 있고 이중 명대의 청화백자가 중국 도자기의 약 68%를 점하고 있어 필리핀 유적은 원대 이후 무역도자기의 흐름을 파악하는 데도 중요한 의미를 지니고 있다고 할 수 있어 앞으로 필리핀에서 출토되는 중국 도자기에 대한 종합적인 연구가 이루어지게 되면 중국 도자기의 실재와 그 무역루트를 추적하는데 많은 도움이 될 것으로 생각된다.

이러한 명대 청화백자 중에는 저부에 만복유동(万福攸同)이라는 글자가 쓰여져 있고 가정(嘉靖) 전후 제작된 것으로 추정하고 있다.[19]

필리핀 유적에서 출토되는 중국 도자기는 9세기 전반부터 보이는 당대 도자기를 시작으로 송대, 원대, 명대, 청대도자기가 지속적으로 발굴되고 있다. 당대도자기로는 월주요 청자, 장사요 청자, 형요백자가 있다. 송대도자기로는 월주요 청자, 요주요 청자, 정요백자, 동안요 청자 등이 소량 확인되고 있다.

그리고 필리핀지역에서는 산타아나 유적을 중심으로 원대의 도자기인 청백자와 청화백자가 상당량 발견된다. 청백자와 청화백자는 기형이 작아 대부분이 부장용품으로 주검의 주요 부위인 팔굽 등을 받치는 도구로써 사용된 것을 알 수 있어 중국 도자기가 당시 필리핀 사람들로부터 매우 중요하게 취급된 것을 알 수 있다.

산타아나 유적을 중심으로 출토되는 원대도자기는 연유도기, 청자, 청백자, 청화백자, 유리홍백자가 확인되고 이중 청화백자는 약 2% 정도 출토되고 있다. 이 청화백자는 레안드로와 세실리아 로신이 그의 책에서 밝혀듯이 청백자, 유리홍백자와 동일 무덤 내지 동일 층위에서 발굴되고 있어 청백자와 유리홍백

19) 佐々木木達夫, 「窯跡からみる明代窯業技術」, 『金澤大學文學部論集私學科篇』 3, 金澤 : 金澤大學, 1988, p.12

자와 동일시기에 제작되어 반입되었을 가능성이 높다.

그리고 산타아나 유적에서 출토된 청화백자주전자는 표형으로 신안 침몰선에서 나온 반점을 가진 청백자주전자와 흡사하여, 산타아나 유적에서 출토된 청화백자는 늦어도 1323년경에 제작되어 필리핀 지역으로 반입된 것으로 여겨진다.

이러한 사실은 산타아나 유적에서 출토된 청화백자 소형반와 신안 침몰선 및 일본 규슈 다자이후 유적에서 나온 동일한 형태의 소형반를 통해서도 알 수 있다. 그리고 이와 동일한 반이 경덕진 시내에서 발굴되어 이러한 소형접시는 경덕진요에서 제작되어 한국 신안, 일본 규슈, 그리고 필리핀 산타아나 유적 등에 반입된 것으로 여겨진다.

산타아나 유적에서 나온 청화백자는 문양과 문양기법으로 국화문과 비즈장식기법이 있다. 청화백자 국화문은 원대 지정년간(1341~67)에는 거의 보이지 않아 지정년간 이전에 사용된 것으로 여겨지고 지정 8년에 죽어 11년(1351)에 매장된 호북무혈서씨묘에서 출토된 청화백자 및 1337년 광동성 뇌주(廣東省雷州)에서 출토된 국화문 철화백자의 존재로 산타아나 유적에서 나온 국화문의 청화백자는 늦어도 1330년 후반까지 소급할 수 있다.

그리고 산타아나에서 발굴된 비즈기법을 가진 청화백자는 비즈기법이 주로 청백자에서 사용된 점을 생각하면 청화백자의 비즈기법은 청백자로부터 계승된 것으로 이해할 수 있다. 청백자의 비즈기법은 헝가리 루이 대왕의 소유로 아일랜드 박물관에 소장된 1325년경에 제작된 청백자의 존재를 통하여 알 수 있고 동일한 비즈기법이 1338년에 제작된 유리홍의 누각에서도 보이고 있어 산타아나 유적에서 출토된 비즈기법의 청화백자는 1325년에서 1338년경 비즈기법이 집중적으로 사용된 시기에 제작되어 필리핀에 반입되었을 가능성이 있다.

이와 같이 필리핀 산타아나 유적에서 출토된 청화백자가 1320~1330년경에 제작되어 반입된 사실은 기존의 원대 청화백자의 출현시기인 1350년보다 약 20여년이 빠른 것으로 필리핀 산타아나 유적에서 나온 청화백자가 원대 청화백자의 출현시기 및 그 배경을 이해하는 데 매우 중요하다는 것을 시사하고 있다. 필리핀과 유사한 청화백자가 출토되고 있는 인도네시아 유적를 비롯하여 동남아시아 전반에서 출토되고 있는 원대 청화백자를 종합적으로 조사하면 원대 청화백자의 출현시기 및 무역루트 등이 보다 명확하게 밝혀질 것으로 생각된다.

동남아시아 도자기 연구

아시아 조형문화의 역사에서 도자기가 차지하는 역할과 위상은 크다. 인류의 도자기의 역사에서 중국의 역할은 대단했고 중국은 9세기 중엽이후 대량으로 청자를 생산하여 아시아 전역과 아프리카 지역까지 수출하여 인류의 1/3이 흠모하고 동경하는 청자문화권을 형성하였고 14세기 중엽의 원대(元代)에는 고도의 기술을 이용한 청화백자를 개발하여 이집트, 이란 등 서아시아 및 유럽 등에 많은 양을 수출하여 17세기 후반 유럽 사회에 시누아즈리라는 중국취미를 대유행시키고 이후 유럽에서 동양풍의 예술작품들이 등장하는 배경을 만들게 된다.

동남아시아 지역은 중국도자기가 서아시아 및 유럽으로 수출되는 과정에서 중계무역지의 역할을 톡톡히 했다. 예를들어 베트남 중부 호이안과 남부 옥에오, 필리핀 마닐라, 인도네시아 반텐, 말레이시아 말라카, 미얀마 마루타반(현 목뜨마)지역은 무역항으로 이문화가 수입되고 자국문화와 하나가 되어 새로운 문화를 만들어 내었다.

동남아시아 지역은 지리적으로 중국과 인도 사이에 놓여 양 지역의 조형문화의 흐름을 수용하여 이른 시기부터 양질의 도자기를 제작한 것으로 생각되지만 구체적인 상황은 거의 알려져 있지 않다.

1990년 이후 동남아시아 지역이 정치적으로 안정되고 도시개발이 진행되고 주요 유적과 소비지에서 발굴이 이루어지면서 동남아시아 지역에서 제작된 도자기와 이 지역에 수입된 무역도자기의 양상이 밝혀지게 되었다.

동남아시아 지역에 수입된 중국도자기는 이 지역의 조형문화에 많은 영향을 주게된다. 9세기 중엽 무역도자기로 등장하여 10세기 후반에 대량으로 생산되었던 월주요청자는 베트남 및 캄보디아의 시유도기 및 청자의 제작에 많은 영향을 미치게 된다.

특히 캄보디아(크메르) 11세기의 시유도기의 형태에는 중국 남부에서 제작된 청자와 유사한 것이 많고 일부는 북송과 대치하고 있었던 요(遼)의 백자 형태가 보여 동남아시아 지역은 이른 시기부터 남방과 북방 등 중국 모든 지역과 전방위로 교류를 하여 결과적으로 다양한 고도의 문화를 적극적으로 받아들여 각 국의 조형문화의 발전에 적극적으로 활용한 것으로 생각된다.

그리고 14세기 이후 중국 남방의 경덕진과 용천 지역에서 대량 생산된 청화백자와 청자는 도자기 무역품으로 아시아 전역과 아프리카 지역까지 수출되어 각국의 조형문화에 엄청난 파급을 미치게 된다.

또한 이 시기의 중국도자기는 14세기-16세기에 집중적으로 제작되는 베트남, 타이, 미얀마의 청자나 청화백자의 모델이 되고 이후 이러한 도자기는 무역도자기로서 명대 초기의 해금정책으로 중국도자기가 세계 시장에서 유통되지 못했을 때 중국도자기를 대신하여 서아시아 등지에 수출된다.

그리고 15세기에 이르러 백자의 수요가 공급을 훨씬 초과하게 되면서 중국 북부 하북성 자주(河北省 磁州) 지역을 중심으로 제작되었던 백화장 기법의 도자기가 등장한다. 이 도자기는 흙이 좋지 않아 백화장을 한 후 투명한 유약을 발라 구운 것으로 이후 15, 16세기 태국 중부지역 씨싸차날라이 및 야유타야 지역에서도 동일한 기법의 도자기가 대량으로 만들어진다.

그러나 중국 명대 해금정책이 유명무실화되는 15세기 후반 이후 중국도자기가 무역도자기로서 세계시장에서 다시 주도권을 잡게 되면서 동남아시아 도자기는 국내의 수요에만 대응하게 된다. 17, 18세기 중국취미가 유행하고 중국도자기가 전 세계를 장악할 때 베트남 및 태국 등 동남아시아 왕실에서는 왕실용의 도자기를 중국에 주문하여 자국 도자기의 발전에 소극적으로 대응하기에 이른다.

그러나 19세기 동남아시아 지역은 양질의 청화백자와 화려한 벤차롱의 색회자기가 다량으로 생산되었던 베트남과 태국의 예를 통해 알 수 있듯 공예의 대중화 및 도자기 제작기술의 향상 및 분업으로 도자기의 제작에서 상당한 발전을 이루게 된다.

전반적으로 동남아시아 지역의 조형문화 및 도자기에 대한 연구는 아직 초보단계이지만 앞으로 유적과 요지에서 발굴된 도자기를 면밀하게 조사하게 되면 동남아시아 각국에서 제작된 도자기 및 조형문화의 실체가 밝혀져 동남아시아 역사와 문화를 재해석하고 재조명하는데 많은 기여를 할 것으로 생각된다.

끝으로 이 책 Ⅱ장은『한국도자학연구』Vol.7 No.2의「동남아시아 도자기에 보이는 중국도자기의 영향」을, Ⅳ장은『동남아시아연구』21권 2호의「문헌에 보이는 미얀마 흑유대호」를, Ⅷ장은『수완나부미』제 2권 제 1호의「베트남 청화백자의 출현과 전개」를, Ⅸ장은『한국도자학연구』Vol.8 No.1의「베트남 중부 지역 출토 무역도자기」를 수정 보완한 것임을 밝혀둔다.

참고문헌

Ⅱ. 동남아시아 도자기와 중국

- 최병욱, 『동남아시아사』, 대한교과서주식회사, 2006
- 「タイの陶磁」, 『世界陶磁全集』, 南海, 小学館 1984
- 長谷部樂爾, 『インドシナ半島の陶磁』, 琉璃書房, 1990
- 『杭州 老虎洞窯址瓷器精選』, 文物出版社, 2002
- 『목칠공예』, 솔, 2005
- 長谷部楽爾, 「クメールの陶磁」, 『世界陶磁全集』 16, 小学館, 1984
- John Guy., 「ベトナム陶磁」, 『世界陶磁全集』 16, 小学館, 1984
- 向井 亙, 「沈没船資料に基づくタイシシサチャナライ施釉陶磁器盤形の変遷」, 『貿易陶磁研究』 No. 21, 2001
- 向井 亙, 「クラム島冲沈沒船」, 『季刊考古学』 75, 2001
- 森本朝子, 「ベトナム陶磁」, 『東洋陶磁史』, 東洋陶磁学会, 2002
- 佐々木達夫, 「アラビア半島にひろがるミャンマー青磁の発見」, 『金沢大学考古学紀要』 26, 2002
- 森村健一, 「15～17世紀における東南アジア陶磁器からみた陶磁の日本文化史」, 『国立歴史民俗博物館研究報告』, 2002
- J.C. Shaw., Northern Thai Ceramics Oxford University Press, 1989
- Dick Richards., South-East Asian Ceramics: Thai, Vietnamese and Khmer, Oxford University Press, 1995

Ⅳ. 문헌에 보이는 미얀마 흑유대호

- 『신안해저문물』, 국립중앙박물관, 삼화출판사, 1977
- Adhyatman, S., Tempayan Martavans in Indonesia,Jakarta: The ceramic Society of Indonesia, 1977
- Adhyatman, S., "Burmese Ceramics", The Ceramics Society of Indonesia, Bulletin May 1985.
- Alexander Hamilton., A New Account of the East Indies, London: Argonaut, 1930
- Aung Thaw., Report on the Excavation at Beikthano, Rangoon: Revolutionary Government of Union Of Burma, Ministry of Union Culture, 1968
- Brown, R.M., "Preliminary report of the Ko Khram sunken ship". Oriental Art 21(4). 1975
- Brown, R.M., The Ceramics of South-East Asia: Their Dating and Identification, Singapore: Oxford University Press, 1988
- Cynthia, O. Valdes., "Martaban Jars found in the Philippines". Art of Asia 22(5), 1990,
- Duarte Barbosa., The book of Duarte Barbosa: an Account of the Contries Bordering on the Indian Ocean and their Inhabitants, written by Duarte Barbosa, Nendeln/Lichtenstein: Hakluyt Society, 1967
- Guy, J.S., Ceramic Tradition of South-East Asia, Singapore:Oxford University Press, 1989
- Guillon, Emmanuel. Translated and edited by Di Crocco, James V., The Mons: A civilization of southeast Asia, James V. Bangkok: The Siam Society, 1999, 194.
- Nan, Kyi Kyi Khai., 「The study of Myanma trade ware: Martaban jar and white dish」,『金沢大学考古学紀要』30, 2009

- Rijks Museum., The Ceramic Load of The Witte Leeuw, Amsterdam:Rijks Museum. 1991
- Volker, T., Porcelain and the Dutch East India Company: As Recorded in the Dagh – registers of Batavia Castle, those of Hirado and Deshima and other Contemporary Paperm 1602~1682. Leiden: E.J. Brill, 1971
- Shaw, J. C., Introduction Thai Ceramics also Burmese and Khmer. Chiang Mai:Craftman, 1987
- Shaw, J.C., Northern Thai Ceramics. Kuala Lumpur, Malaysia: Oxford University Press, 1981
- Smithies, Michae., Alexander Hamilton: A Scottish Sea Captain in the Southeast Asia, Bangkok:Silkworm. 1689~1723, 1997
- Sylvia Fraser – Lu., Burmese Craft. Kuala Lumpur: Oxford University Press, 1994
- Yamasaki, K. M. and Shaw, J. George., "A Technical Study on the White – glazed Wares with Green, 1989
- Jan Huygen van Linschoten, 岩生成一(번역).『東方案内記』. 岩波書店. 1968.
- 森本朝子.「ベトナムの貿易陶磁 日本出土のベトナムを中心に」.『上智アジア学』11. 上智大学アジア研究所. 1993.
- バトタ イブン. イブンズュザイイ編. 家島彦一(번역).『大旅行記』6. 東洋文庫. 平凡社, 2001.
- 『世界陶磁全集 16 南海』. 小学館, 1983.
- 佐々木達夫. 佐々木花江.「アラビア半島にひろがるミヤンマー青磁の発見」.『金沢大学考古学紀要』26, 2002.
- 佐々木達夫.「ミヤンマー窯跡と採集陶磁磁」.『金沢大学考古学紀要』27, 2004.

- 坂井 隆, 「陶磁の道を訪ねて」, 『出光美術館館報』 145:22, 2008.
- 大分市教育委員会, 『大友府内 5』, – 中世大友府内町跡3次調査報告大分驛周辺総合整備事業に伴う埋藏文化財発掘調査報告書 –, Oita: 大分市教育委員会, 2002.
- 津田武德, 「クメール・タイ・ミヤンマの陶磁」, 『東洋陶磁学会三十周年記念 東洋陶磁史 –その研究の現在– 』, 東洋陶磁学会, 2002.
- 津田武德, 「ミヤンマー施釉陶磁」, 『上智アジア学』 23, 2005.
- 長谷部樂爾, 『インドジナ半島の陶磁器』 琉璃書房, 1990.
- 長谷部樂爾, 「東南アジア古陶磁研究の現狀」, 『東洋陶磁』, 東洋陶磁学会, 1995.

V. 태국 도자기

- Brown,R.M., The Ceramics of Southeast Asia Their Dating and Identification, Kuala Lumpur, 1988
- Hein, Donald, Burns, Peter, Richards, Dicks., "An Alternative View of the Origin of Ceramic Production at Sisatchanalai and Sukhothai", Central–Northern Thailand, SEAMEO Project in Archaeology and Fine Arts(SPAFA), Digest, Vol. VII, No. 1, 1986
- J. Green and R. Harper, S Peishanchittara., The Excavation of the Ko Kradat Wreck Site, 1979~1980, Department of Maritime Archaeology, Western Ausralian Museum, 1981
- Nguyen Dinh Chien., Pham Quoc Quan, Ceramics on five Shipwrecks off the coast of Viet Nam, the national Museum of Vietnamese History, 2008
- Shaw, J.C., Introducing Thai Ceramics, also Burmese and Khmer, Chiangmai, 1987
- Shaw, J.C., Northern Thai Ceramics, Kuala Lumpur, 1981
- 矢部良明, 「タイベトナムの陶磁」, 『陶磁大系47』, 平凡社, 1978.

- 長谷部楽爾,『インドシナ半島の陶磁』, 瑠璃書房, 1990.
- 矢島律子,「東南アジアの陶磁」,『国立歴史民俗博物館研究報告』第94集, 2002.
- ブジョンチャンタウェイ,「タイの陶磁」,『世界陶磁全集』16 , 小学館, 1984.
- 向井亙,「タイ陶磁器の輸出初期段階の様相」,『上智アジア学 23』, 2005.
- 向井亙,「タイの陶磁史(6)」,『陶說』682, 日本陶磁協會, 2009.
- 佐々木達夫, 佐々木花江,「アラビア半島にひろがるミャンマー青磁の発見」,『金沢大学考古学紀要』26, 2002.
- 大阪市立美術館,『白と黑の競演, −中國 磁州窯系陶器の世界−』, 2002.

Ⅷ. 베트남 청화백자

- Brown, R. M., The Ceramics of South–East Asia:Their Dating and Identification. Kuala Lumpur: Oxford University Press, 1977
- ジョンガイ(John Guy). ベトナムの陶磁.『世界陶磁全集』16, 小学館, 1980.
- Guy. J., Ceramic Tradition of South–East Asia. London: Oxford University Press, 1989
- 長谷部学爾.『インドシナ半島の陶磁』. 瑠璃書房, 1990.
- 森本朝子. ベトナムの貿易陶磁－日本出土のベトナム陶磁を中心に－.『上智アジア学』11: 1993.
- 三上次男.『陶磁の道』. 中央公論美術出版, 2000.
- 長橋明子.「ベトナム青花磁器の生産地」.『昭和女子大学国際文化研究所紀要』Vol. 8. 昭和女子大学, 2002.
- 西村昌也・西野範子.「ベトナム施釉陶器の技術形態的視点からの分類と編年」.『上智アジア学』23, 2005.
- 弓場紀知.『青花の道』. NHKブックス, 2008.

Ⅸ. 베트남 중부지역과 무역도자기

- 김인규, 『월주요 청자와 한국 초기청자』, 일지사, 2007
- 한국문화공보부, 문화재관리국편, 『신안해저유물종합편』 1988
- 岡崎敬, 「雲南省 石寨山とベトナムオケオの遺跡」, 『東西交渉の考古学』, 平凡社, 1973
- 岡野智彦, 「9～10世紀のイスラム陶器の東西交流」, 『考古学ジャーナル』 464, 2000.
- 龜井明德, 『福建省古窯跡出陶瓷器研究』, 都北印刷出版社, 1995
- 家島彦一, 『インド洋におけるシーラフ系商人の交易ネットワークと物品の流通』, 1987.
- 小山富士夫, 「埃及出土フスタット出土の支那陶磁片」, 『考古学雜誌』, 29-5, 1939
- 榮原永遠男, 「古代の難波をめぐる国際交易ネットワーク」, 『都市文化研究』 Vol. 8, 2006.
- 三上次男, 「中世中国と遺跡出土の中国陶磁を中心として」, 『陶磁貿易史研究』 下巻,
- 中央公論美術出版, 1988.
- 三上次男, 『陶磁の道』, 中央公論美術出版, 2000.
- 山崎純男, 「鴻盧館跡 I」, 『福岡市埋藏文化財調査報告書第 270集』, 福岡市教育委員会, 1991
- 山本信夫, 「日本東南アジア地域において9～10世紀の貿易とイスラム陶器」, 『国立歴史民族博, 『物館研究報告』, 2002.
- 弓場紀知, 『中国の陶磁 三彩』, 平凡社, 1995
- 周長源, 「揚州出土古代波斯釉陶器」, 『考古』, 1985-2, 1985.
- 福建省博物館, 「五代閩國劉華墓發掘報告」, 『文物』 1975-1, 1975.
- 傅宋良林元平, 『中國古陶瓷標本福建汀溪窯』, 2002
- Aly Bahgat Bey et albert Gabriel, Fouilles d, al Foustat, Paris, 1921
- Bo Gyllensvard., "Recent Finds of Chinese Ceramics at Fustat", I, II, BMFEA,

No.45, 47, 1973, 1975

- Bronson, B., Chinese and middle Eastern Trade in Southern Thailand During the 9th Century A.D., Ancient Trade and Cultural Cintacts in Southeast Asia, 1996
- Hourani, G.F., "Arab Seafaring in the Indian Ocean in Ancient and Early Medieval Times", Princeton Oriental Studies, Vol.13, New York: Princeton University Press, 1951.
- Leigh Ashton., "China and Egypt", Transaction of the Oriental Ceramic Society(T.O.C.S)
- National Geographic, 2009 (June), 1933~34.
- Pamela M Makinns, New Light On Old Pottery: The Founding of SEACS, Southeast Asian Ceramics, Singapore: Southeast Asian Ceramic Society, 2009, p.37
- Rapfael.O.C., Fragments from Fostat, Transaction of the Oriental Ceramic Society(T.O.C.S), London, 1923~24.
- R.L., Hobson., "Chinese Porcelain from Fostat", Burlington Magazine, 1932

X. 필리핀 유적 출토 중국 도자기

- 한국문화공보부, 문화재관리국편, 『신안해저유물종합편』, 동화출판공사, 1988
- 奈良国立博物館, 特別展示修復完成記念, 『シルクロードを旅した漢代漆器』, 奈良国立博物館, 2011
- 出光美術館, 『陶磁の東西交流』, 出光美術館, 1984
- 今小路遺跡發掘調査團, 『今小路西遺跡(御成小學校内)發掘調査報告書』, 鎌倉市教育委員會, 1990
- 龜井明德, 『福建省古窯跡出陶瓷器研究』, 都北印刷出版社, 1995

- 青柳洋治, 「9–10世紀のフィリピン貿易陶磁に基づく編年的枠組」, 『上智アジア学』 10, 1992
- マイ山康彦, 「マジャパヒト王都址出土の元代青花白磁片」, 『元の染付展』, 大阪東洋陶磁美術館, 1985
- 山本信夫, 「新安海底遺物」, 『考古学による日本歴史10 対外交渉』, 雄山閣, 1995
- 佐々木木達夫, 1988, 「窯跡からみる明代窯業技術」, 『金澤大学文学部論集私学科篇』 3, 金澤 : 金澤大学, 1997
- 東洋陶磁学會, 『東洋陶磁史』, 東洋陶磁学會, 2003
- 町田市立博物館, 『フリピンにフわたったやきもの』, 町田市立博物館, 1999
- 施靜菲, 「景德鎮における元代青花と釉裏紅の出現」, 『大和文華』, 大和文華館, 2009
- 長谷川祥子, 「元(至正)様式の青花磁器誕生についての一考察」, 『東洋陶磁』 28, 東洋陶磁学會, 1988~89
- 国立歴史民俗博物館, 『東アジア中世海道』, 毎日新聞社, 2005
- 長谷部樂爾, 『日本出土の中国陶磁』, 平凡社, 1995
- 長谷部樂爾, 『インドシナ半島の陶磁』, 瑠璃書房, 1990
- 中日新聞社, 『新安海底引揚文物』, 中日新聞社, 1983
- 傅宋良, 林元平, 『中國古陶瓷標本福建汀溪窯』, 文物出版社, 2002
- 吳水存, 「江西九江發現元代青花瓷器」, 『文物』, 1992–6, 1992
- 江西省高安縣博物館, 劉裕黑 熊琳, 「江西高安縣發現元青花 釉裏紅等瓷器寶藏」, 『文物』, 1982–4, 1982
- 黃雲鵬, 「館藏和窯址出土的元青花, 釉裏紅瓷」, 『江西歷史文物』, 1983~4, 1983
- 『季刊考古学』 75, 雄山閣, 2001

- Beyer, H.O., Ourline Review of Philippine Archaeology by Island and Provinces, Philippine Journal of Science, Vol.77, 1947

- Ayer, John., Some Characteristics Wares of the Yuan Dynasty., T. O. C. S.. Vol. 29, 1956
- Pamela, M, Makinns., New Light On Old Pottery: The Founding of SEACS, Southeast Asian Ceramics, Southeast Asian Ceramic Society, 2009
- National Geographic, 2009 June.
- Fox, R. B., The Calatagan Excavation: Two 15th Century burial Site in Batangas, Philappine, Philippine Studies, Vol. 7, No. 3, 1959
- Fox, R. B., The Archaeological Record of Chinese Influence in the Philippine, Philippine Studies, Vol, 15, No.1, 1974
- Fox, R. B., A. Excavation at Santa Ana, National Museum of the Philippines, Manila, 1977
- Fijio, Koyama and John Figgess., Two Thousand years of oriental Ceramics, New York: Harry N.Abrams Inc, 1961,
- Leandro and Cecilia Locsin., Oriental Ceramics Discovered in the Philippines, 97, Rutland, Vermont and Tokyo, Japan: the Charles E. Tuttle Company, 1967